2022

TERMINE MIT GOTT

365 Tage mit der Bibel

BRUNNEN
NEUKIRCHENER VERLAG

Herausgeber:
Matthias Büchle, Generalsekretär CVJM-Westbund e.V.
Cornelius Kuttler, Leiter des Evangelischen Jugendwerks in Württemberg
Karsten Hüttmann, 1. Vorsitzender Christival e. V.
Hansjörg Kopp, Generalsekretär CVJM Deutschland e. V.
Wieland Müller, 1. Vorsitzender Chrischona Gemeinschaftswerk Deutschland
Dr. Christoph Rösel, Generalsekretär Deutsche Bibelgesellschaft

Redaktion: Holger Noack
Lektorat: Uwe Bertelmann

Erstellung des Bibelleseplans:
Ökumenische Arbeitsgemeinschaft für Bibellesen
Caroline-Michaelis-Str. 1, 10115 Berlin

Auslegungen zur Jahreslosung S. 98, 183, 249 aus:
Christoph Morgner (Hrsg.): Jesus Christus spricht: Wer zu mir kommt, den werde ich nicht abweisen: Das Lesebuch zur Jahreslosung. Brunnen 2021.

FSC www.fsc.org
MIX
Papier aus verantwortungsvollen Quellen
FSC® C083411

Umschlaggestaltung: Jonathan Maul
Umschlagfotos: Stocksy – kartonierte Ausgabe/Adobe Stock – gebundene Ausgabe
Gestaltung der Monatssprüche: Sören Pflaum
Innenfotos: Stocksy – Jahreslosung/Adobe Stock – Monatssprüche
Satz: DTP Brunnen
Herstellung: CPI books GmbH
Gedruckt in Deutschland

Kartonierte Ausgabe
ISBN 978-3-7655-3072-2 (Brunnen)
ISBN 978-3-7615-6760-9 (Neukirchener)

Gebundene Ausgabe
ISBN 978-3-7655-0632-1 (Brunnen)
ISBN 978-3-7615-6759-3 (Neukirchener)

Elektronische Ausgabe:
ISBN 978-3-7655-7620-1 (E-Book)

Jahreslosung 2022

Jesus Christus spricht:
Wer zu mir kommt, den werde ich
nicht abweisen.

Joh 6,37 (E)

Inhalt

Vorwort

Ein neues Jahr liegt vor uns. Dazu gehört die neue Ausgabe von „Termine mit Gott". Diese Ausgabe soll wieder helfen, mit Gott in Kontakt zu bleiben und die Beziehung zu ihm zu stärken. Die Freundschaft zu Gott neu beleben – wenn Sie diese Sehnsucht haben, teilen Sie einen Herzenswunsch mit dem lebendigen Gott, der die Beziehung zu uns Menschen sucht. Er möchte uns dienen. Er möchte im Überfluss geben. Die Jahreslosung 2022 lautet: „Jesus Christus spricht: ‚Wer zu mir kommt, den werde ich nicht abweisen'" (Joh 6,37, E). In Mt 11,28 sagt Jesus: „Kommt her zu mir, alle, die ihr mühselig und beladen seid; ich will euch erquicken."

Hier steht ein starker Aufruf: „Kommt her!" Eindringlich freundlich locken diese Worte. Jesus ruft uns zu sich. Wir können kommen. Eine gute Nachricht! Täglich sagt Jesus: „Komm zu mir mit dem, was dich beschwert. Komm zu mir mit dem, was dir Angst macht. Komm zu mir mit dem, was dir den Schlaf raubt. Komm zu mir mit dem, was dir Schmerzen macht. Ich erfrische dich. Ich helfe dir. Ich belebe dich und du kannst dich erholen. Ich stärke dich für deinen Weg." Auch wenn es gut geht und keine Schlafstörungen vorliegen, ruft Jesus zu sich. Er bietet auch denen lebendiges Wasser an, die weder mühselig noch beladen sind. Er gibt frisches lebendiges Wasser zum Überfließen zum Nächsten: „Und der HERR wird dich immerdar führen und dich sättigen in der Dürre und dein Gebein stärken. Und du wirst sein wie ein bewässerter Garten und wie eine Wasserquelle, der es nie an Wasser fehlt" (Jes 58,11).

Zu Jesus kommen – das geht ganz praktisch, indem wir uns täglich einen „Termin mit Gott" einplanen. Eine solche Zeit der Stille vor Gott lässt sich ganz unterschiedlich gestalten, das Wort Gottes gehört aber unverzichtbar dazu. Die Bibel ist für Christen wie eine Quelle. In ihren Worten ruht eine schöpferische Kraft. Wenn ihre Zeit gekommen ist, etwas zu sagen, entfaltet sich die Kraft. Worte Gottes greifen ein und gestalten das Leben. Wenn Jesus

sagt: „Komm zu mir“, dann wird er erfrischen und keine Strafrede halten. Wer glaubend zu ihm kommt, den wird er nicht abweisen, sondern von dessen Leib werden Ströme lebendigen Wassers fließen. Das ist seine Zusage, die will er einlösen.
Termine mit Gott 2022 werden helfen, jeden Tag mit Gott in Kontakt zu treten und ein Stück im Glauben zu wachsen.
Leider ist im Jahr 2020 Frank Grundmüller, der langjährige Redakteur des vom Brunnen Verlag verantworteten Teils (in diesem Jahr 01.01.-05.07.), nach längerer Krankheit viel zu früh verstorben. Wir blicken dankbar auf die Jahre der Zusammenarbeit und seine gewissenhafte und verlässliche Redaktionsarbeit zurück. Unser Dank gilt wieder einmal Holger Noack, der im letzten Jahr in die Redaktion des vom CVJM verantworteten Teils einspringen musste, dass er nun auch spontan die Redaktion des gesamten Bandes übernommen hat.

Ihr Wieland Müller,
Vorsitzender des Chrischona-Gemeinschaftswerks Deutschland

Monatsspruch Januar

Jesus Christus spricht:
Kommt und seht!

Joh 1,39

Ein Anfang ist gemacht

Psalm 92 **Samstag, 1.**

Lohnendes Leben. Der Weg mit Gott macht unser Leben weit und reich. Er lässt uns Freude und Fülle erfahren. Der Weg mit Gott ist der Weg, auf dem wir die Ewigkeit in die Zeit hinein gewinnen. Es ist etwas Großes: Die gepflanzt sind im Hause des HERRN, werden in den Vorhöfen unsres Gottes grünen. Es ist in Israel nicht selbstverständlich, dass eine Pflanzung groß wird. Das ist die Gewissheit: Wer in Gottes Haus eingepflanzt ist, der kommt zur Reife, dessen Leben wird groß – nicht nach unseren Maßstäben. Nach dem Maßstab Gottes. Was in der Zeit in der Einpflanzung in die Gemeinde beginnt, kommt zur Frucht in der Ewigkeit Gottes. Was hier an Leben aus dem Evangelium beginnt, das wird zur Vollendung gebracht in der Freude Gottes. Gott gibt solche Verheißungen, um uns auf dem Weg zu helfen.

„Der in euch angefangen hat das gute Werk, der wird's auch vollenden bis an den Tag Christi Jesu." *Philipper 1,6*

Wochenspruch

„Und doch schreibe ich euch ein neues Gebot, das wahr ist in ihm und in euch; denn die Finsternis vergeht und das wahre Licht scheint schon." *1. Johannes 2,8*

Geborgen

Psalm 57 **Sonntag, 2.**

„Unter dem Schatten deiner Flügel habe ich Zuflucht" (V. 2). Menschen sehnen sich in der glühenden Sonne nach Schatten. Schatten verdunkelt nicht, sondern er erquickt. Das gilt so völlig nur für den Schatten Gottes. Wo er auf die Erde fällt, da entsteht Leben. Großartig: Ich muss nicht nur mit dem Schatten Gottes vorliebnehmen. Bei ihm selbst darf ich meine Zuflucht haben. Er selbst ist hineingetreten in unsere Welt. Er selbst hat das Leben auf sich genommen. Hat Gestalt und Leib getragen wie wir. Damit wir nicht nur auf ein vages Schattenbild hin unser Vertrauen leben, sondern ihn selbst erfahren als den Zufluchtsort in dieser Welt. Und doch klingt nun in dem Psalm noch anderes an: Schon im Schatten Gottes gibt es Geborgenheit für mich. Wie viel mehr dann erst im hellen Licht seiner Gegenwart.

„Ich habe mein Wort in deinen Mund gelegt und habe dich unter dem Schatten meiner Hände geborgen“ *Jesaja 51,16*

Das Johannesevangelium

Das vierte Evangelium benennt deutlich sein Ziel: „Noch viele andere Zeichen tat Jesus vor seinen Jüngern, die nicht geschrieben sind in diesem Buch. Diese aber sind geschrieben, damit ihr glaubt, dass Jesus der Christus ist, der Sohn Gottes, und damit ihr, weil ihr glaubt, das Leben habt in seinem Namen“ (20,30.31). Mit dieser Auswahl der Taten und Reden Jesu wird alles auf die Christuserkenntnis konzentriert, auf die Einheit von Vater und Sohn („Ich und der Vater sind eins“; 10,30), auf den Sohn als das „Leben“ (1,4) und auf den „Glauben“ als den Weg und die Weise, wie wir an seiner „Herrlichkeit ... voller Gnade und Wahrheit“ teilhaben (1,14).
Die Zahl Sieben symbolisiert in der Bibel die Fülle. Dass in der Auswahl die ganze „Fülle“ gegeben ist, wird veranschaulicht durch sieben „Ich-bin-Worte“ – Jesus sagt: „Ich bin das Brot des Lebens, das Licht der Welt, der gute Hirte, die Tür, die Auferstehung und das Leben, Weg, Wahrheit und Leben, der rechte Weinstock“ – und durch sieben Wunder, die das Johannesevangelium als „Zeichen“ kennzeichnet. Sie weisen alle über sich hinaus auf Jesus als die eigentliche Gabe Gottes für uns hin.
Anders als in den ersten drei Evangelien kommt im Johannesevangelium Jesus nicht erst am Ende seines Lebens nach Jerusalem, sondern er zieht mindestens viermal in die Heilige Stadt, und zwar immer zu den zentralen jüdischen Festen (2,13; 5,1;

7,10; 12,12). Jeweils wird deutlich, dass der jüdische Kult in Jesus zu seinem Ziel, damit aber auch zu seinem Ende kommt. Jesus wirft nicht nur die Händler aus dem Tempel, sondern er treibt auch die Opfertiere hinaus (2,15), denn er allein ist jetzt „Gottes Lamm, das der Welt Sünde trägt" (1,29).

Dieser mehrfache Aufenthalt Jesu in Jerusalem führt auch zu einem anderen Aufbau des Evangeliums als bei den drei ersten Evangelisten:

Auf die Eröffnung mit dem großartigen Christushymnus folgt das Christuszeugnis Johannes des Täufers und die Berufung der ersten Jünger.

Kap. 2–12 zeigen das Wirken Jesu in der Öffentlichkeit. Begegnungen mit unterschiedlichsten Menschen sind häufig Anlass zu ausführlichen Reden. Fast gewinnt man den Eindruck, dass die Worte Jesu wichtiger sind als die dabei von ihm vollbrachten Taten bzw. Wunder.

Kap. 13–17 enthalten die nicht-öffentliche Unterweisung der Jünger im Blick auf die Zeit nach Jesu Tod. Die sog. „Abschiedsreden" und „das Hohepriesterliche Gebet" sind gleichsam das Testament Jesu. Vierfach verheißt hier Jesus den „Parakleten", den „Tröster" und „Beistand", den Heiligen Geist, in dem er selbst in anderer Weise wieder bei seiner Gemeinde präsent sein wird (14,18; s. 14,15-18; 14,25f.).

Der Passionsbericht (Kap. 18 u. 19) zeigt Jesus nicht als das Opfer der Machthaber, sondern als den souverän selbst Handelnden, der bewusst den Weg ans Kreuz geht, und der besonders in dem ausführlichen Gespräch mit Pilatus zeigt, wer eigentlich der König und Herr ist.

Im Auferstehungsbericht (Kap. 20 u. 21) finden wir mehr Begegnungsgeschichten des Auferstandenen als in den anderen Evangelien. Sie betonen vor allem die neue Sendung, die Jesus seinen Jüngern gibt. „Friede sei mit euch! Wie mich der Vater gesandt hat, so sende ich euch" (20,21).

Gegenüber den synoptischen Evangelien vermisst man die Streitgespräche zwischen Jesus und den Pharisäern über das Gesetz, die Gleichnisse und das Zentralwort seiner Verkündi-

gung: „Reich Gottes" (dafür „ewiges Leben", wobei dieses ewige Leben nicht erst in der Zukunft beginnt, sondern für den Glaubenden schon in der Gegenwart angebrochen ist).
Auffallend ist die meist meditative Sprache des Johannesevangeliums. Sie will uns in die Tiefe führen. Wir sollen nicht bei den vordergründigen Geschehnissen stehen bleiben, sondern die Leben schenkende Wahrheit sehen lernen, die in der Geschichte Jesu Christi offengelegt wird.

Nicht ich, sondern er

Johannes 1,19-28 **Montag, 3.**

Im Museum Unterlinden im elsässischen Colmar steht der bekannte Isenheimer Altar. Er ist das Meisterwerk von dem Maler Matthias Grünewald. Bei der berühmten Kreuzigungsszene finden wir Johannes den Täufer rechts neben dem Kreuz. In seiner linken Hand hält er die aufgeschlagene Bibel. Mit seinem rechten Zeigefinger deutet er auf Jesus, der am Kreuz hängt. Im Johannesevangelium weist Johannes der Täufer schon gleich zu Beginn auf Jesus hin (V. 23). Dabei wundern sich die Leute. Sie fragen Johannes: „Bist du ein Prophet oder gar der Christus?". Johannes hätte das bejahen können. Er hätte zum Star werden können. Doch stattdessen weist er demütig auf Jesus, den schon die Schrift bezeugt: „nicht ich, sondern er". „Nicht ich, sondern er" – das ist auch ein Zuspruch und Anspruch an mich selbst.

„Herr, wohin sollen wir gehen? Du hast Worte des ewigen Lebens."
Johannes 6,68b

Heilige Momente

Johannes 1,29-34 **Dienstag, 4.**

Seit einigen Jahren sind sogenannte Escape Room Games gerade bei jungen Menschen im Trend: Eine Gruppe wird in einen Raum eingeschlossen. Sie hat eine Stunde Zeit, miteinander verbundene Rätsel zu lösen. Nur so kann sich die Gruppe befreien und die Tür öffnen. Ein heiliger Moment ist das, wenn das letzte Rätsel gelöst ist und die Tür plötzlich aufgeht. Als Johannes Jesus sieht, scheint auch sein Rätsel gelöst zu sein. Ein heiliger Moment: Johannes sieht den Geist auf Jesus – und damit wird ihm alles glasklar. Er erkennt in Jesus sofort das Lamm Gottes, wie es im Alten Testament verheißen wurde. – In meinem Glaubensleben kenne ich diese heiligen Momente auch. Da schnappe ich einen Satz in der Sonntagspredigt auf oder lese in der Bibel. Und plötzlich verstehe ich etwas, worauf ich noch nie kam. Plötzlich öffnet sich die Tür – und ich kann weitergehen.

„Der Hauptmann aber, der dabeistand, ihm gegenüber, und sah, dass er so verschied, sprach: „Wahrlich, dieser Mensch ist Gottes Sohn gewesen!"

Markus 15,39

Was sucht ihr?

Johannes 1,35-51 **Mittwoch, 5.**

Manchmal sind wir auf der Suche nach verschollenen Dingen: Der Terminkalender oder der Autoschlüssel zum Beispiel liegen nicht dort, wo sie eigentlich sein sollten. Manchmal sind wir auch auf der Suche nach unsichtbaren Dingen: eine Umarmung, ein liebes Wort. Oder Frieden nach einem langen, unausgesprochenen Streit. Um das Suchen geht es auch, als Jesus zwei Johannesjünger kennenlernt. Er stellt ihnen die Frage: „Was sucht ihr?" (V. 38). Dabei kennt Jesus schon längst ihre Antwort. Er kennt auch, wenig später, den Namen von einem anderen Mann – nämlich Petrus (V. 42). Die Männer sind fasziniert von Jesus. Bald folgen sie ihm nach. Wenn Jesus Menschen begegnet, möchte er sie herausfordern, selbst darüber nachzudenken: Was suche ich eigentlich? Wonach sehne ich mich?

„Dem macht der Türhüter auf, und die Schafe hören seine Stimme; und er ruft seine Schafe mit Namen und führt sie hinaus."

Johannes 10,3

Jesus zeigt, wer er ist

Johannes 2,1-12 **Donnerstag, 6.**

Wer schon einmal Gäste bewirtet hat, weiß, wie unangenehm es ist, wenn plötzlich etwas ausgeht: Egal ob Würste, das Baguette oder der Wein. Angst macht sich breit. Ist die Feier nun gelaufen? Auf der Hochzeit zu Kanaan passiert das Gleiche. Die Weinkrüge sind leer. Doch Jesus ist unter den Gästen. Er rettet die Feier, indem er Wasser zu Wein verwandelt. Es ist das erste Wunder, das Jesus im Johannesevangelium tut. Jesus zeigt hier, wie auch in seinen anderen Wundern, wer er ist. Das soll helfen, an ihn zu glauben und auf Gott zu vertrauen. Heute wiederum passieren Weinwunder eher selten. Aber die Erzählung zeigt, dass wir auf Jesus vertrauen können. Besonders dann, wenn etwas nicht so läuft, wie wir es geplant haben.

„Befiehl dem HERRN deine Wege und hoffe auf ihn; er wird's wohl machen.“ *Psalm 37,5*

Raus aus dem Tempel

Johannes 2,13-25 **Freitag, 7.**

Es ist Sonntag. Klar gehe ich in den Gottesdienst. Doch warum eigentlich? Aus Tradition? Will ich gesehen werden? Möchte ich einen Plausch beim Kirchenkaffee? Im Judentum war Opfern sehr wichtig. Da war es praktisch, dass Opfertiere gleich vor Ort angeboten wurden, oder? Den Händlern geht es nicht um Stille vor und Ehre für Gott, sondern um Profit. Jesus ist wütend darüber! Er äußert Gottes Trauer über dieses Verhalten. Er fordert dazu auf, die Prioritäten richtig zu setzen und die Herzenshaltung zu überprüfen. Jesus kennt unsere Herzen. Er bezeichnet sich als den wahren Tempel. Im Tempel erfuhren die Juden die Gegenwart Gottes. Was möchte ich aus dem nächsten Gottesdienst mitnehmen?

„Ich ermahne euch nun, Brüder und Schwestern, durch die Barmherzigkeit Gottes, dass ihr euren Leib hingebt als ein Opfer, das leben-

dig, heilig und Gott wohlgefällig sei. Das sei euer vernünftiger Gottesdienst.“ *Römer 12,1*

Raus aus der Finsternis

Johannes 3,1-21 **Samstag, 8.**

Mit wem triffst du dich nachts zu ungestörten Gesprächen? Hat dich eines dieser Gespräche schon mal total verändert? Nikodemus ist das passiert. Er hatte keine richtige Frage, wollte aber bestätigt bekommen, dass er mit seiner Sichtweise richtig lag. Jesus erklärt einiges. Nikodemus und auch wir können es aber nur verstehen, wenn wir ihn als den Sohn Gottes erkennen. Auch wenn es unangenehm erscheint, müssen unsere Taten aufgezeigt werden. Doch im Lichtschein von Jesus werden sie unbedeutend für unsere Rettung. Wie entscheide ich mich? Spot an und mich verändern lassen? Oder lieber alles schön zugedeckt im Dunkel verstecken?

„Ich bin als Licht in die Welt gekommen, auf dass, wer an mich glaubt, nicht in Finsternis bleibe.“ *Johannes 12,46*

Wochenspruch

„Denn welche der Geist Gottes treibt, die sind Gottes Kinder.“
Römer 8,14

Raus aus dem Fenster

Psalm 96 **Sonntag, 9.**

Wahrscheinlich hat sich noch keiner von uns ans offene Fenster gestellt und laut die Worte dieses Psalms gesungen. Aber sicherlich kennen wir Loblieder. Die Sänger danken dem großen Gott und strahlen himmlische Freude aus. Der Gesang soll andere anstecken, selbst bei Gott nach dieser Freude zu suchen. Durch die dreifache Wiederholung (V. 1f.) wird besonderes Gewicht verliehen: die Aufforderung zum Singen, der Name des Herrn wird genannt und es geht darum, dem Herrn etwas zu bringen. Das dringt in die Seele und verstärkt die Freude. Auch wenn andere Dinge wertlos werden können, Gott ist es wert. Alle sollen es hören. Daher lasst uns anfangen. Verleihen wir unserer Freude mit Gesang Ausdruck, auch wenn wir nicht alle Töne treffen.

„Singet dem HERRN ein neues Lied, denn er tut Wunder.“

Psalm 98,1a

Raus aus dem Wasser

Johannes 3,22-36 — **Montag, 10.**

Streit um die Taufe. Soll man als Kind oder erst als Erwachsener getauft werden? Wer hat das Recht zu taufen? Johannes ist derjenige, der die Taufe zu dem gemacht hat, wie wir sie heute kennen. Die Jünger von Johannes sind sich einig: Jesus und seine Jünger sollen raus aus dem Wasser! Doch Johannes weiß um seinen Platz. Wie ein guter Trauzeuge freut er sich für den Bräutigam Jesus. Daher bezeugt er die Stellung Jesu erneut. Auch für uns gilt, dass wir uns nur das nehmen können, was Gott uns gegeben hat. Lasst uns zufrieden sein mit der Aufgabe, die uns anvertraut ist. Es bringt nichts, sich zu vergleichen. Es kommt darauf an, Jesus nachzufolgen und ihm zu dienen.

„Paulus aber sprach: Johannes hat getauft mit der Taufe der Buße und dem Volk gesagt, sie sollten an den glauben, der nach ihm kommen werde, nämlich an Jesus.“ *Apostelgeschichte 19,4*

Sehnsucht – tief wie ein Brunnen

Johannes 4,1-26 — **Dienstag, 11.**

Jesus spürt bei der Frau am Brunnen einen inneren Durst, der durch einfaches Trinken nicht gelöscht werden kann. Er bietet ihr daher lebendiges Wasser an, das ihren inneren Durst stillt. Sie soll ein erfülltes Leben genießen.

Auch in unserem Leben gibt es Dinge, Sehnsüchte oder Sorgen, die nicht durch einfaches Handeln gelöst werden können. Sie ge-

hen tiefer. Dafür ist der Brunnen ein schönes Bild. Jesus bietet der Frau und auch uns heute an, mit ihm über diese Dinge zu sprechen. Er lässt z. B. die Frau erkennen, was sie an einem erfüllten Leben hindert: Vielleicht gäbe ihr die Option „kein Mann" mehr Verlässlichkeit im Leben als ständig wechselnde Beziehungen.
Nehmen Sie sich doch heute etwas Ruhe und Zeit, um in sich hinein zu spüren und mit Jesus über das zu reden, was Sie bewegt. Sein lebendiges Wasser reicht auch für Sie.

„Wen da dürstet, der komme zu mir und trinke!" *Johannes 7,37b*

Blick über den Tellerrand

Johannes 4,27-42 **Mittwoch, 12.**

Die Samariter gehörten damals nicht „dazu" – die Sach- und Worterklärung meiner Bibel sagt über sie: „Sie und ihr Land wurden von den Frommen verachtet und gemieden." Jesus lässt sich von ihnen einladen, *obwohl* es Fremde sind? So haben vielleicht die Jünger gedacht. Jesus erklärt sein Bleiben so: Gerade *weil* sie Fremde sind. Er fordert seine Jünger und auch uns heute auf: „Hebt eure Augen auf." (V. 35) und meint damit: „Guckt hin. Genau die, die bisher von euch verachtet und gemieden wurden, sind offen für mich und lassen sich für Gottes Sache gewinnen."
Lassen wir uns auch heute von ihm dazu herausfordern, uns genau zu den Menschen zu begeben, die außerhalb unserer gewohnten Umgebung leben?!

„Liebt eure Feinde und bittet für die, die euch verfolgen."
Matthäus 5,44

Erinnern Sie sich?!

Johannes 4,43-54 **Donnerstag, 13.**

Im Corona-Jahr 2020 hatte ich das ein oder andere Mal das Gefühl: „Mein CVJM" stirbt. Und auch die Kirche tat sich schwer, am Leben zu bleiben. Viele gute Ideen und corona-konforme Projekte

kamen mit der nächsten Verordnung zum Erliegen. Gemeinschaft, Weihnachtslieder in der Kirche, Posaunenchor und anderes Liebgewonnene fanden kaum noch statt. Da blieb mir nur zu rufen wie der Mann in unserem heutigen Text: „Jesus komm herab zu uns – bevor hier alles stirbt."
An manchen Stellen habe ich ihn sagen gehört: „Geh hin, dein ‚Kind' lebt." Ich glaubte ihm, ging und ließ mich auf neue Formate ein. Ich stellte verwundert fest, dass sich manchmal doch ein Weg fand. Er war zwar digital, also steinig und mühsam. So ganz anders. Und doch wurde mein Glaube durch die neuen Erfahrungen gestärkt.

„Denn siehe, ich will ein Neues schaffen, jetzt wächst es auf, erkennt ihr's denn nicht?" *Jesaja 43,19*

Das Buch Josua

Das Buch Josua berichtet 1. von der Eroberung Kanaans (Kap. 2–12) und 2. der Verteilung des Landes an die Stämme Israels (Kap. 13–19).
Im Buch wird vorausgesetzt, dass

- Josua schon zum Nachfolger von Mose eingesetzt wurde (4Mo 27,15-23; 5Mo 31,2-8) und dass
- das Ostjordanland schon erobert und an die Stämme Ruben, Gad und die eine Hälfte des Stammes Manasse verteilt ist (4Mo 32); diese sind aber verpflichtet, bei der Eroberung des West-Jordanlandes mitzuhelfen (1,12-18).

Mehrfach wird betont, dass Gott Josua genauso beisteht, wie er vorher mit Mose gewesen ist (1,5 u. ö.).
Bei der Landnahme fällt auf, dass fast nur von der Eroberung der Städte im Stammesgebiet Benjamin (Jericho, Gilgal, Ai) berichtet wird (Kap. 2–9), und nur in je einem Kapitel von der Eroberung Judas im Süden (Kap. 10) und der Besetzung der Gebiete im Norden (Kap. 11). Das lässt vermuten, dass der Verfasser

des Buchs aus Benjamin stammt und von dort die meisten Informationen hat. Er schildert nicht nur die militärische Eroberung, sondern verweist auch auf eine zutiefst geistliche Seite. Nicht äußere Stärke oder Schwäche verhindern den Sieg, sondern die Unreinheit des Volkes (vgl. besonders Kap. 5–8).

Die uns manchmal langatmig erscheinende Landverteilung macht zweierlei deutlich:

Gottes Zusage, dass alle das Land besitzen sollen, wird erfüllt und umgesetzt. „Josua gab das Land den Stämmen Israels ... einem jeden sein Teil“ (12,7). Jede Familie bekommt ein Stück Land.

Alle Verheißungen Gottes sind eingetroffen: „Es war nichts dahingefallen von all dem guten Wort, das der HERR dem Hause Israel verkündigt hatte. Es war alles gekommen“ (21,45; 23,14).

Neben den Landgebieten für die einzelnen Stämme werden sechs Asylstädte festgelegt (Kap. 20) sowie die Orte für den Stamm Levi, dem die Priesterdienste übertragen sind (Kap. 21).

Damit nach der Landverteilung die Stämme Israels eine Einheit bleiben, wird vor der Rückkehr der zweieinhalb Stämme ins Ostjordanland ein Altar am Jordan erstellt als „Zeuge“ für die dauerhafte Zusammengehörigkeit (22,26–29.34).

Das Buch Josua ist eingerahmt vom Auftrag Gottes an Josua, mit dem Volk durch den Jordan zu ziehen – wie damals Mose und Israel durch das Schilfmeer (Kap. 1) – und von der Abschiedsrede Josuas und der Bundeserneuerung auf dem Landtag in Sichem (Kap. 23–24). Das Volk sprach: „Wir wollen dem HERRN, unserm Gott, dienen und seiner Stimme gehorchen. So schloss Josua an diesem Tag einen Bund für das Volk und legte ihm Gesetze und Rechte vor in Sichem“ (24,24f.). Dem Bundesversprechen Gottes in Kap. 1 entspricht das freie Ja des Volkes zu den Bundesverpflichtungen in Kap. 24.

Neues liegt vor uns

Josua 1,1-18 **Freitag, 14.**

Ein neues Land liegt vor den Israeliten. Und mit Josua haben sie einen neuen Anführer. Nach 40 Jahren Wanderschaft und Unterwegssein beginnt an dieser Stelle etwas Neues.
Kennen Sie dieses aufregende, erwartungsfrohe Kribbeln, wenn etwas Neues startet? Das neue Jahr liegt vor uns wie ein leeres Blatt Papier. Es kann sich aber auch ganz anders anfühlen: schwer, bedrohlich und dunkel: Was mag das neue Jahr nur bringen?
Gott sagt im Text gleich dreimal zu Josua: „Ich will dich nicht verlassen noch von dir weichen. Sei getrost und unverzagt!" (V. 5-6). Oder in anderer Übersetzung: „Sei mutig und entschlossen!" (GNB) Dies gilt auch uns. Wir können uns Neuem mutig und entschlossen stellen, denn Gott ist mit uns.
So will ich ins Neue Jahr starten: Mutig und entschlossen. Mit der Gewissheit und im Vertrauen darauf: Gott ist an und auf meiner Seite!

„Ist Gott für uns, wer kann wider uns sein?" *Römer 8,31*

Grenzen überwinden

Josua 2,1-24 **Samstag, 15.**

Das Herz der Jerichoer ist verzagt. Sie wagen vor Angst und Respekt kaum noch zu atmen (V. 11).
Ich kenne das Gefühl. Aus der Ferne wirken manche Situationen oder Menschen bedrohlich auf mich. Je mehr ich darüber nachdenke, lese oder höre, desto größer wird das Problem. Ich mache mir einen Kopf, bevor ich mit einem der Beteiligten gesprochen habe. Hysterie macht sich breit.
Rahab ergreift den letzten Strohhalm für sich und ihre Familie – und hat damit Erfolg. Sie kleidet die empfundene Angst in Worte und nutzt die Chance, ihre Ängste dem „Feind" gegenüber in dieser direkten Begegnung offen anzusprechen. Sie wird gehört und kann dadurch Leben retten.

Ihre Geschichte macht Mut, mich nicht wegzuducken, sondern „dem Feind ins Auge zu blicken".
Rahab wird später einen Israeliten heiraten und dadurch sogar ein Glied im Stammbaum Jesu.

„Mit meinem Gott überspringe ich Mauern."

Psalm 18,30 (BasisBibel)

Wochenspruch

„Von seiner Fülle haben wir alle genommen Gnade um Gnade."

Johannes 1,16

Sehnsucht

Psalm 143 **Sonntag, 16.**

David ist verzweifelt und fühlt sich innerlich wie erstarrt (V. 4). Er wird bedrängt von Menschen und Situationen (V. 3). Was setzt uns heute zu? Wird auf der Arbeit einfach zu viel verlangt? Bedrängen mich Kollegen? Ist die Atmosphäre in der Nachbarschaft bedrückend? Oder gehe ich sogar zur Gemeinde mit einem mulmigen Gefühl? David wendet sich damit aus lebenslanger Erfahrung an Gott.
David beschreibt ein gutes Vorbild (V. 5): Erinnere dich an Gottes Taten in deinem Leben. Denke darüber nach. Und rede über deine eigenen Erfahrungen mit anderen.
Wie sehr grüble ich oft über meine Situation – und wie wenig bedenke ich, wie stark Gott doch immer wieder gehandelt hat. Vielleicht sollte ich darüber Tagebuch führen, wie Gott wunderbar eingegriffen hat. Es wird mich ermutigen, wenn ich es nötig brauche.

„Ich breite meine Hände aus zu dir, meine Seele dürstet nach dir wie ein dürres Land." *Psalm 143,6*

Neue Wege

Josua 3,1-17 **Montag, 17.**

Drei Tage lang hatten sie diesen hochwassertragenden Fluss angeschaut (V. 2). Wie sollte es hier einen Überweg geben für Männer, Frauen und Kinder? Es war die erste Bewährungsprobe für den neuen Leiter Josua. Doch Gott stellt sich zu ihm (V. 7) und tut das unglaubliche Wunder. Symbolisch für seine Gegenwart steht die Bundeslade mitten im trockenfallenden Fluss (V. 17).
Welche Wege gehe ich in diesem Jahr zum ersten Mal? Welche Neuanfänge machen mir Angst? Sind es Wege, die Gott mir zeigen will? Oder sind es meine eigenen Wege, gegen seinen Rat? Wenn ich Gott auf seinen Wegen begleite, werden Wunder meinen Weg bahnen. Damit ist noch nicht der ganze Weg beschrieben – Israel musste das Land auch noch einnehmen – aber der erste Schritt ist gemacht.

„Und der HERR sprach zu Abram: Geh aus deinem Vaterland und von deiner Verwandtschaft und aus deines Vaters Hause in ein Land, das ich dir zeigen will.“ *1. Mose 12,1*

Denk-mal

Josua 4,1–5,1 **Dienstag, 18.**

Schon am Sonntag gab uns David den Rat, in großer Not an Gottes Taten in unserem Leben zu denken (Ps 143,5). Auch die Israeliten sollten durch das Denkmal das unglaubliche Wunder der Durchquerung des Jordans niemals vergessen (V. 6f.). Selbst die größten Erlebnisse mit Gott lassen sich nicht konservieren. Leider habe ich eher ein erstaunliches Gedächtnis für alles Schwere und Schlechte, das ich erlebe. Dabei sollten wir uns an das Gute, das Gott tut, dankbar erinnern und dadurch Mut gewinnen für eine aktuelle Not. Er bleibt ja derselbe Gott. Und vielleicht können wir uns ein paar An-denken aus der überstandenen Situation mitnehmen. Eine Freundin verschenkte zu Silvester große Gläser, um kleine Zettel der Dankbarkeit Gott gegenüber hineinzulegen. Beim Herausholen konnten wir neu an den ewig treuen und starken Gott denken.

„Ich gedenke an die früheren Zeiten; ich sinne nach über all deine Taten und spreche von den Werken deiner Hände.“ Psalm 143,5

Auf welcher Seite?

Josua 5,13-15 **Mittwoch, 19.**

Oft denken wir in den Kategorien: Bist Du für mich oder gegen mich? Gott lässt das nicht mit sich machen. Als er seinen Engel zu Josua sendet, sagt der „Nein“ zu dieser Frage (V. 14). Er ist jetzt nicht gekommen, um Josua bei seinen Plänen zu helfen. Gott ist nicht der Erfüller unserer selbstsüchtigen Wünsche. Der Engel will Gottes Willen tun – wenn wir das auch wollen, stehen wir auf der richtigen Seite. Gott schickt uns manchmal Ermutigungen zu unerwarteter Stunde. Er hatte Josua einen fast unmöglichen Auftrag gegeben. Nun steht er aber bereit, ihn auf dem Weg zu begleiten. Vielleicht sind es Menschen, Begebenheiten, Bibelverse, die uns begegnen und ansprechen. Bin ich auf Gottes Wegen unterwegs? Welche Unterstützung schenkt mir Gott gerade jetzt?

„Da fiel Josua auf sein Angesicht zur Erde nieder, betete an und sprach zu ihm: Was sagt mein Herr seinem Knecht?“ Josua 5,14

Gehorsam sein

Josua 6,1-10 **Donnerstag, 20.**

Wie kann Gott von den Israeliten erwarten, sich sechs Tage lang dem Spott der Leute von Jericho auszusetzen – wenn die Situation schon aussichtslos ist? (V. 1) Was mutet Gott Josua hier zu? Ich glaube, weil es Gott um weit mehr ging, als nur um die Lösung des „Problems“ Jericho. Gott hätte schon am ersten Tag und ohne Posaunenklang alle Mauern einfallen lassen können. Doch er wusste, dass es für Israel wichtig war, sechs Tage lang Gehorsam zu lernen.

Sicher wünschen wir uns auch oft Gottes schnelles und wunderbares Eingreifen. Doch wie oberflächlich wäre es, wenn er alle Probleme einfach wegnehmen würde. Manches Aushalten einer schweren Situation und das Ertragen von Spott über unseren Glauben lehren uns Gehorsam und Demut. Das ist kostbarer als ein vermeintlich leichtes Leben. Josua hat sich beschenken lassen.

„Der HERR wird für euch streiten, und ihr werdet stille sein."

2. Mose 14,14

Geduldsprobe

Josua 6,11-27 **Freitag, 21.**

Was mögen die Männer Israels gefühlt haben, als sie Tag für Tag in voller Kampfausrüstung um die Stadt Jericho gezogen sind? Und dann am letzten Tag gleich sieben Mal. Ob sie sich gefragt haben, was das Ganze soll? Haben sie sich vielleicht innerlich ein wenig geschämt, dass es in den Augen der Feinde ein bisschen so aussah, als trauten sie sich den Sturm nicht richtig zu? Verloren sie von Tag zu Tag mehr die Geduld? Hatten sie Zweifel, das Ziel zu erreichen, obwohl sie wussten, dass sie im Namen Gottes unterwegs waren? Ich könnte mir das gut vorstellen. Passiert es uns nicht auch, dass wir ungeduldig werden, wenn wir von Gott nicht direkt eine Antwort bekommen? Wenn wir wissen, dass Gott an unserer Seite ist, Gebetsanliegen aber nicht in Erfüllung gehen? Gott weiß, wann der richtige Zeitpunkt zur Zielerreichung ist. Das kostet manchmal Vertrauen und Geduld, doch Gott wird uns zum Ziel führen.

„Meine Zeit steht in deinen Händen." *Psalm 31,16*

Hindernisse

Josua 7,1-26 **Samstag, 22.**

Jericho konnte erobert werden. Voll Hoffnung und Euphorie dringt das Volk Israel weiter ins gelobte Land vor. Sie hoffen, bald die nächste Stadt einnehmen zu können. Doch dann der Fehlschlag. Die Stadt Ai kann nicht eingenommen werden und alle fragen sich, warum? Einer hatte seinen eigenen Weg gewählt und war nicht Gottes Weg mitgegangen. Er hatte sich auf eigene Faust bereichert und nicht abgewartet, was Gott ihm gibt. Achan steht damit dem Wirken Gottes im Weg. Was ist, wenn wir in unserem Leben auf der Stelle treten? Was ist, wenn wir das Ziel eigentlich klar vor Augen haben, es aber nicht erreichen können? Kann es sein, dass wir an Dingen festhalten, die wir nicht haben sollten? Vermeintliche Sicherheiten, die uns daran hindern, Gott zu vertrauen und ihm zu folgen? Wo stehen wir uns selbst im Weg?

Jesus sagte: „Wie schwer ist es doch für Menschen, die viel besitzen, in Gottes Reich zu kommen!“ *Lukas 18,24 (Hfa)*

Wochenspruch

„Es werden kommen von Osten und von Westen, von Norden und von Süden, die zu Tisch sitzen werden im Reich Gottes.“
Lukas 13,29

Ein fremder Gott

Psalm 41 **Sonntag, 23.**

Warum ich? Warum passiert mir das? Warum bin ich jetzt krank? Warum grenzt man mich aus? Warum werde ich verraten? In ausweglosen Situationen passiert es, dass man sich in sich selbst verliert und im Selbstmitleid versinkt. Man versinkt in einem Sog negativer Gedanken. Der Psalmbeter scheint auch in einer solchen Situation zu sein. Aber: Er schaut nicht nur auf sich. Er bringt alle seine Not, seinen Frust, seine Trauer und seine Wut vor Gott und teilt sie mit ihm. Das rettet ihn aus seinem Gefühlschaos. Weil er merkt: Gott steht zu ihm und lässt ihn nicht allein. Gott hilft ihm auf. „In wieviel Not/hat nicht der gnädige Gott/über dir Flügel gebreitet!“

„Was betrübst du dich, meine Seele, und bist so unruhig in mir? Harre auf Gott, denn ich werde ihm noch danken, dass er meines Angesichts Hilfe und mein Gott ist.“ *Psalm 42,12*

Neuen Mut fassen

Josua 8,1-29 **Montag. 24.**

Mit Gottes Hilfe konnten die Hindernisse ausgeräumt werden, die das Volk Israel davon abgehalten hatten, ihre nächsten Ziele zu erreichen. Doch wie ist das, wenn man nach einer Niederlage wieder neu anfangen muss? Wenn die Angst überwiegt, wieder versagen zu können? Gott hat das im Blick. Die Ermutigung steht direkt im ersten Vers. Das kann unsere Perspektive verändern. „Wenn ich die Herausforderungen meines Alltags nicht länger als meine Verlegenheiten wahrnehme, sondern als Gottes Gelegenheiten, dann frage ich nicht mehr: ‚Wie mache ich das?‘, sondern: ‚Wie machen WIR das?‘ Dann heißt es nicht verzweifelt: ‚Wie soll ich Erschöpfter das auch noch schaffen?‘, sondern erwartungsvoll: ‚Wie willst du mein Schöpfer dies durch mich erschaffen?‘“ (H. J. Eckstein in „Himmlisch menschlich“).

„Sei mutig und entschlossen! Lass dich nicht einschüchtern und hab keine Angst! Denn ich der HERR, dein Gott, stehe dir bei, wohin du auch gehst.“ *Josua 1,9 (Hfa)*

Danke!

Josua 8,30-35 **Dienstag. 25.**

Im Englischen gibt es die Redewendung „You can count your blessings“. Normalerweise wird das übersetzt mit: „Da kannst du von Glück reden.“ Man sagt das, wenn einem nichts Schlimmeres passiert ist. Aber interessanter ist die wortwörtliche Übersetzung dieses Satzes: „Du kannst deine Segnungen zählen.“ Das Volk Israel baut Gott einen Altar und bringt ein Dankopfer. Ihnen ist bewusst, dass sie nicht nur Glück hatten, sondern dass sie Gott alles zu verdanken haben, der sie reich gesegnet hat. Das macht sie froh und dankbar. „Count your blessings – zähle deine Segnungen!“ Könnte das nicht eine gute Übung für uns sein, um unser Leben in froher Dankbarkeit vor Gott zu leben? Vielleicht am Abend vor dem Einschlafen? Damit nicht die Sorge, sondern die Dankbarkeit in unserem Leben gewinnt.

„Ich ... will dich segnen ..., und du sollst ein Segen sein.“ *1. Mose 12,2*

(Un)Frieden

Josua 9,1-27 **Mittwoch, 26.**

Hauptsache Frieden! Wer würde dem nicht zustimmen!? Doch die Frage ist: Geht es wirklich um Frieden oder um einen Trick? Josua und seine Gefolgsleute prüfen nicht gründlich genug, wer da plötzlich vor ihnen steht. Und sie denken nicht daran, Gott um Rat zu fragen (V. 14). Stattdessen schließen sie einen Friedensvertrag, für den Gott jegliche Verhandlungsbasis verboten hatte (vgl. 5Mo 7,1-6).

Wollen wir Frieden um jeden Preis? Oder ist uns die gemeinsame Basis wichtig? Christen und Muslime können z. B. nicht gemeinsam Gottesdienst feiern. Genauso wenig wie ein Hockey- und ein Fußballspieler um denselben Pokal spielen können.

Wo stehen wir heute in Gefahr, faule Kompromisse gegenüber Jesus einzugehen?

„Wenn es aber jemandem unter euch an Weisheit mangelt, so bitte er Gott, der jedermann gern und ohne Vorwurf gibt; so wird sie ihm gegeben werden.“ *Jakobus 1,5*

Kampf oder Krampf?

Josua 10,1-15 **Donnerstag, 27.**

Ohne Kämpfe, keine Sieger. Gibeon wird von einer Fünf-Städte-Koalition angegriffen. Josua hilft dem Bündnispartner. Eigentlich sollte Israel mit keinem kanaanäischen Volk gemeinsame Sache machen. Doch nun stecken sie geografisch und politisch „unter einer Decke“. Und Gott gebraucht den aggressiven Angriff der Feinde, um seine Macht eindrücklich zu zeigen. Er greift sogar in die Naturgewalten ein, um die Feinde vernichtend zu schlagen (V. 11-14).

Kämpfen ist oft nicht so unser Ding. Meist ist es auch kein Zuckerschlecken: Es kostet Kraft, Mut und hohe Einsatzbereitschaft. Zudem kann man viel verlieren. Scheuen wir uns davor zu kämpfen? Mit den ‚Waffen der Gerechtigkeit' uns für Gott einzusetzen (vgl. Röm 6,13)? Wo kann ich heute um Gottes Willen Farbe bekennen?

„Nehmt auch den Helm des Heils und das Schwert des Geistes, welches Gottes Wort ist."
Epheser 6,17

Viel hilft viel!

Josua 11,1-15 **Freitag, 28.**

So dachten die Kanaanäer. Sie versammeln sich, um Israel endgültig zu besiegen. Immerhin sind sie gefühlt „so viel wie der Sand am Meer" (V. 4). Doch Macht und Stärke bringt den Feinden am Ende wenig. Denn „der HERR gab sie in die Hände Israels" (V. 8a). Trotz der langen Liste mit Gegnern (V. 1-3) gilt für Josua: „Lass dich nicht von Zahlen beeindrucken!"
Wovon lassen wir uns beeindrucken? Von Gottes „Fürchte dich nicht!" oder von der Anzeige: „Die sind alle da, um dich fertig zu machen" (siehe V. 5)? Josua hat sich weder feige gedrückt noch hat er die Hände in den Schoß gelegt. Im Vertrauen auf Gott hat er den großen Gegner zum großen Verlierer gemacht: „Sie erschlugen sie, bis niemand mehr unter ihnen übrig blieb" (V. 8b).
Gegen welchen Riesen kämpfst du heute? Gottvertrauen hilft viel!

„Euer Herz erschrecke nicht: Glaubt an Gott und glaubt an mich."
Johannes 14,1

Ein Volk – ein Gott – ein Glaube?

Gott zieht als Kriegsherr mit Israel in den Krieg und schenkt seinem Volk den Sieg. Auf das Thema „Gewalt in der Bibel" werden wir auf S. 132 noch einmal zu sprechen kommen. Aber will nicht im Alten Testament Gott selbst über sein Volk herrschen – als Oberbefehlshaber, als Richter über Gut und Böse, als König? Als das Volk sich einen König wünschte, wie ihn alle anderen Völker hatten, sagte Gott zu Samuel: „Sie haben nicht dich, sondern mich verworfen, dass ich nicht mehr König über sie sein soll" (1Sam 8,7). Ein Volk – ein Gott – ein Glaube – dieser Gedanke findet sich im Judentum, Christentum und Islam immer wieder. Als der türkische Präsident Erdogan 2020 die berühmte „Hagia Sophia" wieder zu einer Moschee machte (ganz früher war sie eine der bedeutendsten christlichen Kirchen, dann seit 1453 eine Moschee und seit 1934 ein Museum), da ging es um mehr als nur um einen Ort für die Religionsausübung. Es ging um den Herrschaftsanspruch des Islam – und damit Allahs – über die Türkei. Finden wir hier nicht dasselbe in der Bibel? Nun, es stimmt zwar: Israel war eine „Theokratie". Im Alten Israel sollten Volk und Religion eine Einheit bilden. Aber dieses Volk sollte nicht alle anderen Völker erobern. Hier bei Josua finden wir eine einmalige Sondersituation: zum einen des Strafgerichts über die Völker Kanaans mit ihren teilweise unmenschlichen religiösen Praktiken wie z. B. Kinderopfern, zum anderen der Erfüllung der Zusage Abrahams, seine Nachkommen zu einem Volk zu machen und ihnen ein Land zu geben. Aber an keiner Stelle im Alten Testament – und erst recht nicht im Neuen – findet sich der Gedanke, dass Israel beauftragt wäre, alle Völker zu erobern, um sie unter die Königsherrschaft Gottes zu bringen. Israel sollte Vorbild und als Priestervolk Mittler des Segens Gottes sein (Vgl. S. 144). Die Königsherrschaft Gottes kommt aber in der Bibel auf eine ganz andere Art weltweit zum Durchbruch – durch den, der von sich sagte, dass sein Reich nicht von dieser Welt sei (Joh 18,36). Leider ist dies auch in der Geschichte der Christenheit zeitweise vergessen worden.

Rache ist süß!

Josua 20,1-9 — **Samstag. 29.**

... sagt der Volksmund. Die meisten von uns werden dem intuitiv zustimmen. Unrecht muss doch gesühnt werden. Offene Rechnungen müssen beglichen werden. Persönliche Rachegefühle

führen schnell ins Bodenlose: Du beleidigst mich; ich lass dich links liegen und verbreite Gerüchte über dich. „Man muss ja nicht immer mit Taten morden, es macht auch mit Blicken und Wünschen schon Spaß." (Manfred Siebald)
Gott sieht das anders. Er sagt: „Die Rache ist mein". Deshalb darf bei Totschlag keine Selbstjustiz erfolgen. Das Volk soll nach gründlicher Untersuchung vor Gott entscheiden, ob der Todesfall durch Mord oder unabsichtlich passiert ist (V. 6). Bei solchen Rechtsfällen dienten die Freistädte als Zufluchtsorte für die Angeklagten.
Wem sollst du heute so einen Zufluchtsort gewähren. Sage Gott deinen Frust, anstatt das Rachegepäck zu schleppen.

‚Die Rache ist mein, ich will vergelten', spricht der Herr."

Römer 12,19b

Wochenspruch

„Er verwandelte das Meer in trockenes Land, sie gingen zu Fuß durch den Strom; dort wollen wir uns seiner freuen."

Psalm 66,6

Gott regiert!

Psalm 97 **Sonntag, 30.**

... und er erscheint vor aller Welt. Keiner kann sich mehr vor ihm verstecken. Seine Feinde werden vorgeführt. Seine Heiligen werden bewahrt. Ungerechtigkeit ist ein Fremdwort. Alle anderen Religionen erweisen sich als kraftlos.
So wird es sein, wenn Jesus wiederkommt und Gott sein Friedensreich aufrichtet. Doch schon heute regiert er in denen, die zu ihm gehören (V. 10). Macht, Gerechtigkeit und Freude konzentrieren sich in seiner Person. Der Psalm ist eingerahmt von der Aufforderung „Freue dich über den HERRN" (V. 1.12).
Freust du dich darüber, dass du Christ bist? Ist der lebendige Gott der Grund für Freude, die du empfindest? Wenn dir das schwer-

fällt, gibt's im Text ein Rezept: „Dankt ihm und denkt daran, dass er heilig ist." (V. 12, GNB). Da können wir heute schon mal für den Himmel üben.

„Freutet euch in dem Herrn allewege und abermals sage ich: Freuet euch!"
Philipper 4,4

Wo ist dein Platz?

Josua 21,1-3.41-45 **Montag, 31.**

Israel wird sesshaft. Das versprochene Land gehört nun ihnen. Die Regionen werden zugeteilt, damit jeder weiß, wo künftig sein Zuhause ist. Der israelitische Stamm Levi ist bisher noch nicht bedacht. Ihm ist das Amt des Tempeldienstes zugeordnet. Den Leviten steht kein Land zu für ihren Erwerb. Stattdessen leben sie von den Tempelgaben. Auch wer „von Amts wegen" vor Gott steht, braucht das Nötige zum Leben und ein Dach über dem Kopf. Den Leviten werden Städte zugeteilt mit Weiden für ihr Vieh – ganz nach Gottes Vorgabe. Jetzt, wo auch für den „geistlichen Stand" gesorgt ist, ziehen Ruhe und Frieden ein. Hast du deinen Platz schon gefunden? Ganz für Gott zu leben heißt nicht immer, alles aufzugeben. Wer aber an seinem Platz ganz für Gott lebt, für den sorgt ER auch.

„Trachtet zuerst nach dem Reich Gottes ..., so wird euch das alles zufallen."
Matthäus 6,33

Monatsspruch Februar

Zürnt ihr, so sündigt nicht;
lasst die Sonne nicht
über eurem Zorn untergehen.

Eph 4,26

Ein Denkmal sorgt für Spannung

Josua 22,1-20 **Dienstag, 1.**

Einige Stämme Israels ergreifen die Initiative und errichten jenseits des Jordan ein gewaltiges und beeindruckendes Gebilde aus Stein, das an Gott erinnern soll. Weil es bereits diesseits des Flusses einen zentralen Ort der Anbetung gibt, sorgt dieses Bauprojekt jedoch für Irritationen. Man befürchtet eine Spaltung der Gesellschaft. Der Vorwurf der Auflehnung gegen Gott liegt in der Luft. Fürs Erste scheint diese Aktion also „nach hinten loszugehen". Gott ein Denkmal zu errichten ist ehrenwert! Viele alte Kirchen waren von ihren Erbauern als solch steinerne Hinweise auf den Allmächtigen gedacht. Doch wer sich für Gott ins Zeug legt, ruft auch Widerspruch hervor. Damit muss ich rechnen und mich auch selbst hinterfragen lassen. Lag ich richtig oder falsch? Manchmal erkenne ich das erst im Nachhinein.

„Lasst uns erforschen und prüfen unseren Wandel und uns zum HERRN bekehren!" *Klagelieder 3,40*

Selig sind die Friedensstifter

Josua 22,21-34 **Mittwoch, 2.**

Das Denkmal steht. Die Entrüstung ist groß. Doch nun kommen die Akteure selbst zu Wort. Sie beteuern glaubhaft, dass die befürchtete Spaltung der Gesellschaft nie ihre Absicht war. Dank der Vermittlung durch den Priester Pinhas wird der Streit beigelegt. Es kommt zur Einigung. Das Steinmal wird Zeuge sein, dass Gott der HERR ist. Geistliche Initiativen lösen nicht immer Begeisterung aus. Spannungen bis hin zu Gemeindespaltungen sind leider die Folge, wenn Menschen in der Überzeugung nach vorn preschen, das Richtige zu tun. Welch ein Segen sind dann Menschen mit Augenmaß und Fingerspitzengefühl, die zuhören und vermitteln können. So bleibt die Gemeinde auch mit unterschiedlichen Ansichten beieinander.

„Seid darauf bedacht, zu wahren die Einigkeit im Geist durch das Band des Friedens.“ *Epheser 4,3*

Woran hältst du fest?

Josua 23,1-16 **Donnerstag, 3.**

Ein alter Mann ist Josua mittlerweile geworden. Doch sein Gottvertrauen ist nicht gealtert, sondern gereift. Zeichen für gereiften Glauben ist, dass er sich nicht über Gottes Worte erhebt, sondern sich darunter beugt. Aber nicht nur das. Josua brennt für Gott. Er appelliert voller Leidenschaft an sein Volk, Gottes Worte nicht zu vergessen, sondern festzuhalten an dem, was ER sagt. Doch es sind auch bedrohlich klingende Passagen dabei. Gott selbst droht nicht mit Strafe. Doch es muss auch deutlich gesagt werden, dass ein Leben ohne Gottes Gebote bedrohlich ist. Ich selbst richte mich zugrunde. Andere leiden unter Umständen auch darunter. Halte ich mich an SEIN Wort, wird es mir helfen im Leben und im Sterben. Und dann kann ich mit den Worten des Psalmbeters bezeugen:

„Ich habe meine Freude an deinen Geboten, sie sind mir sehr lieb.“
Psalm 119,47

Letzte Worte

Josua 24,1-15 **Freitag, 4.**

Wir sind fast am Ende des Buchs Josua angelangt. Auf dem Landtag zu Sichem versammelt sich das Volk zu Josuas Füßen. Er beruft die leitenden Personen Israels und hält dann eine Rede. Im „Schnelldurchlauf“ lässt Josua noch einmal die Geschichte Israels bis zur Einnahme des verheißenen Landes vorüberziehen. Doch nicht nur die Erinnerung an geschichtliche Fakten ist seine Absicht. Er kommt auch hier auf sein Hauptanliegen: Von der Vergangenheit bis zur Gegenwart war es doch Gott, der die Geschicke gelenkt hat! Oft auf wunderbare Art und Weise! Und so muss man sich nicht wundern, dass Josuas Erfahrungen in sein persönliches Zeugnis münden: „Ich aber und mein Haus wollen dem HERRN dienen." (Vers 15b) Wenn es jetzt mit mir zu Ende ginge, was würde ich anderen mitgeben?

„Gedenkt eurer Lehrer, die euch das Wort Gottes gesagt haben; ihr Ende schaut an und folgt dem Beispiel ihres Glaubens." Hebräer 13,7

Alles oder nichts

Josua 24,16-28 **Samstag, 5.**

In bestimmten Situationen und Lebensbereichen geht es um alles oder nichts. Entweder erreicht man rechtzeitig den Zug oder man verpasst ihn. Eine Minute zu spät ist ganz zu spät.
Das gilt auch im Bereich des Glaubens. Josua befürchtet, dass Israel hier Kompromisse macht und ein „sowohl als auch" bevorzugt. Die Israeliten denken: „Wir sind doch Gottes Volk. Da ist alles klar." Josua warnt Israel, die Kosten zu überschlagen.
Auch wir können nicht „sowohl als auch" an Jesus Christus glauben. Es geht um alles oder nichts. Jesus sagt in Offb 3,15: „Ich kenne deine Werke, dass du weder kalt noch warm bist. Ach, dass du kalt oder warm wärest!" Ein halber Christ ist ein ganzer Unsinn. Sei ganz sein oder lass es ganz sein!

„Niemand kann zwei Herren dienen: Entweder er wird den einen hassen und den andern lieben, oder er wird an dem einen hängen und den andern verachten. Ihr könnt nicht Gott dienen und dem Mammon."
Matthäus 6,24

Wochenspruch
„Kommt her und sehet an die Werke Gottes, der so wunderbar ist in seinem Tun an den Menschenkindern." Psalm 66,5

Gottes Notrufnummern

Psalm 54 **Sonntag. 6.**

Ursprünglich heißt beten: Gott anrufen! Er hat viele Notrufnummern. Eine steht in Ps 54,3: „Hilf mir, Gott, durch deinen Namen und schaffe mir Recht durch deine Kraft." David ist auf der Flucht vor König Saul. Er wird verraten und bangt um sein Leben. Da wählt er den Notruf: 543! Und Gott meldet sich. Er lässt ihn nicht im Stich.

Auch unsere Verlegenheiten sind Gottes Gelegenheiten. Ein Kind wählt tatsächlich am Telefon den Notruf: 5015 nach Ps 50,15: „Rufe mich an in der Not, so will ich dich erretten, und du sollst mich preisen." Es meldet sich der Religionslehrer! Oder: Ich vermisse meine geliebte Armbanduhr. Nach langem Suchen bete ich: „Lieber Herr Jesus, du weißt doch, wo sie ist. Bitte hilf mir! Spätestens bis zu meinem Geburtstag möchte ich sie wieder haben." Jesus kennt meine Ungeduld. Zwei Wochen vorher finde ich die Uhr.

„Bittet, so wird euch gegeben; suchet, so werdet ihr finden; klopfet an, so wird euch aufgetan." *Matthäus 7,7*

Menschen mit Profil

Josua 24,29-33 **Montag. 7.**

Josua, Eleasar und Joseph sind Männer mit Profil. Ihr Name ist Programm. Josua heißt: „Gott ist meine Hilfe und mein Heil". Josua führt Gottes Volk in das gelobte Land. Nach ihm ist das Buch Josua im Alten Testament benannt. Eleasar bedeutet: „Gott hilft." Eleasar ist Priester und hat die Oberaufsicht über die Leviten und das Heiligtum (4Mo 3,32; 4,16). Joseph bedeutet: „Gott vermehrt". Durch Joseph rettet Gott Israel vor dem Verhungern.

Die Gräber der drei Männer mit Profil zeugen über ihren Tod hinaus von dem Gott, dem sie geglaubt und treu gedient haben. Auf dem Grabstein von Ex-Bundespräsident Johannes Rau steht: „Dieser war auch mit Jesus von Nazareth!" Sind wir Menschen mit Profil? Was bleibt nach unserem Tod? Wenn wir an Jesus glauben, können wir stolz auf ihn sein und uns mutig zu ihm bekennen.

„Gott hat uns nicht gegeben den Geist der Furcht, sondern der Kraft und der Liebe und der Besonnenheit.“ *2. Timotheus 1,7*

Der Epheserbrief

Bei diesem Brief handelt es sich vermutlich um einen Rundbrief an die Gemeinden in Kleinasien – die Worte „in Ephesus“ (1,1) fehlen bezeichnenderweise in den ältesten Handschriften. Diese Annahme wird bestätigt durch Kol 4,15f., wo dazu aufgefordert wird, die apostolischen Briefe untereinander auszutauschen, z. B. mit Laodizea. Tychikus scheint dabei die Rolle des „Briefträgers“ zu übernehmen (6,21). Evtl. wurde jeweils in den Briefkopf der entsprechende Gemeindename eingefügt. Das würde verständlich machen, warum kein konkreter Anlass für den Brief auszumachen ist, warum persönliche Mitteilungen und Grüße fehlen. Der Epheserbrief ist als ein Vermächtnis des großen Völkerapostels Paulus an die ganze Kirche zu verstehen, vermutlich deshalb auch die vielen Lobpreis-, Dank- und Fürbittabschnitte und der insgesamt hymnische Stil.

Der Epheserbrief hat viele Gemeinsamkeiten mit dem Kolosserbrief, setzt aber auch selbst eigenständige Akzente.

Er preist in Kap. 1 bis 3 das Wunder, das „Geheimnis“ (1,9; 3,3) der einen universalen Kirche. Christus hat durch sein stellvertretendes Sterben die trennende Mauer zwischen Juden und Heiden niedergerissen und beide mit Gott versöhnt „in einem Leib durch das Kreuz, indem er die Feindschaft tötete durch sich selbst“ (2,16). Christus ist das Haupt und die Gemeinde sein Leib (4,15f.). Und diese eine weltumspannende Kirche ist zugleich der Ausgangspunkt und das Hinweiszeichen, dass Gott alles, „was im Himmel und auf Erden ist“, zusammenfassen, versöhnen will in Christus (1,10).

Deshalb wird in Kap. 4 bis 6 aufgerufen, diese von Gott geschenkte Einheit zu bewahren und sichtbar zu machen (4,1-6.15-17). Dazu ist wichtig, den „alten Menschen“, die bisherige Lebensweise, abzulegen, in der der Mensch von eigensüchtigen Wünschen und Begierden beherrscht war, und den „neuen Menschen“ anzuziehen. Aus der Christusbeziehung heraus erwächst ein herzliches, freundliches, vergebendes und wertachtendes Miteinander (4,17ff.); den „neuen Menschen“ kennzeichnet ein „Leben im Licht“ (5,1ff.) bis in die familiären, geschlechtlichen und beruflichen Beziehungen hinein (5,21–6,9). Um dieses Leben führen zu können, das Gottes allumfassendes Versöhnungswollen unterstützt und in der Welt bekannt macht, bedarf es der „geistlichen Waffenrüstung“, die jeder anlegen soll, um allen zerstörerischen Mächten widerstehen zu können (6,10-20).

Die beste Lebensversicherung § 1

Epheser 1,1-6 **Dienstag, 8.**

Es gibt viele Arten von Versicherungen: eine kurzfristige Risikoversicherung. Die reine Todesfallversicherung. Die Erlebensfallversicherung. Die gemischte Lebensversicherung. Alle Versicherungen sind für unsere Gegenwart und unsere Zukunft. Die Vergangenheit kann man nicht versichern.

Im Epheserbrief gibt es eine Versicherung, die das ganze Lebensrisiko abdeckt. Gott bietet uns einen umfassenden Versicherungsschutz und bürgt für die Wiedergutmachung aller Schäden. Alle Menschen sind bereits vor der Erschaffung der Welt versichert. Diese Versicherung gleicht einer Vollkaskoversicherung ohne Selbstbeteiligung. Sie haftet für alle Fremd- und Eigenschäden, die wir verursachen. Diese beste Lebensversicherung heißt Jesus Christus!

„Denn in ihm hat er uns erwählt, ehe der Welt Grund gelegt war, dass wir heilig und untadelig vor ihm sein sollten in der Liebe.“

Epheser 1,4

Die beste Lebensversicherung § 2

Epheser 1,7-10 — Mittwoch, **9.**

Jeder Mensch kann die beste Lebensversicherung in Anspruch nehmen. Er muss lediglich seinen Schaden bei Jesus Christus melden. Jede Versicherung fordert den Anspruch des Versicherten, sonst zahlt sie nicht. Nach einem selbst verschuldeten Verkehrsunfall flüchte ich und melde den Blechschaden des Geschädigten nicht bei meiner Haftpflichtversicherung. Am Ende muss ich den Schaden aus der eigenen Tasche bezahlen und eine satte Strafe dazu. Ich habe nicht so viel Geld. Der Gerichtsvollzieher kommt.

Das wird einmal die Tragik des Weltgerichtes sein, dass gut versicherte Menschen an ihrem Unglauben verloren gehen. Am besten melden wir heute noch unseren Lebensschaden bei Jesus Christus. „Denn wäre Jesus tausendmal in Bethlehem geboren, doch nicht in mir, ich wäre ewiglich verloren." (Angelus Silesius)

„Wer an den Sohn glaubt, der hat das ewige Leben. Wer aber dem Sohn nicht gehorsam ist, der wird das Leben nicht sehen, sondern der Zorn Gottes bleibt über ihm." *Johannes 3,36*

Versiegelt

Epheser 1,11-14 — Donnerstag, **10.**

Christen in der Provinz Asia hörten von vielversprechenden geistlichen Angeboten. Besondere Erkenntnisse und Erfahrungen wurden offeriert. Paulus schreibt jedoch vom Schutz, der Sicherung durch Gott, durch den Heiligen Geist. Es handelt sich um ein Geschenk Gottes, das ohne Leistung erlangt wurde, „als ihr zum Glauben kamt". Paulus verbindet die Versiegelung mit dem Heiligen Geist mit dem Hören des Evangeliums und dem persönlichen Glauben. Die Versiegelung bewahrt das Heil und gleicht einem Erkennungszeichen auf einem Vertrag oder Brief. Der Inhalt wird dadurch unter eine Autorität gestellt. Vier Grundwahrheiten sind repräsentiert: 1. Sicherheit, 2. Echtheit, 3. Eigentum, 4. Anzahlung auf das zukünftige Erbe des Menschen in der Herrlichkeit.

„Aus Gnade seid ihr gerettet durch Glauben, und das nicht aus euch: Gottes Gabe ist es.“ *Epheser 2,8*

Gebetspraxis

Epheser 1,15-23 **Freitag, 11.**

Hier blicken wir in die Gebetspraxis von Paulus. Er erwähnt seine regelmäßigen Gebetsanliegen für die Gemeinde: Zusammenfassend bittet er darum, dass die Empfänger des Schreibens ihren Gott tiefer kennenlernen. Beständig betet und dankt er für die geistlichen Lebenszeichen der Gemeinde in herausfordernder Zeit. Es bietet sich an, die Gebetspraxis von Paulus für das eigene Gebetsleben zu übernehmen. In folgender Weise: für den Glauben und die Hoffnung danken, die Gott in Christus gegeben hat; um den Geist der Weisheit und Offenbarung bitten; ebenfalls um ein tieferes Erkennen, welches herrliche Erbe in Christus bereitsteht; Anbetung und Dank über die Größe der Macht Gottes, die in Christen wirksam wird. So kann für sich selbst und für die Mitchristen gebetet werden.

„In Christus Jesus liegen verborgen alle Schätze der Weisheit und der Erkenntnis.“ *Kolosser 2,3*

Lebendig gemacht

Epheser 2,1-10 **Samstag, 12.**

Als Jesus vor dem Grab seines Freundes Lazarus steht, ruft er: „Komm heraus!“ (Joh 11,43). Dieser vollmächtige Ruf bringt den Freund zurück ins Leben. Die Umstehenden sehen und glauben. So ruft Jesus durch seine Nachfolger in die Welt hinein: Glaubt an die gute Nachricht der Rettung, vertraut Gott! Sein Reich herrscht dort, wo Christus Menschen aus dem geistlichen Tod ins Ewige Leben gerufen und sie wieder erweckt hat. Gottes aufopferungsvolle Liebe schenkt sich selbst in Christus. Aus Gnade errettet. Lebendig gemacht. Gott schenkt selbst den Glauben. Erarbeiten? Unmöglich. Beschenken lassen und Rettung glaubend annehmen? Möglich. Die geistliche Totenauferweckung schafft Gott. Nur geöffnete Hände können dieses Geschenk empfangen.

„Denn wir sind sein Werk, geschaffen in Christus Jesus zu guten Werken, die Gott zuvor bereitet hat, dass wir darin wandeln sollen."

Epheser 2,10

Wochenspruch

„Wir liegen vor dir mit unserm Gebet und vertrauen nicht auf unsre Gerechtigkeit, sondern auf deine große Barmherzigkeit."

Daniel 9,18

Erneuerung

Psalm 51 **Sonntag, 13.**

Rücksichtslos offen stellt sich David als Sünder vor Gott. Reuevoll greift er nach Gottes Gnade und erfleht die Löschung seiner Schuld. Er ringt um Frieden und Vergebung für das eigene Fehlverhalten. Sein Herz ist zerbrochen und braucht eine Rundumerneuerung. Diese kann nur Gott vornehmen. So bittet David inständig um die Umwandlung seines ganzen Wesens. David erkennt seine Ohnmacht zum Guten. Eine Selbstverbesserung oder Selbsterlösung kommt niemals zustande. Wie Gott alle Dinge aus dem Nichts ins Leben rief, so kann der schöpferische Gott das Alte neu, das Unwillige willig und das Sündhafte sündlos machen. Der Mensch hat Gott nichts zu bringen, es seien denn die Fehltritte. Solche Umkehr und Erneuerung ist Gottes Geschenk und wurde in Christus möglich.

„Erschaffe in mir ein reines Herz, o Gott, und gib mir einen neuen, gefestigten Geist." *Psalm 51,12 (NGÜ)*

Wohnraum

Epheser 2,11-22 **Montag, 14.**

„Komm rein und fühle dich wie zu Hause!“, sagen Gastgeber. Paulus sagt es, wie es Gott will: „Willkommen bei mir zu Hause!“ Der Gaststatus wurde durch Christus für alle Nationen aufgehoben. Die Fremden und Gäste gibt es nicht länger. Die Töchter und Söhne haben in Christus Zugehörigkeit zur Gottesfamilie. Im Reich Gottes gibt es keine Ausländer oder Bürger zweiter Klasse, sondern Familienmitglieder. Gott, der Vater, wohnt selbst hier und erweist allen die gleiche grenzenlose Liebe wie seinem Sohn Jesus. Das griechische Wort von Wohnung hat einen Beiklang eines dauerhaften Domizils. Gott stiftet Wohnraum und nimmt selbst darin Platz: in seiner Gemeinde, die einen großen geistlichen Leib bildet, die ihm heilig ist. In deiner Gemeinde wohnt Gott. Unter euch wohnt Gott.

„Gott will, dass alle Menschen gerettet werden und sie zur Erkenntnis der Wahrheit kommen.“ *1. Timotheus 2,4*

Ein Geheimnis für alle

Epheser 3,1-13 **Dienstag, 15.**

Kann ich Geheimnisse für mich behalten? Natürlich ist es gut, nichts zu verraten, was geheim bleiben soll. Wovon Paulus aber hier spricht, ist keine Geheimbotschaft. Die Gute Nachricht soll verkündet werden. Dem geringsten der Apostel, wie er sich selbst betitelt (1. Kor 15,9), ist es besonders wichtig, dass die Botschaft verbreitet wird: Auch Nichtjuden haben durch Jesus Christus Anteil an Gottes Reich und sind Miterben, als Kinder angenommen. Das Evangelium nicht nur den Juden zu bringen, sondern der ganzen Welt, war der Auftrag von Paulus. Und so erfahren wir auch einiges von ihm, was er dafür durchmachen musste. Aber ihm war es die Sache wert. Wo sehen wir unseren Platz bei der Verbreitung von Gottes guter Nachricht?

„Darum gehet hin und machet zu Jüngern alle Völker: Taufet sie auf den Namen des Vaters und des Sohnes und des Heiligen Geistes."

Matthäus 28,19 (LUT84)

Wurzeln der Liebe

Epheser 3,14-21 **Mittwoch, 16.**

Wie groß ist dein Glaubens-Pflänzchen? Paulus betet für die Gemeinde um Kraft. Ihm ist bewusst, dass ein oberflächlicher Glaube nichts bringt. Er schreibt, dass Christus in unseren Herzen wohnen soll und wir tief in der Liebe eingewurzelt sein sollen. Eine Blume in der Vase ist im Prinzip schon tot. Aber je tiefer eine Pflanze ihre Wurzeln gräbt, umso mehr Nährstoffe und Halt findet sie. So fest sollen wir mit Gott verbunden sein, um seine ganze Größe zu erfassen. Aber Paulus warnt auch zugleich, dass man Gott nicht immer ganz begreifen kann. Das soll uns Mut machen, falls wir uns in unserem Glauben schwach fühlen und unseren Glauben als ein welkes Pflänzchen wahrnehmen. Paulus ist hier unser großer Fürsprecher und möchte uns Mut machen, durch eine enge Beziehung zu Christus unseren Glauben wachsen und gedeihen zu lassen.

„Einiges jedoch fiel auf guten Boden und brachte Frucht – zum Teil hundertfach, zum Teil sechzigfach, zum Teil dreißigfach."

Matthäus 13,8 (NGÜ)

Alle in einem Boot

Epheser 4,1-6 **Donnerstag, 17.**

Wenn nicht immer diese Nachbarn wären. Manchmal ist es für uns ganz schön schwer, Frieden zu halten. Das gilt für das allgemeine Zusammenleben genauso wie in der Gemeinde. Paulus ermahnt uns, in Geduld, Sanftmut und Demut die anderen in Liebe zu ertragen. Das ist leider nicht immer einfach, da es auch in Dingen des Glaubens unterschiedliche Ansichten geben kann. Und jeder hat doch seine eigene Anschauung, wie man Gemeinde leben sollte. Doch dadurch dürfen wir nicht unsere Berufung vergessen. Paulus oberstes Ziel ist es hier, Frieden zu bewahren. Das hilft uns auch, unseren Auftrag in den Fokus zu rücken. Oftmals beschäftigen wir uns aber leider mit anderen Dingen und haben ganz aus dem Blick verloren, dass Gott unser aller Vater ist. Wo kann ich dazu beitragen, Frieden zu stiften?

„Ertragt einer den andern in Liebe“. *Epheser 4,2b*

Tiefer Fall und steiler Aufstieg

Epheser 4,7-10 **Freitag, 18.**

Was war dein tiefster Fall? Sicherlich hat dich schon ein Ereignis tief nach unten gezogen und die Lage schien aussichtslos. Was uns aber trösten kann, ist, dass Jesus viel mehr durchmachen musste. Er ist buchstäblich für uns durch die Hölle gegangen. Erst kam er für uns auf die Erde, dann ging es auch noch ins Totenreich, um später in den Himmel aufzusteigen. Damit hat er erfüllt, was in der Bibel berichtet wird. Zum einen hat er dadurch den Weg zu Gott für uns frei gemacht. Zum anderen hat er uns auch mit Gaben ausgestattet. Diese sollten wir dankbar annehmen und auch nutzen. Wir sollten den Tag nutzen und Jesus für sein Opfer am Kreuz dankbar sein und uns überlegen, wie wir die geschenkten Gaben einsetzen können.

„Also hat Gott die Welt geliebt, dass er seinen eingeborenen Sohn gab, damit alle, die an ihn glauben, nicht verloren werden, sondern das ewige Leben haben.“ *Johannes 3,16*

Es geht ums große Ganze

Epheser 4,11-16 **Samstag, 19.**

Hast du schon deinen Platz gefunden? Paulus zählt hier einige Dienste in der Gemeinde auf. Viele Christen sind schon in dem einen oder anderen Bereich tätig, aber haben vielleicht den Blick auf das große Ganze verloren. Es soll der Leib Christi „erbaut“

werden. Das heißt: Es soll das Komplette im Blick behalten werden. Oftmals sehen wir nur einzelne Körperteile und erkennen nicht den ganzen Körper und dass dieser nur als Ganzer funktioniert. Dazu müssen wir verstehen, dass Jesus der Sohn Gottes ist und wir eine Einheit im Glauben bilden. Ansonsten werden wir uns leicht vom richtigen Weg abbringen lassen. Daher hilft es, vielleicht mal mit etwas Abstand auf den Menschen zu sehen. Denn die einzelnen Körperteile hängen miteinander zusammen und müssen reibungslos gemeinsam funktionieren – so auch die Gemeinde.

„Denn wie der Leib einer ist und hat doch viele Glieder, alle Glieder des Leibes aber, obwohl sie viele sind, doch ein Leib sind: so auch Christus." *1. Korinther 12,12*

Wochenspruch
„Heute, wenn ihr seine Stimme hört, so verstockt eure Herzen nicht, wie es bei der Verbitterung geschah." *Hebräer 3,15b*

Mein Gott ist heilig und gerecht

Psalm 99 **Sonntag, 20.**

Gott ist König über die himmlische und irdische Welt (V. 1-5). Sein Name soll bei allen Völkern verehrt werden. Der Psalmist beugt sich vor diesem Gott, der für Gerechtigkeit und Ordnung sorgt, und ruft dazu auf, es ihm gleichzutun. Wiederholt betont er: „Er (der HERR) ist heilig". Ab V. 6 greift er auf die Geschichte Gottes mit seinem Volk zurück. Die geistlichen Leiter Mose, Aaron und Samuel sind Vorbilder in der Anbetung, auch wenn sie nicht perfekt waren. Ihre Geschichte zeigt, dass dieser heilige Gott sich dem treuen Beter zuwendet und seine Schuld vergibt.

„Die Stärke des Königs ist, dass er das Recht liebt. Du hast bestimmt, was richtig ist, du schaffest Recht und Gerechtigkeit in Jakob."
Psalm 99,4

Aus Alt mach Neu

Epheser 4,17-24 — **Montag, 21.**

Jesus und der Heilige Geist haben Hand an uns gelegt. Sozusagen „göttliches Upcycling" vom Feinsten! Upcycling heißt nicht nur, dass etwas Altes neu gemacht wurde, sondern dass es komplett umgestaltet wurde und einen neuen Wert erhalten hat. Unser Herz wurde für Gott geöffnet. Unser Gewissen sensibilisiert. Wir wurden befähigt, ein Leben in Wahrheit, Gerechtigkeit und Heiligkeit zu führen. Paulus fordert uns auf, diese tollen Möglichkeiten wahrzunehmen und nicht zu vertun, indem wir alten Verhaltensmustern nachhängen. Was hindert uns, das auszuleben?

Jesus, hilf mir zu sehen, was du aus meinem Leben schmeißen möchtest – und vor allem, was stattdessen neu einziehen soll.

„Erneuert euch aber in eurem Geist und Sinn und zieht den neuen Menschen an, der nach Gott geschaffen ist in wahrer Gerechtigkeit und Heiligkeit." *Epheser 4,23-24*

Was geht (nicht)? Paulus macht's konkret

Epheser 4,25-32 — **Dienstag, 22.**

„Lügen geht gar nicht!" Paulus wird sehr konkret, welche Verhaltensweisen ein Christ ablegen sollte. Er hat ein großes Ziel vor Augen: die Einheit der Christen. Unwahrheiten und Streit können der Gemeinschaft schwer schaden. Daher verurteilt Paulus sie aufs Schärfste. Er fordert uns zu überlegtem Handeln und Reden auf. Ist das, was ich gerade sagen möchte, gut, angemessen und hilfreich? Paulus argumentiert keinesfalls abgehoben. Er weiß: Zorn gehört zu unseren menschlichen Emotionen (V. 26). Aber wir können Einfluss nehmen, wie wir mit unserem Zorn umgehen.

Jesus, hilf mir in Konfliktsituationen ruhig zu bleiben und deine Weisheit zu suchen, um besonnen reagieren zu können.

„Geht vielmehr freundlich miteinander um, seid mitfühlend und vergebt einander, so wie auch Gott euch durch Christus vergeben hat." *Epheser 4,32 (NGÜ)*

Sex and the City

Epheser 5,1-14 **Mittwoch, 23.**

Sex und der richtige Umgang damit war damals wie heute ein großes Thema. Prostitution war zu Zeiten von Paulus vor allem in den Städten weit verbreitet und oft mit religiösen Praktiken verbunden. Als „erleuchtet" galt, wer über seinen Körper frei entscheiden konnte, sich löste von gesellschaftlicher Zurückhaltung. Eine Lehre, die heute nicht fremd klingt.

Paulus bringt sexuelle Unmoral in Verbindung mit menschlicher Habgier, dem Verlangen, besitzen zu wollen, und bezeichnet dies als Götzendienst (V. 5).

Den Weg zur Freiheit finden wir nicht, indem wir unsere Begierden frei ausleben, sondern indem wir Jesus nachfolgen. Hier finden wir das Licht, das wir brauchen, damit unser Leben wunderbare Frucht bringt. Gott selbst macht sich in Jesus für uns zum Vorbild: Er ist Liebe und davon soll unser ganzes Leben geprägt sein (V. 2).

„Denn ihr wart früher Finsternis; nun aber seid ihr Licht in dem Herrn. Wandelt als Kinder des Lichts; die Frucht des Lichts ist lauter Güte und Gerechtigkeit und Wahrheit." *Epheser 5,8.9*

Freie Zeit statt immer nur Freizeit

Epheser 5,15-20 **Donnerstag, 24.**

„Kauft die Zeit aus" – eine Formulierung, die in mir erst mal Druck erzeugt. Gehe ich gewissenhaft mit meiner Zeit um? Investiere ich genug für das Reich Gottes?

Ich denke, es ist nicht die Absicht von Paulus, uns zu überfordern. Gott wünscht sich keine Sklaven, die ihm zwanghaft Folge leisten. Das griechische Verb, das hier genutzt wird, kann auch mit „freikaufen" übersetzt werden. Als Christen haben wir die Chance, unsere Lebenszeit von der Sinnlosigkeit zu befreien, um Gutes zu bewirken.

Wir sind eingeladen, verstehen zu lernen, was Gott möchte. Wir dürfen zu ihm kommen und unmittelbar mit ihm reden. In Gemeinschaft mit anderen Christen können wir uns dem Herzen Gottes öffnen, ihm singen und danken. Er will uns mit seinem Geist und Weisheit beschenken!

„Lehre uns bedenken, dass wir sterben müssen, auf dass wir klug werden." *Psalm 90,12*

Liebe ist Arbeit

Epheser 5,21-33 **Freitag, 25.**

Dies ist eine der Bibelstellen, die gerne aus dem Zusammenhang gerissen wird. Auch Bibelferne kennen sie: Ihr Frauen ordnet euch euren Männern unter. Doch im Zusammenhang gelesen zeigt uns dieser Text eine ganz andere Sicht. Es geht in Beziehungen um Liebe, Vertrauen und Respekt und nicht um Unterordnung als ein Gesetz. Jesus will lebendige Beziehungen, die sich einander unterordnen; denn wir sind von Gott gleichwertig geschaffen. Jeder hat andere Gaben und Schwächen, deshalb können wir uns ergänzen. Wenn wir Christus als Haupt annehmen, dann ist er in unserer Beziehung die Mitte, und wir dürfen als Paar gemeinsam entscheiden. Im gegenseitigen Annehmen des anderen wird diese Bibelstelle zu einer Hilfe, wie Paare miteinander umgehen sollen. Das ist zwar Arbeit, aber auch notwendig.

„Ein neues Gebot gebe ich euch, dass ihr euch untereinander liebt, wie ich euch geliebt habe." *Johannes 13,34*

Heilung

Epheser 6,1-9 **Samstag, 26.**

Dieses Gebot ist bekannt wie kaum ein anderes: „Ehre Vater und Mutter". Wer in einer liebevollen Familie behütet aufgewachsen ist, hat damit wahrscheinlich wenig Probleme. Familie funktioniert nur, wenn wir einander lieben und respektieren.

Doch was ist, wenn Kinder misshandelt wurden? Wenn jemand in einer solchen Familie aufgewachsen ist, dann hat er meistens

sein ganzes Leben damit Probleme. Oft braucht man viele Jahre Therapie und Hilfe, bis alles aufgearbeitet ist. Es braucht viel Zeit, bis diese Wunden heilen. Und vielleicht schafft es der- oder diejenige, den Eltern irgendwann zu vergeben. Aber ich kenne auch Menschen, die es nicht schaffen können. Die Wunden sind zu tief. Jeder kann das nur für sich selbst entscheiden.
Vergebung ist der Weg, um heil zu werden. Jesus ist da und will unsere Seele heilen.

„Fürchte dich nicht, denn ich stehe dir bei, hab keine Angst, denn ich bin dein Gott.“ *Jesaja 41,10 (HfA)*

Wochenspruch

„Seht, wir gehen hinauf nach Jerusalem, und es wird alles vollendet werden, was geschrieben ist durch die Propheten von dem Menschensohn.“ *Lukas 18,31*

In Gott geborgen

Psalm 31 **Sonntag, 27.**

Wenn wir nicht weiterwissen. Wenn wir Angst haben. Wo ist unser Ort der Geborgenheit? 2020 hat die Welt erlebt, was es heißt, hilflos einer Pandemie ausgeliefert zu sein. Wir haben erlebt, dass wir keine Kontrolle über das Virus hatten. Das hat vielen Angst gemacht. Nie zuvor hatten wir bisher etwas Derartiges erlebt. Ich hätte es nie für möglich gehalten, dass die Welt wegen eines Virus angehalten wird. Aber genau das ist passiert.
Und ich weiß nicht, wie ich es ohne meinen Glauben und mein Vertrauen auf Gott überstanden hätte. Gott hält seine Welt in seiner Hand. Auch wenn dieses Virus viel Schlimmes angerichtet hat, darf ich immer wieder lernen, voll Vertrauen auf Jesus zu blicken, in der Gewissheit: Er ist mein Fels und meine Burg. Jesus ist mein Schutz. Ich brauche keine Angst zu haben: Denn meine Zeit steht in seinen Händen.

„Und ob ich schon wanderte im finstern Tal, fürchte ich kein Unglück, denn Du bist bei mir." *Psalm 23,4*

Geistliche Nacktflitzer

Epheser 6,10-17 **Montag, 28.**

Vor Jahren habe ich ein Buch von Larry Lea über das Vaterunser gelesen. Bei der Stelle „und führe uns nicht in Versuchung" zeigt er uns die Waffenrüstung Gottes. Er schreibt: „Jeder, der ohne die Waffenrüstung Gottes lebt, ist in der Welt wie ein geistlicher Nacktflitzer."

Das hat mich so beeindruckt, dass ich seitdem die Waffenrüstung Gottes täglich bete. Es sind sechs kleine Sätze, die ich auswendig gelernt habe:

Umgürte meine Lenden mit Wahrheit. Gib mir den Panzer der Gerechtigkeit. Stiefel, die bereit sind für dich und dein Evangelium einzutreten. Den Helm des Heils. Den Schild des Glaubens. Das Schwert, die Bibel.

Wir können gegen die Angriffe des Feindes eigentlich nichts anderes ausrichten. Deshalb haben wir die geistliche Waffenrüstung von Gott als Schutz bekommen. Das Einzige, was wir tun müssen, ist, sie auch im Gebet anzuziehen. Dann sind wir geschützt.

„Seid nüchtern und wacht; denn euer Widersacher, der Teufel, geht umher wie ein brüllender Löwe und sucht, wen er verschlinge."

1. Petrus 5,8

Monatsspruch März

Hört nicht auf, zu beten und zu flehen! Betet jederzeit im Geist; seid wachsam, harrt aus und bittet für alle Heiligen.

Eph 6,18 (E)

Die Kraft des Gebetes

Epheser 6,18-24 **Dienstag, 1.**

Eine Beziehung kann nur wachsen, wenn wir miteinander reden und einander zuhören. Wenn wir uns entscheiden, dass Jesus unser Herr, Heiland und Erlöser ist und wir ihm unser Leben anvertrauen, dann lebt er in uns. Deshalb brauchen wir uns von dem Satz „allzeit zu beten" nicht einschüchtern zu lassen.
Beten ist Reden mit Gott und das sieht für jeden Menschen anders aus. Nicht nur meine Stille Zeit ist Reden mit Gott, sondern alles, was ich ihm den Tag über, leise oder laut, sage. Auch die kurzen Stoßgebete, die so oft tief aus meinem Herzen kommen.
Es ist diese tiefe Verbindung: Jesus ist immer bei uns und er hört uns. Wir sind geschaffen, um mit ihm Gemeinschaft zu haben. Also legen wir unsere Angst, zu wenig zu beten, ab, und leben in dem Bewusstsein, dass er selbst in uns lebt und wir in Ihm.

„Wer in mir bleibt und ich in ihm, der bringt viel Frucht, denn ohne mich könnt ihr nichts tun." *Johannes 15,5*

Einführung ins Johannesevangelium s. S. 9

Begegnung mit dem Tod

Johannes 11,1-10 **Mittwoch, 2.**

Die Auferweckung des Lazarus ist die Mitte des Johannesevangeliums. Sie ist das wichtigste Zeichen, das Jesus tut. Die Auferweckung weist auf die Herrlichkeit Gottes hin. Sie ist gleichzeitig der Beginn des Weges, der Jesus durch den eigenen Tod zur Auferweckung von den Toten führt. Letztlich geht es in diesem Kapitel um die Auferweckung des Lazarus, die Auferweckung Jesu und damit um die Hoffnung auf unsere Auferweckung. Lazarus stirbt. Maria, die Jünger, Martha und Jesus gehen alle anders mit dem Tod um und auf ihn zu. Jesus lässt sich noch zwei Tage Zeit. Nicht der Tod bestimmt die Geschwindigkeit des Handelns, sondern der Herr über den Tod. Mit seinem langsamen Kommen provoziert Jesus geradezu ein ausführliches Reden über das Sterben. Er mutet sich und uns das Thema zu. Wo begegnet uns heute der Tod?

„Lehre uns bedenken, dass wir sterben müssen, auf dass wir klug werden.“ *Psalm 90,12*

Menschlicher Trost im Tod

Johannes 11,11-19 **Donnerstag, 3.**

Sie reden um den heißen Brei herum, die Jünger mit Jesus. Ist Lazarus nun gestorben? Schläft er? Wird er wieder gesund? Ist er tot? Alle diese Fragen bewegen jeden auf dem Weg zum Sterben. Wenn der Tod dann wirklich kommt, gibt es für uns Menschen verschiedene Möglichkeiten, damit umzugehen. Thomas schlägt den Weg der Resignation vor. Da der Tod unausweichlich zu jedem kommt, ist es egal, ob wir früher oder später selber sterben. Da können wir auch gleich mitsterben. Die Freunde und Verwandten leisten Beistand, kommen und trösten. Sie tragen das Leid und den Schmerz gemeinsam. Das ist gut, hilft und gibt Kraft für den Weg im Angesicht des Todes. Was würden wir tun? Jesus, der Herr über den Tod, hat jedoch einen eigenen Weg, der nicht in der Macht der Menschen steht.

„Unser Leben auf Erden ist wie ein Schatten und bleibet nicht.“
1. Chronik 29,15

Gläubiger Umgang mit dem Tod

Johannes 11,20-27 **Freitag, 4.**

Martha vertraut in der Trauer fest auf Jesus. Sie glaubt und bekennt, dass Jesus alles vom Vater bekommt, worum er bittet, dass die Toten einmal auferstehen werden und dass Jesus der Sohn Gottes ist. Sie ist sozusagen das Musterbild des gläubigen Menschen im Umgang mit Leid. Sie rechnet jedoch nicht damit, dass jetzt die Auferstehung beginnt. Jesus sagt: „Ich bin die Auferstehung und das Leben ... Glaubst du das?" (V. 25f.). Jetzt ist Jesus mit seiner Auferstehungskraft bei Martha angekommen. Der „Ich bin" steht leibhaftig vor ihr. Auferstehung gibt es in der Zukunft – und seit Jesus in der Gegenwart. Ostern leuchtet jetzt in das Dunkel des Todes. Das übersteigt menschlichen Trost und Beistand. In Jesus begegnet uns jetzt der „Ich bin die Auferstehung". Egal, welche Gefahr uns umgibt. Er ist jetzt da!

„Denn ich bin gewiss, dass weder Tod noch Leben ... uns scheiden kann von der Liebe Gottes." *Römer 8,38.39*

Emotionaler Umgang mit dem Tod

Johannes 11,28-45 **Samstag, 5.**

Maria lebt die emotionale Seite der Trauer. Sie weint, zieht sich zurück. Und fällt vor Jesus nieder und betet ihn an. Jesus geht auf beide Formen der Trauer ein. Er spricht verständnisvoll und lehrend mit Martha. Er teilt die Emotionen mit Maria. Lazarus erlebt das Wunder passiv. Alle sind von Jesus geliebt. Sind wir im Umgang mit dem Tod eher rational oder emotional? Egal, was für einen Umgang wir mit dem Tod pflegen, Jesus versteht uns menschlich, theologisch und emotional. Auf dem Weg zur Auferstehung geht er allerdings einen entscheidenden Schritt weiter. Er handelt. Er stellt sich dem Tod, lässt den Stein wegrollen und ruft mit lauter Stimme Lazarus aus dem Grab heraus. Der Tod muss Lazarus gehen lassen. In das irdische und ewige Leben. Hoffnung leuchtet auf! Der Weg zum Leben ist und bleibt frei für Lazarus, Jesus und uns.

„Der Tod ist verschlungen in den Sieg." *1. Korinther 15,54*

Wochenspruch

„Dazu ist erschienen der Sohn Gottes, dass er die Werke des Teufels zerstöre." *1. Johannes 3,8b*

Bewahrung vor dem Tod

Psalm 91 **Sonntag. 6.**

„Denn er hat seinen Engeln befohlen, dass sie dich behüten auf allen deinen Wegen." (V. 11) Das ist eines der bekanntesten Worte aus den Psalmen. Es ist beliebt für Taufen und wird in Oratorien und von Kinderchören gesungen. Aufmerksam hat der Psalmbeter seinen Alltag betrachtet und gemerkt, aus wie vielen tödlichen Gefahren er immer wieder gerettet wurde. Unterwegs, zu Hause, gesundheitlich und seelisch. Das, was andere Menschen mit „Glück gehabt" bezeichnen, führt den Psalmisten zum Lob und zum Dank an Gott. Gott schützt stündlich und täglich mit seinen Engeln unser Leben vor Schaden, Gefahr und Tod. Wie wäre es, wenn wir auch eine Liste des Dankes über nicht erlebtes Unglück und Bewahrungen aller Art führen würden? Nach jeder Autofahrt würde sich diese Liste um ein „Gott sei Dank" erweitern. Wir würden dankbare Menschen. Was hindert uns daran?

„Danket dem HERRN." *Psalm 107,1*

Mordkomplott gegen Jesus

Johannes 11,46-57 **Montag. 7.**

Die Lage spitzt sich zu. Die Führenden des Volkes kommen zusammen und überlegen, was zu tun ist. Sie sehen, was Jesus tut, und haben Angst vor den Römern. Sie haben Angst davor, dass die Römer ihnen ihre wenigen Rechte und Freiheiten auch noch nehmen. Kennen wir solche Ängste nicht auch? Wo überlegen wir, wie wir zu unserem Recht kommen? Doch in all dem menschlichen Planen, Denken und Handeln hält Gott die Zügel in der Hand. Er lässt den Hohepriester weissagen, was er schon längst beschlossen hat. Jesu Leidensgeschichte für uns beginnt. Bevor er sich wieder in der Öffentlichkeit zeigt, zieht er sich noch einmal zurück. Es wirkt so, als ob er noch einmal seine Kräfte bündelt. Wo ist es wichtig, dass wir uns erst noch einmal zurückziehen, um unsere Kräfte zu bündeln?

„Und nicht für das Volk allein, sondern auch, um die verstreuten Kinder Gottes zusammenzubringen.“ *Johannes 11,52*

Starhype – Sensationsgier

Johannes 12,1-11 **Dienstag, 8.**

„Hast du schon gehört, was Maria gemacht hat?“ „Ja, total verrückt! Ja, aber weißt du, dass dieser Lazarus auch dort ist. Der, der von den Toten auferweckt wurde? Den würde ich ja gerne mal sehen!“ So oder so ähnlich könnte ein Gespräch zwischen zwei Frauen abgelaufen sein. Sie interessierten sich für die neuesten Sensationen. Teures Öl wurde verschwendet und ein Toter wurde auferweckt. Und Jesus? Kein Wort über ihn. Kennen wir nicht auch solche Situationen? „Hast du schon das neue Buch von XY gelesen?“ „Die Predigt von XY musst du dir anhören!“ Wir beschäftigen uns viel mit Büchern, Predigten und Liedern, aber wann gehen wir auf die Person zu, um die es wirklich geht? Wo begegnen wir dem Original?

„Da erfuhr eine große Menge der Juden, dass er dort war, und sie kamen nicht allein um Jesu willen, sondern um auch Lazarus zu sehen, den er von den Toten erweckt hatte.“ *Johannes 12,9*

Der triumphale Einzug

Johannes 12,12-19 **Mittwoch, 9.**

Die Menschen sind begeistert. Dieser Mann kann reden, heilt Menschen und kommt jetzt sogar nach Jerusalem. Euphorie macht sich breit. Die Menschen ahnen: Dieser Mann könnte ihr Leben verändern. Er gibt Hoffnung in der Zeit der Besetzung durch die Römer. Könnte er der neue König werden? Sie jubeln ihm zu. Doch Jesus reitet nicht wie ein mächtiger Herrscher auf einem Pferd in die Stadt. Er reitet auf einem Eselfohlen und setzt damit ein Zeichen des Friedens. Die Menschen verstanden diese Symbolik noch nicht. Sie ahnten noch nicht, dass er ihnen anders hilft, als sie erwarten. Auch wir erwarten eine andere Hilfe und sehen nicht, wie Gott im Kleinen wirkt. Wo kann ich sein Wirken im Rückblick erkennen?

„Damals verstanden seine Jünger dies alles noch nicht; aber als Jesus in Gottes Herrlichkeit aufgenommen war, wurde ihnen bewusst, dass dieses Schriftwort sich auf ihn bezog und dass die Volksmenge ihn dementsprechend empfangen hatte." Johannes 12,16 (GNB)

Frühlingserwachen

Johannes 12,20-26 **Donnerstag, 10.**

Frühling, die Zeit des Aufblühens. Die Zeit, in der Neues zum Leben erweckt wird. Die Zeit, in der aufgeatmet wird und in der Schönes und Buntes zu entdecken ist. Aber bevor es dazu kommt, ist einiges zu tun. Die Erde muss bearbeitet und neues Saatgut muss ausgesät werden. Der Samen muss keimen. Bevor etwas wächst, bevor etwas ins Leben kommt, muss es sterben. Ein Samenkorn stirbt und keimt, bevor daraus eine neue Pflanze, ein neues Leben, entsteht. Jesus beschreibt mit dem Weizenkorn, was mit ihm passieren wird. Er wird sterben, um uns ein neues Leben zu ermöglichen. Und er geht noch weiter: Auch in uns muss etwas sterben, wenn wir dieses neue Leben annehmen wollen. Was muss in mir sterben, damit in und durch mich neues Leben entsteht? Was muss ich loslassen?

„Wer sein Leben lieb hat, der verliert es; und wer sein Leben auf dieser Welt hasst, der wird's bewahren zum ewigen Leben." Johannes 12,25

Rückblick

Johannes 12,27-33 **Freitag, 11.**

Jesus ist es nicht leichtgefallen, alles aufzugeben und herzugeben. Aus seinen Worten hören wir seinen Schmerz und sein Verlangen danach zu flüchten! Und dennoch überwindet sein größter Wunsch diese Angst: Der Name des HERRN soll verherrlicht werden. Er kennt seinen Auftrag und kennt seine größte Liebe im Herzen.

Jesus hat nie gesagt, dass es leicht sein wird, ihm nachzufolgen. Wenn wir seinem Beispiel folgen wollen, sollte unsere Frage nicht lauten: Was ist der einfache Weg? Womit fühle ich mich am wohlsten? Die Frage lautet: Womit wird der Name des HERRN verherrlicht? Vieles davon verstanden die Jünger nicht sofort. Auch wir verstehen manches nicht sofort. Erst wenn wir zurückblicken, können wir manche Dinge verstehen. Was verstehe ich gerade nicht?

„Vater, verherrliche deinen Namen! Da kam eine Stimme vom Himmel: Ich habe ihn verherrlicht und will ihn abermals verherrlichen."

Johannes 12,28

Wer ist dieser Menschensohn?

Johannes 12,34-36 **Samstag, 12.**

Die Frage der Zuhörer ist für mich der Schlüssel zu diesem Text – und letztlich zum ganzen Evangelium. Jesus spricht unmittelbar vor unserem Text über sein nahes Ende und seinen Tod. Aber die Rede trifft offenbar nicht die Erwartung seiner Zuhörer, sondern löst Fragen aus. Eine davon ist: Wer ist denn dieser Menschensohn?

Die Antwort Jesu ist ein zentrales Motiv des Johannesevangeliums: „das Licht". Der Menschensohn ist das Licht der Welt. Der Orientierungspunkt in einer verwirrenden und von Finsternis ergriffenen gefallenen Welt. Und damit dieses Licht dauerhaft brennt und die Finsternis besiegen kann, sind der Tod und die Auferstehung Jesu notwendig. Beide zusammen sind das Streichholz, das das Licht der Welt entzündet.

Wir suchen Orientierung und tappen im Dunklen, bis Jesus, der Menschen- und Gottessohn, das Licht für uns wird.

„In ihm war das Leben, und das Leben war das Licht der Menschen"

Johannes 1,4

Wochenspruch

„Gott aber erweist seine Liebe zu uns darin, dass Christus für uns gestorben ist, als wir noch Sünder waren.“ *Römer 5,8*

Was ich nicht sagen darf ... oder doch?

Psalm 35,1-16 **Sonntag, 13.**

Dieser Psalm formuliert Worte, die meine Seele fühlt, aber mein Kopf – und meine christliche Sozialisation – nicht zu sagen wagt. David findet markige Worte über seine Feinde: „Sie sollen zum Spott werden ... zuschanden werden ... ihr Weg soll finster und schlüpfrig werden ...“ (V. 4.6)

Der Psalm ist ein biblischer Beweis dafür, dass Gott mein Freund sein will. Ich brauche mich nicht zu verstellen. Ich darf bei ihm – politisch und sozial – „unkorrekt“ sein. Ich darf meinen Gefühlen, meiner Wut, Worte geben. Ein echter Freund eben, bei dem ich abladen darf, was mich belastet, und bei dem ich Trost finde.

Ich weiß nicht, ob David diese Worte so umgesetzt sehen wollte. Ich weiß nicht, ob Gott ihn 100% beim Wort genommen hat. Vielleicht hörte Gott es nur als „Dampfablassen“. Ich weiß aber, dass am Ende dieses Gebetes steht:

„Und meine Zunge soll reden von deiner Gerechtigkeit und dich täglich preisen.“ *Psalm 35,28*

Sie liebten etwas anderes mehr ...

Johannes 12,37-43 **Montag, 14.**

Jünger Jesu zu sein oder zu werden hat etwas mit innen und außen zu tun. Ein Wunder führt vielleicht schnell zur äußerlichen Begeisterung – berührt aber innerlich nicht und bleibt oberflächlich. Aber auch innerliche Anteilnahme, die nicht äußerlich sichtbar wird, führt nicht zur Jüngerschaft.

Die Wunder von Jesus führten nicht zu einer Erweckungs- und Glaubensbewegung. Es war nur äußerlicher Jubel, der keinen Glauben und keine Nachfolge auslöste. Es gab zwar einige füh-

rende Männer (V. 42), die innerlich am Evangelium Anteil nahmen – aber das führte nicht zur äußerlichen Nachfolge. Das Ansehen war wichtiger. Und so erstickte der innerliche Glaube.
Innerliche Überzeugung und äußere Nachfolge müssen zusammen gelebt werden, sonst wird es keine Nachfolge. Ob wir es besser machen? Das Wort muss zur Tat werden – und die Tat zum Wort.

„So ist auch der Glaube, wenn er nicht Werke hat, tot in sich selber."
Jakobus 2,17

Religiös oder Nachfolger?

Johannes 12,44-50 **Dienstag, 15.**

Gefährliches Pflaster, auf dem Jesus sich bewegt. In großer Selbstverständlichkeit outet er sich als Gottes Vertreter und Stimme. „Wer mich hört, hört den Vater." (V. 49) „Wer mir glaubt, glaubt dem Vater." (V. 45) „Wer mich ablehnt, lehnt das Licht, Gott und das Leben ab" (V. 49). Ohne Jesus und seine Nachfolge ist man schon zur Finsternis verurteilt.
Eines der Leitmotive des Johannesevangeliums wird zum Schlüssel der Botschaft: Wer glaubt, hat Licht, Orientierung und Hoffnung. Wer ablehnt, bleibt im Dunklen.
Und seine Zuhörer waren sicher nicht unreligiös. Sie lehnten Gott nicht ab. Im Gegenteil. Doch die religiösen Führer werden ihn später deswegen töten. Aber es geht nicht um „Rechtgläubigkeit" und Religion. Es geht um Nachfolge und um die Beziehung zum Licht der Welt. Dazu gehört die innere Überzeugung, die Taten und Werke als Konsequenzen hat.

„Wer mir nachfolgt, der wird nicht wandeln in der Finsternis."
Johannes 8,12b

Jahreslosung 2022

Jesus Christus spricht: Wer zu mir kommt, den werde ich nicht abweisen. Joh 6,37 (E)

Wirklich jede und jeder?

Meint Jesus das wirklich so? Jede und jeder? Ohne Bedingungen? Es reicht, zu Jesus zu kommen? Wen man sich da so alles ins Haus holt. Man hat doch keine Kontrolle mehr, ob er oder sie passt. Die Vorstellungen. Die Werte. Vielleicht auch der Glaube. So ganz offen zu sein für jeden und jede ist zwar theoretisch eine großzügige Geste – aber praktisch führt das doch zu Problemen.

Nehmen wir Jesus beim Wort, wenn er sagt: „Ich weise niemanden ab!“ Was ändert sich? Ich muss nicht mehr auf mich selbst schauen. Ich muss mich nicht mehr selbst beobachten und bewerten: „Mache ich auch keinen Fehler? Was darf ich sagen, ohne anzuecken? Was verschweige ich besser? Bin ich gut genug?“ Ich muss mich nicht mehr infrage stellen, weil Jesus keine Bedingungen stellt.

Und das Vergleichen: „Bin ich besser als andere? Schlechter? Erfolgreicher und damit angesehener? Oder stehe ich im Schatten derer, die glänzen und bewundert werden?“ Ich bin in den Augen von Jesus nicht mehr wert, weil ich mehr geleistet hätte; aber auch nicht weniger wert, weil andere mehr vorweisen können. Wenn jeder und jede kommen kann, dann sind alle Ranglisten sinnlos.

Sich mit anderen zu messen und sich mit dem eigenen Ideal zu vergleichen, gehört zu unserem Leben dazu. Wir leben in Gemeinschaft mit anderen und organisieren so unser Zusammenleben. Gruppendynamik. Zu wissen, wo ich stehe, meinen Status zu kennen, hilft mir, mich zu orientieren. Ich finde so meinen Platz in der Gemeinschaft. Problematisch wird es nur, wenn ich mein Selbstwertgefühl von meiner Stellung abhängig mache: Bin ich wirklich wertvoller, wenn mein Status höher ist

als der von anderen? Verliere ich an Wert, wenn ich an Status verliere?
Für Jesus ist jeder wertvoll, der zu ihm kommt. Unabhängig davon, wie er sich fühlt, was andere sagen, welche Erfahrungen sie mitbringt. Einfach durchgehen. Es gibt keine Einlasskontrolle im Reich Gottes. Kein Ausschluss. Nur die Einladung Jesu: „Du bist es wert! Komm!“

HN

Ein Beispiel hat ER uns gegeben

Johannes 13,1-11 **Mittwoch, 16.**

Jesus dient. Der Menschensohn, der Meister, der Herr aller Herren, der Gottessohn ... die Aufzählung der Titel Jesu ist längst nicht vollständig, aber sie macht deutlich, dass die Fußwaschung damals etwas Außergewöhnliches war. Petrus versteht sie auch nicht und pendelt so dazwischen: „Du kannst dich als Meister doch nicht so klein machen!“ Aber auch: „Dann will ich noch mehr davon!“.
Es gibt christliche Kreise, die diese Symbolik als Sakrament verstehen und regelmäßig pflegen. Ich kann sie gut verstehen. Jesus setzt hier, wie bei Taufe und Abendmahl, ein starkes Zeichen. Er macht deutlich, dass sein Dienst, sein Tod, uns reinigt von dem, was sich in unserem Leben als „Dreck-Spuren“ festgesetzt hat. So wie die Füße damals den Weg des Tages spiegelten, so möchte Jesus in unserem Leben die Hinterlassenschaften der falschen Entscheidungen und Taten wegspülen. Und er dient, als Meister und Herr. Er ist sich nicht zu schade. Er erniedrigt sich, um zu dienen.

„Ein Beispiel habe ich euch gegeben, damit ihr tut, wie ich euch getan habe.“ *Johannes 13,15*

Wochenspruch
„Wer die Hand an den Pflug legt und sieht zurück, der ist nicht geschickt für das Reich Gottes.“ *Lukas 9,62*

Beispielhaft

Johannes 13,12-20 **Donnerstag, 17.**

Auf hoher See keinen Hotelkomfort. Es liegen Listen aus, in die man sich zum Spüldienst eintragen kann. Am Mittag des dritten Tages fragt der Pfarrer: „Hat jemand meine Frau gesehen?" „Ja", antwortet ein Jugendlicher, „die steht in der Kombüse und spült." – „Aber das hat sie doch schon gestern Abend gemacht", meint ein anderer. „Und gestern Mittag auch!" ergänzt eine Dritte. Betretenes Schweigen. Keine zwei Stunden später jedoch ist die Spülliste lückenlos gefüllt. Offenbar bedurfte es der Scham, um die Heranwachsenden zum Nachdenken zu bringen. Mehr als alle moralischen Appelle verändern uns Vorbilder und überzeugende Beispiele. Jesus kennt diesen Zusammenhang. Von seiner Pädagogik will ich lernen.

„Ein Beispiel habe ich euch gegeben, damit ihr tut, wie ich euch getan habe" *Johannes 13,15*

Schmerzhaft

Johannes 13,21-30 **Freitag, 18.**

„Was ist die Steigerungsform von Feind?" soll Konrad Adenauer im Gespräch mit Journalisten einmal gefragt haben. Auf deren Schulterzucken hin meint er: „Feind, Erzfeind, Parteifreund!" – Ein sarkastischer Kalauer, der die schmerzliche Lebenserfahrung eines Politikers zum Ausdruck bringt. Verraten und zutiefst verletzt werden jedoch auch wir als „Normalbürger" zumeist von Freunden. Denn nur Freunde stehen sich so nahe, dass sie das Herz des anderen wirklich erreichen und das in sie gesetzte Vertrauen missbrauchen können. Auch ich habe meinen persönlichen Judas – leider! Weil Jesus diese Erfahrung der grenzenlosen Enttäuschung kennt, dürfen wir ihn bitten, uns innere Heilung zu schenken. Und zum Heil werden gehört beides: die Enttarnung – das Aussprechen des Verrates – und das Loslassen.

„Wahrlich, wahrlich, ich sage euch: Einer unter euch wird mich verraten.“ *Johannes 13,21b*

Unvermeidlich

Johannes 13,31-35 **Samstag, 19.**

„Erst im Leiden zeigt sich das wahre Wesen eines Menschen“, besagt eine Lebensweisheit. Darum kann Jesus im Zusammenhang seines unmittelbar bevorstehenden Passionsweges von „Verherrlichung“ sprechen. Der Verräter ist fort. Einen Weg zurück gibt es nicht mehr. Alles, was jetzt geschieht, dient der endgültigen Klärung dessen, wozu Christus in diese Welt gekommen ist. Es geht um die Rettung der Welt durch die Macht der Liebe und Vergebung. Liebe, Leiden und Erlösung gehören zusammen. Früheren Generationen war dies klar. Wir heute tun uns eher schwer damit. „Ich wünsch` Dir Liebe ohne Leiden“, sang Udo Jürgens einmal im Duett mit seiner Tochter Andrea. Verständlich ist unsere Furcht vor dem Leiden. Andererseits: Haben uns nicht gerade die schmerzlichen Erfahrungen zu dem Menschen gemacht, der wir heute sind? Haben nicht sie uns geprägt und „verherrlicht“?

„Jetzt ist der Menschensohn verherrlicht und Gott ist verherrlicht in ihm.“ *Johannes 13,31b*

Verleumderisch

Psalm 35,17-28 **Sonntag, 20.**

Wussten Sie es schon? Christen sind mehrheitlich fundamentalistisch, homophob, frauenfeindlich, rechtskonservativ und politisch naiv. Das zumindest ist das Bild, welches Fernsehdokumentationen gerne von uns zeichnen. Nun mag es derartige Haltungen unter Christen durchaus geben. Aber sind sie repräsentativ? – Wen interessiert das schon, wenn es zum Klischee passt, das man von den „Stillen im Lande“ vermitteln möchte? Das Phänomen der Verunglimpfung des „Frommen“ ist so alt wie die Bibel. Der Beter des Psalm 35 kennt es. Und er wehrt sich. Er ergreift öffentlich das

Wort und bekennt sich unerschrocken zu Gott (V. 18). Und er flieht ins Gebet, um vor seinem Schöpfer offen das auszusprechen, was ihm die Seele vergiftet. Gute Idee, mache ich demnächst auch!

„Denn sie reden nicht, was zum Frieden dient, und ersinnen falsche Anklagen wider die Stillen im Lande." *Psalm 35,20*

Unerfüllbar

Johannes 13,36-38 **Montag, 21.**

Nie werde ich die Szene vergessen: Bei der Bestattung eines viel zu früh gestorbenen jungen Mannes konnte ich die Mutter nur mit letzter Kraft davor zurückhalten, in das Grab ihres Sohnes zu springen. „Begrabt mich mit ihm! Begrabt mich mit ihm!" schrie sie immer wieder verzweifelt. Liebe erträgt alles, nur keine Trennung. Darum will auch Petrus Jesus nicht los- und gehen lassen. Dennoch müssen wir akzeptieren, dass es Wege gibt, die jeder Mensch nur für sich alleine gehen kann. Petrus kann Jesus nicht folgen, weil dessen Schicksal einmalig ist. Sein jetziges Leid ist nicht teilbar, seine Verlassenheit notwendig. Allerdings ist diese Trennung vorläufig. „Du wirst mir *später* folgen", sagt Jesus (V. 36b) und deutet damit an, dass seine Liebe stärker ist als der Tod. Auch Petrus wird durch den Geburtskanal letzter Einsamkeit gehen, um dann geläutert (Vgl. V. 38) in ewiger Gemeinschaft mit Christus zu leben.

„Petrus spricht zu ihm: Herr, warum kann ich Dir jetztl nicht folgen?"
Johannes 13,37

Wo ist der Weg?

Johannes 14,1-7 **Dienstag, 22.**

„Wie können wir den Weg wissen?" – Diese Frage des Thomas kennen wir doch auch. Oft stehen wir vor schwierigen Entscheidungen. Manchmal haben wir den Eindruck, dass wir uns im Dschungel des Alltags mächtig verlaufen. Wo ist der richtige Weg? Was soll ich tun, was soll ich lassen? Neben diesen täglichen Fragen ist da auch noch die große Suche nach dem Weg zu einem sinnerfüllten Leben, nach dem Weg, der über den Tod hinaus führt, letztlich nach dem Weg zu Gott. Viele Religionen wollen Antworten geben. Menschen versuchen, eigene Wege zu Gott zu finden. Doch letztlich gibt es nur einen, der von sich sagen kann: „Ich bin der Weg." Nur Jesus Christus ist der Weg zum Vater im Himmel. Nur er gibt unserer unruhigen, suchenden Seele eine Wohnung, ein Zuhause (V. 2). Und wenn er der Weg zum großen Ziel ist, dann wird er mir auch Wege für die kleinen Fragen des Alltags aufzeigen können. Diesen Weg des Vertrauens möchte ich gehen.

„Ich bin der Weg und die Wahrheit und das Leben; niemand kommt zum Vater denn durch mich." *Johannes 14,6*

Jesus genügt

Johannes 14,8-14 **Mittwoch, 23.**

Nicht gerade sehr bescheiden wirkt die Bitte des Philippus: „Herr, zeige uns den Vater und es genügt uns." Was, du willst mal eben Gott sehen? Mehr nicht? Sonst keine Wünsche? Eine ziemlich dreiste Bitte! Zumal es über Gott heißt: „Der da wohnt in einem Licht, zu dem niemand kommen kann, den kein Mensch gesehen hat noch sehen kann." (1Tim 6,16) Und doch kann ich Philippus gut verstehen. Ich sehne mich auch danach, Gott einmal so richtig zu sehen, eine Gottesbegegnung zu haben, die über jeden Zweifel erhaben ist. Denn mitunter kommt mir Gott unendlich weit weg vor. Wie Schiller in seiner „Ode an die Freude" dichtet: „Brüder, überm Sternenzelt muss ein lieber Vater wohnen." Das ist weit weg. Doch nun sagt Jesus: „Gott ist nicht fern überm Sternenzelt. Sondern wer mir begegnet, der begegnet Gott. Durch mich kommt dir Gott ganz nahe! Wer mich sieht, sieht den Vater." Auf Jesus schauen, seine Liebe spüren; erfahren, wie er mir Kraft für den Alltag gibt; durch den Glauben an ihn ewiges Leben bekommen. Was will man mehr! Wer Jesus hat, hat Gott. Das genügt.

„Wer mich sieht, der sieht den Vater." *Johannes 14,9*

Eine feste Symbiose

Johannes 14,15-21 **Donnerstag, 24.**

Im Tierreich ist es oft zu beobachten: Zwei völlig unterschiedliche Tierarten leben in fester Verbundenheit zusammen. So lebt etwa das Nilkrokodil in enger Symbiose mit dem Wellentriel-Vogel. Der Vogel bewacht die Krokodileier, und das Krokodil beschützt ihn und sein Gelege. So leben beide in bester Gemeinschaft zusammen. Auch Jesus spricht von einer Art „Symbiose" zwischen ihm und uns, seinen Nachfolgern: „Ich lebe und ihr sollt auch leben." Das ist eine starke Zusage: Weil er lebt, weil er durch seine Auferstehung den Tod besiegt hat, dürfen auch wir leben – über den Tod hinaus. Wenn wir fest mit ihm verbunden sind (V. 20: „Ihr in mir und ich in euch"), schützt er uns vor dem ewigen Tod. Wie kann diese Symbiose gelebt werden? Indem wir ihn lieben und uns an seine Gebote halten (V. 15.21). Und indem er uns den Heiligen Geist gibt, den Tröster, den Beistand (V. 16).

„Ich lebe und ihr sollt auch leben." *Johannes 14,19*

Der Erinnerer

Johannes 14,22-26 **Freitag, 25.**

Leider sind wir allzu oft vergesslich! Besonders wenn es darum geht, nach dem Vorbild zu leben, das Jesus uns gibt. Dann denken wir nicht daran, was Jesus getan hätte. Wir vergessen, nach seinen Worten zu leben. Dabei wäre das ein Ausdruck der Liebe zu Jesus. „Wer mich liebt, der wird mein Wort halten" (V. 23). Doch Jesus gibt uns einen „Erinnerer", den Heiligen Geist. Der will uns daran erinnern, wie man als Christ leben sollte. Es wird sich unterscheiden von dem, wie „die Welt" lebt – also die Menschen ohne Gott (V. 22). Und wenn wir scheitern und doch wieder vergesslich sind? Dann ist es gut zu wissen, dass der Heilige Geist auf Griechisch auch den Titel „Paraklet" trägt, und das heißt: „Tröster" und „Beistand". Er hilft uns immer wieder auf. Eine Möglichkeit, wie er uns erinnern kann, sind vier Buchstaben, die es seit den 1990er-Jahren als Armband gibt: W.W.J.D. Das steht für: What would Jesus do? – Was würde Jesus tun?

„Der Tröster, der Heilige Geist, ... wird euch an alles erinnern, was ich euch gesagt habe.“ *Johannes 14,26*

Frieden – nicht von dieser Welt

Johannes 14,27-31 **Samstag, 26.**

Zwei Maler sollen „Frieden“ malen. Der erste malt einen stillen, spiegelglatten See mitten in den Bergen. Der zweite dagegen malt einen tosenden Wasserfall. Auf einem kleinen Felsvorsprung zwischen den schäumenden Wassern sieht man ein zartes Nest, darin ganz ruhig ein Vöglein mit seinen Jungen! Es gibt verschiedene Arten von Frieden. Es gibt einen irdischen Frieden, wenn sich alles stimmig und entspannt anfühlt – den „Stiller-See-Frieden“, den Jesus uns auch gönnt („Frieden lasse ich euch“). Aber dann gibt es noch einen Frieden, der nicht von dieser Welt ist („*Meinen* Frieden gebe ich euch“). Der uns mitten im tosenden Wasserfall von Angst und Erschrecken Geborgenheit schenkt. Im Vertrauen darauf, dass Jesus stärker ist als alle bösen Mächte.

„Frieden lasse ich euch, meinen Frieden gebe ich euch.“

Johannes 14,27a

Wochenspruch

„Wenn das Weizenkorn nicht in die Erde fällt und erstirbt, bleibt es allein; wenn es aber erstirbt, bringt es viel Frucht.“

Johannes 12,24

Endlich zu Hause

Psalm 84 **Sonntag, 27.**

Ankommen. Zu Hause sein. Alles loslassen. Was für ein Gefühl! Ob in unserem Alltagsstress oder in den Nöten des Gottesvolkes – mitten in diese Sorgen hinein gibt der Psalmist der Sehnsucht seine Stimme: Das Größte ist es, bei Gott zu wohnen, in seiner Nähe zu sein. Hier findet er, wonach er sich sehnt. Es ist Gott, der ist wie kein anderer. Bei ihm sind wir sicher, auch wenn unsere Welt gerade unsicher ist. Bei Gott sind wir zu Hause, wenn wir uns in unserer Welt verloren fühlen. Bei Gott können wir ankommen, wenn unsere Welt rastlos ist. Lasst uns unser Leben von Herzen mit Gott leben, in ihm unsere Kraftquelle sehen, uns ganz auf ihn verlassen. So finden wir unser Zuhause bei Gott, in dem all unsere Sehnsucht gestillt wird – jetzt und in Ewigkeit.

„Denn Gott der HERR ist Sonne und Schild; der HERR gibt Gnade und Ehre. Er wird kein Gutes mangeln lassen den Frommen.“

Psalm 84,12

Dranbleiben

Johannes 15,1-8 **Montag, 28.**

Unter größter Anstrengung versuchen wir, unsere Ziele zu erreichen, etwas zu bewegen – doch erleben wir immer wieder unsere Begrenzungen. Dranbleiben, aber wie? Ob das auch die Jünger von Jesus beschäftigte? Jesus geht auf sie ein. Noch ist er bei ihnen und gibt ihnen mit auf den Weg, was auch und gerade gilt, wenn sie Jesus nicht mehr in ihrer Nähe sehen können: Sie gehören zu ihm. An ihm sollen sie dranbleiben. Jesus bleibt in ihnen, so werden sie Frucht bringen! Wie zu den Jüngern, so spricht Jesus auch in unsere Passionszeit hinein und fordert uns auf: „Bleibt in mir!“ Dann werden wir Frucht bringen – nicht aus uns heraus, sondern Jesus schenkt sich selbst und durch uns seine Liebe in unsere Welt. Unser Mühen soll sein, bei Jesus zu bleiben, an ihm und seinem Wort festzuhalten!

„Und der Friede Gottes, der höher ist als alle Vernunft, wird eure Herzen und Sinne in Christus Jesus bewahren.“ *Philipper 4,7*

Bekommen und weitergeben

Johannes 15,9-17 **Dienstag, 29.**

Wann habe ich das letzte Mal jemandem gezeigt, dass er mir wichtig ist und ich ihn wertschätze? Statt einem liebe- und wohlwollenden Miteinander ist unser Umgang miteinander oft geprägt von Missverständnissen oder Konkurrenz. Und wer denkt mal an mich? Jesus lenkt den Blick der Jünger über sie selbst hinaus, auf die Verbindung mit Jesus und den anderen. Sie gehören zu ihm, er liebt sie und gibt sein Leben für sie. Mit seiner Liebe macht Jesus ein Geschenk zum Weitergeben. Wir sind geliebt! Darum brauchen wir uns nicht um unseren eigenen Wert zu mühen. Gottes Liebe gilt uns und unseren Mitmenschen. Lasst uns die Liebe, die wir von Jesus erfahren, in unserem Miteinander weitergeben, ihm und seinem Wort in unserem Leben Raum geben!

„Es ist dir gesagt, Mensch, was gut ist und was der HERR von dir fordert: nichts als Gottes Wort halten und Liebe üben und demütig sein vor deinem Gott.“ *Micha 6,8*

Es liegt nicht an uns

Johannes 15,18-25 **Mittwoch, 30.**

Ist es nicht so: Wir freuen uns, wenn wir gemocht, anerkannt werden? Aber was, wenn wir Ablehnung erfahren und abwertend behandelt werden? Bleiben wir uns treu? Jesus bereitet seine Jünger darauf vor, dass es sein kann, dass sie Hass, Ablehnung, Verfolgung erfahren, weil sie zu ihm gehören, an Gott und sein Wirken glauben, seine Botschaft in dieser Welt leben. Kennen wir das auch? Jesus sagt deutlich: Es liegt nicht an uns. Wir werden nicht gehasst wegen uns selbst, sondern weil wir zu Jesus gehören. Weil die Welt ihn hasst, ihn ablehnt. Der Hass der Welt ist etwas zwischen ihnen und Gott. Jesus hat uns erwählt, durch ihn haben wir eine Verbindung zu Gott, sind in ihm geborgen. So können wir an dem festhalten, was wir glauben – an Jesus, seinem Wort und Werk, dem Bekenntnis zu dem dreieinigen Gott.

„Was wollen wir nun hierzu sagen? Ist Gott für uns, wer kann wider uns sein?“ *Römer 8,31*

Du bist nicht allein

Johannes 15,26–16,4 **Donnerstag, 31.**

Warum lässt Gott das zu? Wo unsere Fragen größer werden als unsere Antworten, sind Zweifel nicht fern. Zweifel an uns, an Gott. In schweren Momenten, mit Blick auf die Not der Welt oder eigene Nöte. Was hält dann noch? Wir bleiben damit nicht allein, sondern sind mit hineingenommen in die Fürsorge, mit der Jesus zu seinen Jüngern spricht. Bei allem, was den Jüngern begegnen wird, aller Gegenwehr und den schweren Zeiten, verspricht ihnen Jesus den Tröster, der durch sie Zeugnis gibt und durch den sie selbst von Gott erzählen. Jesus verspricht, bei uns zu bleiben, was auch komme. Er sendet uns den Geist Gottes, der uns hilft, an Jesus zu glauben, bei ihm zu sein, auch in tiefster Not. Wo wir diese Zuversicht weitertragen, kommt durch den wahren Gott Hoffnung in diese Welt.

„Aber ich weiß, dass mein Erlöser lebt, und als der Letzte wird er über dem Staub sich erheben.“ *Hiob 19,25*

Monatsspruch April

Maria von Magdala
kam zu den Jüngern
und verkündete ihnen:
Ich habe den Herrn
gesehen. Und sie
berichtete, was er ihr
gesagt hatte.

Joh 20,18 (E)

Der Welt die Augen auftun

Johannes 16,5-15 **Freitag, 1.**

„Schau ganz genau hin“, sagen wir Kindern, wenn wir besondere Aufmerksamkeit bei einer Bildbetrachtung wünschen. Auch als Erwachsene schauen wir genau hin: Der Evangelist Johannes überliefert uns ein kleines Lehrstück über das Wirken des Heiligen Geistes. Eine Theologie der Tatsachen. Ohne irgendeinen Vorwurf. Ohne erhobenen Zeigefinger. Jesus muss keinen Druck ausüben, dass es Sünde sei, nicht an ihn als an den Gesandten Gottes zu glauben. Der Heilige Geist wird zu seiner Zeit der Welt die Augen auftun.

Jesus vollendet die Gerechtigkeit Gottes. Dazu gehört die Rückkehr zu dem, der ihn gesandt hat. Das Gerichtshandeln Gottes steht fest: Der Satan ist verurteilt. In Wahrheit leitet der Geist Gottes die, die an Jesus glauben – und führt sie zum Glauben und verherrlicht Jesus Christus. Genau hinschauen heißt: Dieses Wirken anerkennen, glauben und bekräftigen. In der Kraft des Heiligen Geistes!

„Heilige sie in der Wahrheit; dein Wort ist die Wahrheit.“

Johannes 17,17

Vom Umgang mit der Trauer

Johannes 16,16-23a **Samstag, 2.**

Die Trauer um Jesu Tod wird durch die Freude aufgelöst werden. Jesus garantiert es seinen Jüngern mit dem doppelten „Wahrlich“ (hebräisch „Amen“). Maria aus Magdala macht diese Erfahrung in dem Moment, wo sie Jesus erkennt. „Rabbuni!“ sagt sie. Da schwingt mit: „Du bist der Herr über Leben und Tod!“ Den Jüngern geht es am Osterabend so, als Jesus ihnen die Hände und seine Seite zeigt. Da wurden sie froh und es klingt mit: „Du bist treu und zuverlässig, Herr, auch nach dem Tod!“ Ist damit nicht schon eine Vorwegnahme für unsere Trauerprozesse beschrieben? Trauerbegleitung bietet eine wichtige Unterstützung, wenn uns ein lieber Mensch genommen wird. Die Zuversicht der Auferstehung ergänzt die Gewissheit: Jesus Christus lebt, mit ihm auch ich!

„Christus Jesus hat dem Tode die Macht genommen und das Leben und ein unvergängliches Wesen ans Licht gebracht durch das Evangelium." *2. Timotheus 1,10*

Wochenspruch
„Der Menschensohn ist nicht gekommen, dass er sich dienen lasse, sondern dass er diene und gebe sein Leben als Lösegeld für viele." *Matthäus 20,28*

Ein Herz voller Sehnsucht

Psalm 43 **Sonntag, 3.**

Wir nehmen Einblick in ein unruhiges Herz voller Sehnsucht. Wo bleibt der Gott, der Freude und Wonne schenkt? Der Psalmbeter empfindet Gott als abwesend und unnahbar. Offenbar war er Anfeindungen ausgesetzt. Auch eine schwere Krankheit oder eine andere schwere innere Not, wie eine depressive Episode, können Gott weit weg erscheinen lassen. Das unruhige Herz voller Sehnsucht sucht die direkte Nähe zu Gott. Diese erbetene Nähe wird zu Gottes Zeit geschenkt – darauf gilt es hoffnungsvoll zu warten. Der Ort, wo Gottes Nähe erfahrbar ist, war damals der heilige Berg, der Zion. Dort stand der Tempel, das Haus Gottes. Heute mag die Sehnsucht nach Gottes Nähe ein Verlangen danach sein, eine besondere Kirche zu besuchen. Schon auf dem Weg dorthin soll von Gottes Angesicht her Segen ausgehen. Das unruhige Herz findet so seine Ruhe in Gott.

„Eile, mir beizustehen, Herr, meine Hilfe!" *Psalm 38,23*

Beten „im Namen Jesu"

Johannes 16,23b-33 **Montag, 4.**

Das Gebet „im Namen Jesu" ist vielen Christen der Sache nach vertraut. Es wird am Ende mit dem „Amen" abgerundet. Es beruht auf der werbenden Stimme von Jesus. Er weckt damit unser Vertrauen. Die geheimnisvoll klingende Einschränkung „in meinem Namen" lässt aufhorchen. Im Namen von Jesus zu beten, heißt: die Anliegen des Sohnes vor Gott den Vater zu tragen. Nicht nur die ganz eigenen, persönlichen Belange. Woher weiß ich wirklich, was Jesus will? Es geht um ein allmähliches Sich-hinein-hören in die Worte von Jesus im Evangelium und daraus ein Gebet wachsen zu lassen. Das eigene, persönliche Beten wird keineswegs eingeschränkt! Wir entdecken so im Gebet eine Weite, die – bei aller Berechtigung für das Eigene – darüber hinausführt. Gottes Großzügigkeit öffnet auch dafür Tor und Tür!

„Bittet, so werdet ihr empfangen, auf dass eure Freude vollkommen sei."
Johannes 16,24

Eine besondere Transferleistung

Johannes 17,1-5 **Dienstag, 5.**

Jesus betet so ganz anders als wir. „Verherrliche deinen Sohn, damit der Sohn den Vater verherrlicht?" (V. 1). Gott, der Vater, soll den Sohn segnen, der wiederum dafür Gott, den Vater, lobt. Das ist eine erste Deutung. Eine zweite ist die, dass Gott sein Werk – die Erlösung des Menschen durch den Weg Jesu ans Kreuz und zur Auferstehung – vollendet und dadurch Gottes Lob groß gemacht wird. Jesus beugt sich nicht willenlos dem Auftrag Gottes, die Rettung des Menschen zu ermöglichen. Er steht mit Gottes Willen im Einklang. Gott ermöglicht und schenkt die Erlösung. Sein Sohn macht dadurch einen Transfer möglich: Er, der das ewige Leben von Gott her hat, gibt es so gerne weiter. Dieses Heil, das Jesus noch vor seinem Tod und seiner Auferstehung in Aussicht stellt, ist in der Fürbitte Jesu schon angelegt.

„Betet allezeit mit allem Bitten und Flehen ... für alle Heiligen."
Epheser 6,18

Gegeben werden

Johannes 17,6-11a **Mittwoch, 6.**

Wenn einem Kinder geschenkt werden, möchte man sie um jeden Preis behüten, versorgen und beschützen. Und wenn ein Elternteil stirbt, liegt es nahe, dem verbleibenden Ehepartner die Kinder anzuvertrauen.

Eine solche Bitte spricht auch Jesus gegenüber seinem Vater im Himmel aus. Er weiß, dass er nicht mehr lange leben wird. Und er sorgt sich darum, wie es mit seinen Freunden nach seinem Tod weitergeht. Jesus liebt seine Jünger. Sie sind seine Freunde. Er ist tief mit ihnen verbunden, weil sie erkannt haben, dass in ihm Gott zu ihnen spricht. Er weiß, dass sie dieses Wissen weitergeben werden. Durch sie wird sich die Gute Nachricht verbreiten. Sie werden zu seinen Botschaftern werden. Und das wird sie in große Gefahr bringen. Jesus bittet seinen Vater im Himmel darum, dass er die ihm anvertrauten Menschen an seiner Stelle behütet.

„Ich bitte für die, die du mir gegeben hast." *Johannes 17,9*

Bewahrt bleiben

Johannes 17,11b-19 **Donnerstag, 7.**

Ein Marathonläufer muss 42,195 km laufen, bevor er ins Ziel kommt. Der Lauf dauert viele Stunden und sein Ziel ist es, durchzuhalten und nicht zwischendrin aufzugeben. Er will trotz der großen Strapazen über die Ziellinie kommen.

Auch Jesus hat sein Ziel vor Augen: Heimkommen zum Vater. So deutet er seinen Tod. Jesus geht bewusst in sein Martyrium. Es hat ihm genauso Angst gemacht, wie es uns heute in Panik versetzen würde. Trotzdem ist eines für Jesus von großer Bedeutung: dass seine Freunde vor dem Bösen bewahrt bleiben. Er bittet für sie, dass sie in dieser Welt bestehen können, die sich bald gegen ihn und sie verschwören wird. Jesus weiß, dass diese Welt ein gefährlicher Ort ist für die, die ihm nachfolgen. Daran hat sich bis heute nichts geändert. Deswegen gilt uns allen seine Bitte, dass Gott uns vor dem Zugriff des Bösen beschütze.

„Ich bitte dich, dass du sie bewahrst vor dem Bösen." *Johannes 17,15*

Verbunden sein

Johannes 17,20-26 **Freitag, 8.**

Ich sammle Postkarten zum Thema „Freundschaft". Auf einer Karte ist eine große bunte Henkeltasse zu sehen. In ihrem runden Bauch befindet sich eine kleinere Tasse. Sie schmiegt sich schutzsuchend in die große Tasse. Ein Bild, das für mich Geborgenheit, Frieden und Fürsorge ausstrahlt.

Fürsorglich betet hier Jesus für seine Jünger und Jüngerinnen. Er ringt mit leidenschaftlichen Worten vor Gott seinem Vater um Verbundenheit. So wie Jesus mit seinem Vater im Himmel verbunden ist, so sollen die Jünger untereinander und mit Jesus verbunden sein.

Mit einem Menschen verbunden zu sein, sich ihm nahe zu fühlen, ist sehr kostbar. Verbundenheit mit anderen und mit Gott macht das Leben lebenswert.

Jesus sagt, dass es anderen leichter fällt an ihn zu glauben, wenn sie sehen, wie Christen miteinander verbunden sind. Sichtbare Verbundenheit unter Christen kann für andere ein Schlüssel sein, der ihnen die Tür zu Gottes neuer Welt aufschließt.

„Wie du, Vater, in mir bist und ich in dir, so sollen auch sie in uns sein, auf dass die Welt glaube, dass du mich gesandt hast."

Johannes 17,21

Nicht verloren gehen

Johannes 18,1-11 **Samstag, 9.**

Die Gefangennahme Jesu ist ein erschütterndes Dokument menschlicher Grausamkeit und Gewalt. Judas verrät seinen Freund Jesus, von dem er offensichtlich enttäuscht ist. Römische Soldaten und die Handlanger der jüdischen Tempelaristokratie versuchen Jesus festzunehmen. Die Lage ist unübersichtlich und gefährlich. Während eines Handgemenges versucht Petrus, Jesus

zu verteidigen. Er schlägt wild mit dem Schwert um sich. Dabei verletzt er einen jüdischen Häscher am Ohr.
Jesus dagegen hat nur eine Sorge, obwohl es um sein Leben geht: dass seine Jünger unangetastet bleiben. Als er seine Häscher kommen hört, lenkt er alle Aufmerksamkeit auf sich und verschafft seinen Jüngern die Möglichkeit zu fliehen. Er hat damit das erreicht, was er als seinen göttlichen Auftrag sah: keinen von den Menschen zu verlieren, die Gott ihm anvertraut hat. Seine Fürsorge, dass wir nicht verloren gehen, gilt bis heute allen, die sein Opfer am Kreuz annehmen.

„Ich habe keinen von denen verloren, die du mir gegeben hast."

Johannes 18,9

Wochenspruch

„Der Menschensohn muss erhöht werden, auf dass alle, die an ihn glauben, das ewige Leben haben." Johannes 3,14b.15

Wer solche Freunde hat, braucht keine Feinde mehr

Psalm 55 **Sonntag, 10.**

Die deutsche Schriftstellerin Anna Seghers flieht während des 2. Weltkriegs vor den Nazis nach Mexiko. Im Exil schreibt sie eine erschütternde Geschichte über Freundschaft, Liebe und Verrat. Ihre Erzählung „Der Ausflug der toten Mädchen" handelt von einem Schulausflug einer Mädchenschulklasse aus Mainz im Jahr 1912. Wie in einem glücklichen Traum genießen die Freundinnen die Bootsfahrt auf dem Rhein. Sie schwatzen, lachen und begegnen einander arglos und wohlwollend. Doch die heitere Gegenwart der Mädchen wird von deren zukünftigen Schicksalen überschattet. Mädchen, die noch fröhlich auf einem Spielplatz miteinander spielen und fürsorglich ihr Essen teilen, werden einander später – als erwachsene Frauen – an die Nazis verraten. Anna Seghers ist ebenfalls in Mainz aufgewachsen und hat dort als Jüdin und Kommunistin selber Verrat erlebt. Ihr könnte der heutige Psalm aus dem Herzen sprechen.

„Wenn mein Feind mich schmähte, wollte ich es ertragen ... Aber nun bist du es, ... mein Vertrauter, die wir freundlich miteinander waren.“
Psalm 55,13-15 (LUT84)

Aus der Gnade der Vergebung leben

Johannes 18,12-27 **Montag, 11.**

Wenn es für uns unbequem oder gefährlich wird, bekommen wir schon mal weiche Knie. Wir versuchen, uns herauszureden oder uns der Situation zu entziehen. Kein Geringerer als Petrus wird uns hier zum negativen „Vorbild“. Petrus, der bis zu diesem Zeitpunkt Jesus mit ganzem Herzen folgt, versagt hier auf ganzer Linie. Die Frage, wie er seinem Herrn nur so in den Rücken fallen kann, drängt sich uns auf. Aber dabei stehen zu bleiben, hilft uns heute nicht weiter. Denn diese Szene kann für uns sehr tröstlich sein, wenn auch ein so bedeutender Jünger kein perfekter Mensch ist und als Sünder scheitert. Trotz seines Versagens vergibt Jesus ihm und vertraut ihm sogar die Leitung seiner Gemeinde an (Joh 21). Auch wir dürfen trotz unseres Versagens aus der Gnade der Vergebung weiterhin Jesus nachfolgen.

„Bei dir aber, HERR, unser Gott, ist Barmherzigkeit und Vergebung. Denn wir sind abtrünnig geworden.“ *Daniel 9,9*

Verblendungen: einem Unschuldigen wird der Prozess gemacht

Johannes 18,28-40 **Dienstag, 12.**

Verblendungen sind der Nährboden für Unwahrheit und Ungerechtigkeit. Alle drei Gruppierungen, die sich hier gegen Jesus wenden, erkennen nicht, wer Jesus in Wahrheit ist.
Die Hohepriester begreifen nicht, dass Jesus der lang ersehnte Messias ist. Sie fällen aus Hass mit falschen Anschuldigungen ein

Urteil und wollen zudem die Römer für ihren schrecklichen Plan missbrauchen.
Der Römer Pilatus bestätigt zwar die Unschuld von Jesus, versteht aber auch nicht wirklich, was Jesus über sich sagt. Für Pilatus ist entscheidend, dass der Angeklagte keine Gefahr für die römische Besatzung darstellt. Deshalb zeigt Pilatus Jesus gegenüber letztlich Desinteresse.
Die Menschen im Volk folgen blind dem Mainstream und wollen die Verurteilung eines Unschuldigen zugunsten eines Verbrechers. Die Ungerechtigkeit bahnt sich ihren Weg.

„Er kam in sein Eigentum; und die Seinen nahmen ihn nicht auf."

Johannes 1,11

Seht, welch ein Mensch: geschunden und entehrt

Johannes 19,1-5

Mittwoch, 13.

Es gibt Ereignisse, die gehen einem unter die Haut. Was Jesus hier erlebt, ist solch ein Ereignis. Er wird an einer Säule festgebunden und wehrlos ausgepeitscht. Mit Lederriemen, an deren Ende scharfe Widerhaken befestigt sind, sodass seine Haut am ganzen Rücken aufreißt. Er wird mehrfach brutal ins Gesicht geschlagen. Er wird verhöhnt und mit Insignien seiner angeblichen Königsmacht ausgestattet: einer Dornenkrone und einem schäbigen Soldatenmantel als Königsgewand. Dass Jesus Gottes Sohn, der Schöpfer des Universums und der wahre König ist, bleibt den Peinigern verschlossen.
Jesus wird brutal gefoltert und bis ins Mark gedemütigt. Warum lässt er das mit sich machen? In einem Lied von Daniel Kallauch heißt es über Jesus bei seinem Leidensweg: „Und du hast die ganze Zeit dabei an mich gedacht." Genau deshalb ...

„Sei gegrüßt, König der Juden, und schlugen ihm ins Gesicht."

Johannes 19,3

Dem Druck der fanatischen Masse standhalten

Johannes 19,6-16a **Gründonnerstag, 14.**

Wenn wir unter Druck gesetzt werden, wird es ungemütlich. Diese Erfahrung macht Pilatus. Die Hohenpriester fordern fanatisch, Jesus zum Tode zu verurteilen. Jesus hat sich als Sohn Gottes bezeichnet und somit ihrer Ansicht nach gegen die religiösen Vorschriften verstoßen. Pilatus bekommt Angst. Er verhört Jesus wiederum, findet aber immer noch nichts, was eine Todesstrafe rechtfertigen würde. Letztlich gibt Pilatus eingeschüchtert den lautstarken Forderungen klein bei und übergibt Jesus den Scharfrichtern, obwohl er ihn eigentlich freilassen will.
Auch heute gibt es Menschen, die im digitalen Netz oder in der Öffentlichkeit hetzen und andere einschüchtern. Wenn aber Wahrheit und Mitmenschlichkeit mit Füßen getreten werden, müssen wir als Christen Zivilcourage zeigen und uns für einen fairen Umgang mit allen Menschen einsetzen.

„Sie schrien aber: Weg, weg mit dem! Kreuzige ihn!“ *Johannes 19,15*

Am Ziel seines göttlichen Auftrages angekommen

Johannes 19,16b-30 **Karfreitag, 15.**

Für viele Menschen ist es kaum nachvollziehbar, dass der Gott der Liebe mit voller Absicht seinen Sohn diesen grausamen Tod erleiden lässt.
Die Kreuzigung von Jesus ist aber *das* Heilsereignis des christlichen Glaubens. Denn Jesus stirbt am Kreuz stellvertretend für unsere Sünden den Tod, den wir eigentlich verdient hätten. Sein Blutvergießen ist *der* Beweis dafür, dass er jeden Menschen unendlich liebt. Selbst wenn ich der einzige Sünder in der Menschheitsgeschichte wäre, wäre Jesus für mich den Weg ans Kreuz gegangen. Sein Tod am Kreuz ist *das* Ziel seiner Menschwerdung und seines göttlichen Auftrages. Das Kreuz ist keine Niederlage, sondern im Licht der Auferstehung *der* Sieg über die Sünde. Gott

vergibt uns. Unsere Trennung zu Gott ist aufgehoben. Wir können wieder Gemeinschaft mit ihm haben. Halleluja!

„Er sprach: ‚Es ist vollbracht.' Und neigte das Haupt und verschied."
Johannes 19,30

Gestorben und begraben

Johannes 19,31-42 **Karsamstag, 16.**

Eine Familie steht um ein Grab versammelt, betrachtet den neuen Grabstein mit dem einzelnen Namen, den frischen Blumenschmuck und den übrig gebliebenen Kranz mit den welken Blüten. Die kleine Anna Sophie murmelt mit tränenerstickter Stimme: „Ich vermisse Mama. Wo ist sie denn jetzt?" Der Vater antwortet: „Ich hoffe, sie ist jetzt an einem besseren Ort." Eine Spur von Hoffnung mischt sich in die Stimme der kleinen Tochter: „Wann kommt sie denn dann wieder?" Diesmal folgt nur ein unbehagliches Schweigen.
Wir wissen am Karfreitag immer schon, dass Ostern folgen wird. Die Jünger nicht. Und fällt es uns leicht, an die Auferstehung zu glauben, wenn wir am Grab unserer Eltern stehen? Es ist *nicht* leicht. Nicht wirklich. Aber das macht nichts. Der morgendliche Sonnenaufgang wird kommen, ob wir ihn erwarten oder bestreiten. Jesus ist auferstanden und darum werden wir auch auferstehen.

„Nun aber ist Christus auferweckt von den Toten als Erstling unter denen, die entschlafen sind." *1. Korinther 15,20*

Wochenspruch
„Christus spricht. Ich war tot, und siehe, ich bin lebendig von Ewigkeit zu Ewigkeit und habe die Schlüssel des Todes und der Hölle." *Offenbarung 1,18b*

Aus der Trauer gerissen

Johannes 20,1-10 **Ostersonntag, 17.**

Die Geschäftigkeit in den ersten Tagen nach einem Todesfall hat etwas Tröstliches. Jede Ablenkung ist willkommen. Man geht durch die Tage wie betäubt. Bei Maria von Magdala ist es genauso. Dank Josef von Arimathäa bleiben ihr die Verhandlungen mit dem Bestattungsunternehmen erspart. Aber sie hat etwas am Grab zu erledigen. Sie steht vor dem Felsengrab mit dem weggewälzten Stein und versteht nichts. Immer noch im Trauermodus, läuft sie zu Petrus und Johannes, um ihnen vom Verschwinden des Leichnams ihres Herrn zu erzählen. Wer hatte ihn weggenommen? Die Betäubung wirkt noch. Für Hoffnung ist noch kein Raum. Sie steht in der Auferstehungswirklichkeit, aber ihr Herz hat es noch nicht begriffen. Umgeben von Leben blickt sie nur auf den Tod. Noch. Ist das nicht auch unsere Situation? Meine schon.

„Der letzte Feind, der vernichtet wird, ist der Tod.“ *1. Korinther 15,26*

Apostola Apostolorum

Johannes 20,11-18 **Ostermontag, 18.**

„Apostolin der Apostel“, so hat man Maria von Magdala einmal genannt, weil sie es war, die den Jüngern die Auferstehungsbotschaft verkündet hat. Ob sie ihr wohl geglaubt haben? Das Zeugnis einer Frau war damals vor Gericht nicht einmal gültig. Jesus kümmert sich nicht darum. Maria ist seine Botin. Aber warum ist er nicht sofort den Jüngern erschienen? Oder gleich dem Kaiser in Rom? Vielleicht, weil das Ansehen vor der Welt kein Einstellungskriterium für Gottes Mitarbeiterschaft ist. Ein Hirtenjunge kann König von Israel werden. Hirten sind die ersten Zeugen, als Jesus geboren wird. Ein Fischer wird zum Menschenfischer befördert. Und Maria ist die erste Person, der der Auferstandene erscheint. Für Gott ist jeder und jede Einzelne unendlich wichtig.

„So steht's geschrieben, dass Christus leiden wird und auferstehen von den Toten am dritten Tage.“ *Lukas 24,46*

Berufen aus der Angst

Johannes 20,19-23 **Dienstag, 19.**

Der Personalchef ist kurz davor, die Geduld zu verlieren. Aber er lässt sich nichts anmerken, während er das Wort wieder an den sich unglücklich windenden jungen Mann richtet. Der bemüht sich angestrengt, entweder im Teppichboden, im Polster seines Sessels, oder wenigstens in den Falten seines steifen neuen Anzugs zu versinken. „Was hat Sie bewogen, sich ausgerechnet bei unserem Unternehmen zu bewerben? Was zeichnet unsere Firma in Ihren Augen aus?" „Äh, ich, ich brauche einen Job." „Vielen Dank. Sie werden im Laufe der nächsten Woche von uns hören." Jesus sendet seine Jünger in einem Moment aus, in dem sie noch völlig von der Angst beherrscht sind und sich hinter verschlossenen Türen verkrochen haben. Die Berichte von Maria, von Petrus und Johannes haben ihre Herzen noch nicht erreicht. Aber bei Jesus brauchen sie keinen guten Eindruck zu machen. Er kommt ihnen so weit entgegen, wie sie es nötig haben. Er kann sie gebrauchen. Uns auch.

„Sondern was töricht ist vor der Welt, das hat Gott erwählt, damit er die Weisen zuschanden mache; und was schwach ist vor der Welt, das hat Gott erwählt, damit er zuschanden mache, was stark ist."

1. Korinther 1,27

Weit gekommen

Johannes 20,24-31 **Mittwoch, 20.**

An Thomas erinnern wir uns besonders wegen seines Zweifels. Der „ungläubige Thomas" hat man ihn auch genannt. Was nicht ganz fair ist, denn auch die anderen Jünger haben ja erst gesehen und dann geglaubt. Er ist bloß ein Nachzügler. Und einer, mit dem ich mich gut identifizieren kann. Wer nie Zweifel hatte, der braucht ja nicht weiterzulesen. Thomas kommt mit seinem Zweifel zu Gott. Und Jesus holt ihn ab. Thomas – ein Apostel zweiter Klasse? Sicher nicht. „Der ungläubige Thomas" ist wahrscheinlich von allen Aposteln am weitesten gekommen und hat in Indien Gemeinden gegründet. Gott sucht keine fehlerlosen Superchristen. Nur ehrliche Menschen. Und die sind auch für die Leute um sie herum viel leichter zu ertragen.

„Und er hat zu mir gesagt: Lass dir an meiner Gnade genügen; denn meine Kraft ist in den Schwachen mächtig. Darum will ich mich am allerliebsten rühmen meiner Schwachheit, damit die Kraft Christi bei mir wohne.“ *2. Korinther 12,9 (LUT84)*

Fisch and Chips

Johannes 21,1-14 **Donnerstag, 21.**

Da treffen Freunde zusammen und essen. Der Fisch liegt schon auf dem Grill, fertig zubereitet. Man könnte gleich mit dem Essen anfangen. Da kommt der Auftrag: „Holt von den Fischen, die ihr jetzt gefangen habt!“ (V. 10). Es geht Jesus nicht darum, mehr Speisen zu haben, weil er zu wenig vorgesorgt hatte. Das macht der nächste Satz deutlich: „Kommt her und esst.“ (V. 12) – Alles ist bereit.
Für mich macht dieser Auftrag Jesu an die Jünger vor der Mahlzeit zweierlei deutlich. Zum einen: Wir sollen eine Arbeit beenden. Selbst dann, wenn wir den Eindruck haben, „es bringt doch nichts“. Zum anderen: Jesus möchte meinen Beitrag zu seinem Reich. Er könnte ohne mich sicherlich viel schneller und viel mehr erreichen. Wo kannst du heute einen Auftrag beenden oder deinen Beitrag leisten?

„Denn wir sind sein Werk, geschaffen in Christus Jesus zu guten Werken, welche Gott zuvor bereitet hat, dass wir darin wandeln sollen.“ *Epheser 2,10*

Einblicke in eine „göttliche Therapiesitzung“

Johannes 21,15-19 **Freitag, 22.**

Es ist noch nicht lange her, da hatte Petrus seinen Freund Jesus in jener verhängnisvollen Nacht verleugnet (18,12ff.). Er hatte „Stein und Bein“ geschworen, dass er diesen Mann nicht kannte.

Nicht einmal, sondern dreimal. Dabei vertraute er ihm von ganzem Herzen. Wie hatte das geschehen können? Was dachte Jesus nun von ihm?
Bis zu diesem Zeitpunkt lesen wir in keinem Evangelium, dass Jesus Petrus auf diesen Vorfall angesprochen hat. Jetzt wird es Zeit, dass Petrus sich seinem Versagen stellt. Nur so ist innere Heilung möglich. Dreimal fragt Jesus Petrus, ob er ihn lieb hat. Und dreimal erhält Petrus auf seine Bestätigung hin einen klaren Auftrag. Die Verleugnung zuvor hat keine Bedeutung mehr – sie ist vergeben. Gibt es eine Schuld, die du heute vor Jesus bringen möchtest?

„Wenn wir aber unsere Sünden bekennen, so ist er treu und gerecht, dass er uns die Sünden vergibt und reinigt uns von aller Ungerechtigkeit.“ *1. Johannes 1,9*

„... dann kommt die Zeit der langen Finger“

Johannes 21,20-25 **Samstag, 23.**

Diese Zeile aus einem Lied von Manfred Siebald bringt unsere Neigung zum Ausdruck, auf andere zu zeigen, wenn es für uns unangenehm wird. Doch vor Jesus stehen wir letztlich immer allein. Da zählt nicht, was andere getan oder nicht getan haben. Oder was andere an uns verschuldet haben. Es zählt nur: „Wie stehst Du zu Jesus?“ Jesus macht dies Petrus sehr hart deutlich, wenn er sagt: „Was geht es dich an, wie es um einen anderen steht?“ (V. 22) Ist das nun ein Freibrief zum Egoismus? Nein! – Es ist der Grund unserer Freiheit, andere so lieben und annehmen zu können, wie sie sind. Denn auch sie sind letztlich nur Jesus verpflichtet.

„Wer glaubt, dass Jesus der Christus ist, der ist aus Gott geboren; und wer den liebt, der ihn geboren hat, der liebt auch den, der aus ihm geboren ist.“ *1. Johannes 5,1*

Wochenspruch

„Gelobt sei Gott, der Vater unseres Herrn Jesus Christus, der uns nach seiner großen Barmherzigkeit wiedergeboren hat zu einer lebendigen Hoffnung durch die Auferstehung Jesu Christi von den Toten." *1. Petrus 1,3*

Natürliche Konsequenz

Psalm 81 **Sonntag, 24.**

Um dieses Thema ist in der Pädagogik ein Streit entbrannt. „Darf man Kinder strafen?" Oder noch radikaler: „Brauchen Kinder überhaupt Regeln?" Die Hardliner propagieren sogar, dass ein Heranwachsender, der „natürliche Konsequenzen" (z. B. Schmerz) erlebt, aus diesen lernt. Und tatsächlich funktioniert das in weiten Teilen der Erziehung.

Doch der Psalm macht auch deutlich: Unsere menschliche Natur ist von sich aus nicht in der Lage, Gott angemessen zu ehren. Immer wieder muss er korrigierend eingreifen, damit das Volk Israel sein Ziel erreichen kann. Und weil „Regeln" letztlich niemanden verbessern, reichte es auch nicht, dem Volk die Konsequenzen von Ungehorsam vor Augen zu halten. Das kann nur in einer liebenden Beziehung zweier Personen geschehen. Hast du die Einladung schon angenommen?

„Darin ist erschienen die Liebe Gottes unter uns, dass Gott seinen eingeborenen Sohn gesandt hat, in die Welt, damit wir durch ihn leben sollen." *1. Johannes 4,9*

Die Johannesbriefe

Der Verfasser nennt sich zu Beginn des 2. u. 3. Johannesbriefs der „Älteste" (Presbyter). Der Kirchenvater Papias (geb. 70 n. Chr.) kennt sowohl den Jünger Johannes als auch einen Presbyter Johannes, der anscheinend eine Leitungsperson der johanneisch geprägten Gemeinde war. In Sprache und Verkündigungsakzenten haben die Briefe viele Gemeinsamkeiten mit dem Johannesevangelium, besonders mit Joh 14–16.

Der 1. Johannesbrief

Ihm fehlen Briefkopf, Absender, Empfänger, Grüße. Der Brief scheint eine Sammlung von Ermutigungs- und Mahnpredigten in Briefform zu sein. In drei Gedankenkreisen werden jeweils sechs Grundanliegen herausgestellt (1,5–2,27; 2,28–4,6; 4,7–5,12):

- Gemeinschaft mit Gott
- Absage an die Sünde
- Liebe zu Gott und Halten seiner Gebote
- Bruderliebe
- Absagc an die Welt
- der Antichrist und das Christusbekenntnis

Anlass für den Brief dürften Irrlehrer gnostischer Prägung sein. Sie behaupten, sie hätten Gemeinschaft mit Gott, würden ihn kennen, im Licht Gottes und aus dem Geist leben. Sie halten sich für sündlos und meinen, die Gebote Gottes nicht mehr beachten zu müssen. Sie prahlen mit ihrer Gotteserkenntnis, distanzieren sich jedoch von den Mitchristen. Gottesliebe und Bruderliebe gehören aber zusammen wie zwei Seiten einer Medaille. Weil sie zudem die wahre Gottheit Jesu und sein wahres Menschsein infrage stellen, sieht der 1Joh diese Irrlehrer als Antichristusse (2,18.22; 4,3).

Der 2. und 3. Johannesbrief

Diese beiden kurzen Schriften sind „Privatbriefe" an die „auserwählte Herrin und ihre Kinder" (2Joh 1) – vermutlich eine Hausgemeinde – und an Gajus, eine Einzelperson. Jeweils geht es um das Leben aus der Liebe Gottes und in der Liebe zu den Mitchristen und um die Warnung vor Irrlehrern. 3Joh ist ein Empfehlungsschreiben für den Wandermissionar Demetrius (V 12), der der Gemeinde des Gajus angekündigt wird. Sein Gegenspieler ist Diotrephes (V 9f.), der seine Machtposition durch den Besuch von Wandermissionaren gefährdet sieht. Der Brief gibt uns einen Einblick in die Gründung und Versorgung von (Haus-)Gemeinden durch Wandermissionare in der Frühphase der Kirche.

Leben – anschaulich und begreifbar

1. Johannes 1,1-4 **Montag, 25.**

Die Johannesbriefe geben Einblick in eine entscheidende Epoche der frühen Christenheit. Das Neue Testament gab es noch nicht. Viele Apostel waren gestorben. Ein idealer Nährboden für Irrlehren wie z. B. die Gnosis. Gegen ihre gefährliche „Vergeistigung" des Evangeliums wehrt sich Johannes als einer der letzten noch lebenden Augenzeugen. Eindringlich mahnt er, dass das Leben göttlicher Fülle sich voll und ganz im Menschen Jesus aus Nazareth gezeigt hat. Johannes hat Jesus erlebt – mit „Augen, Ohren, Verstand, mit voller Aufmerksamkeit, bleibend beeindruckt" (Umschreibungen der Worte in V. 1). Das Evangelium ist keine neue philosophische Idee. Es entfaltet seine Kraft aus dem Wirken des Christus. Wenn Christen nach Paulus ein „Brief Christi" an die Welt sind (2Kor 3,3), dann zählen nicht schöne Worte, so richtig sie sein mögen. Leben aus Gott will auch heute anschaulich und begreifbar werden.

„Seid aber Täter des Worts und nicht Hörer allein; sonst betrügt ihr euch selbst." *Jakobus 1,22*

Leben – eindeutig und klar

1. Johannes 1,5-10 **Dienstag, 26.**

Durchblick. Klarheit. Wer wünscht sich das nicht? Johannes schreibt: Gott ist Licht, ist Klarheit. Wie Gott das Leben gemeint hat, zeigt sich in Jesus Christus in eindeutiger Weise; nicht in „kaltes Neonlicht" getaucht, sondern in dem „hellen Schein" seiner

Liebe. Der Gegensatz dazu ist Finsternis. Gemeint sind nicht irgendwelche dunkle Ecken, sondern der Machtbereich der Sünde. Aus der Kälte der Finsternis will Christus uns nicht nur am Beginn unseres Christseins befreien, sondern täglich neu. Eindeutig und klar können wir dann leben, ehrlich werden. Wenn wir nichts verheimlichen, offen Fehltritte, Fehlhaltungen – „wandeln in der Finsternis“ (V. 6) – benennen, setzt ein Reinigungsprozess ein. In der Folge entsteht Gemeinschaft mit Strahlkraft mitten in den Dunkelheiten dieser Welt.

„Denn Gott, der da sprach: Licht soll aus der Finsternis hervorleuchten, der hat einen hellen Schein in unsre Herzen gegeben, dass die Erleuchtung entstünde zur Erkenntnis der Herrlichkeit Gottes in dem Angesicht Jesu Christi.“ *2. Korinther 4,6*

Leben – bleiben und aufbrechen

1. Johannes 2,1-6 **Mittwoch, 27.**

Erneut führt Johannes aus, warum Ehrlichkeit mit sich selbst Christen gut ansteht. Wir haben einen Fürsprecher, Beistand. Wir brauchen uns nicht mehr selbst rechtfertigen. Dies ist keine Einladung zur Bequemlichkeit. Ein Leben aus Gottes Fülle ist stets ein „Bleiben“ und „Aufbrechen“. Dies geschieht, wenn wir Gottes Lebensanweisungen (Gebote) halten. Nicht im Sinne einer neuen Gesetzlichkeit. Wenn wir sein Wort verinnerlichen, wird Gottes Liebe sich in uns ausbreiten und uns prägen. Mit „Wort“ ist genauso wenig eine Summe theoretischer Erkenntnisse gemeint wie mit „Gebote“ Gesetzesvorschriften. Im biblischen Sprachgebrauch stehen beide Ausdrücke für eine Lebensbeziehung. Das Wort Gottes besitzt eine Wirkmacht, es formt unsere Persönlichkeit. Das „Bleiben in Christus“ bestimmt im Gegensatz zur Anhäufung theologischer Einsichten ganz konkret unseren alltäglichen Lebensstil.

„Wer sagt, dass er in ihm bleibt, der soll so leben, wie er gelebt hat.“ *1. Johannes 2,6*

Leben – von der Liebe geprägt

1. Johannes 2,7-11 **Donnerstag, 28.**

Leben aus Gott prägt unseren Alltag, z. B. die Geschwisterliebe. Johannes knüpft an seinen Herrn und dessen Worte der Bergpredigt an (Mt 5,17-48). Gottes „alte", hilfreiche Lebensordnungen wurden nicht aufgehoben. Sie wurden durch Jesus wieder ihrem ursprünglichen Sinn zugeführt und so zu neuem Leben erweckt. Entscheidend dabei ist die Liebe. Das Wort „hassen" hat im AT wie im NT eine viel weitreichendere Bedeutung als in unserem Sprachgebrauch. Es meint „jemanden weniger lieb haben, Kühle, Gleichgültigkeit, eine innere Abwehrhaltung gegen jemand", kurz: alle Formen von Lieblosigkeit. Wo wir hingegen lieben, und wenn es nur kleine Gesten sind, wird es heller in der Finsternis, in der seufzenden Schöpfung.

„Wer behauptet, im Licht zu leben, aber seinen Bruder oder seine Schwester nicht liebt, ist immer noch im Dunkeln."

1. Johannes 2,9 (GNB)

Leben – in der Auseinandersetzung

1. Johannes 2,12-17 **Freitag, 29.**

„Christsein heißt: Auf alles zu verzichten, was Spaß macht". Ein sich bis heute haltendes Vorurteil. Als Begründung wird u. a. V. 15 angeführt: „Habt nicht lieb die Welt noch was in der Welt ist." Das zeigt, wie wichtig „Übersetzungsarbeit" beim Weitergeben der biblischen Botschaft ist. Im NT wird „Welt" meist nicht im Sinne unserer Erde als der guten Schöpfung Gottes, die wir dankbar genießen können, verwendet. Es ist vielmehr die vom Schöpfer getrennte Menschheit, der Machtbereich des Bösen. Dazu zählt u. a. die „Fleischeslust". Wie an anderen Stellen im NT: ein menschliches Verlangen, das unser Miteinander vergiftet und zerstört (fälschlicherweise oft nur auf die Sexualität bezogen). Ebenso „hoffärtiges Leben": ein hochmütiges, arrogantes Leben. Letztlich sagt Johannes nichts anderes als der Prophet Micha viele Jahrhunderte zuvor:

„Es ist dir gesagt, Mensch, was gut ist und was der HERR von dir fordert: nichts als Gottes Wort halten und Liebe üben und demütig sein vor deinem Gott.“ *Micha 6,8*

Mit dem Heiligen Geist geimpft

1. Johannes 2,18-29 **Samstag, 30.**

Diese Gedanken schrieb ich während der zweiten Hochphase der Corona-Pandemie im Herbst 2020. Wie sehr sehnten wir uns nach einem sicheren Corona-Test und einem Impfstoff, um dem Virus Herr zu werden und zur „Normalität“ zurückkehren zu können. Und doch stiegen leise Ahnungen auf, dass es diese „Normalität“ vielleicht nie wieder geben wird.

Auch im Glauben wünschen wir uns solche „Sicherheit“ gerne. Wüssten gerne genau, wer denn „dazu gehört und wer nicht“, und könnten gut auf unsere immer wieder neuen Zweifel verzichten. Johannes bietet uns in seinem Text zwar keinen „Schnelltest für andere“, aber einen Test für uns selber: „Wer den Sohn bekennt, ist Christ (V. 23) und hat die „Salbung“ (V. 20, 27). Salbung – so nennt es Johannes, wenn man den Heiligen Geist hat, der einen Gläubigen bewahren, leiten und führen wird. Welch passendes Bild für eine „Impfung“. Bist du auch schon mit dem Heiligen Geist „geimpft“?

„Wer den Sohn hat, der hat das Leben.“ *1. Johannes 5,12a*

Monatsspruch Mai

Ich wünsche dir in jeder Hinsicht
Wohlergehen und Gesundheit, so wie
es deiner Seele wohlergeht.

3Joh 2 (E)

Wochenspruch

„Christus spricht: Ich bin der gute Hirte ... Meine Schafe hören meine Stimme, und ich kenne sie und sie folgen mir; und ich gebe ihnen das ewige Leben, und sie werden nimmermehr umkommen, und niemand wird sie aus meiner Hand reißen."

Johannes 10,11a,27.28

Ein Rezept gegen die Angst

Psalm 56 **Sonntag, 1.**

Ein Rezept gegen Angst – das wünschen sich viele. Gibt es das wirklich? Was mache ich, wenn mich Menschen anfeinden, mich eine Krankheit bedroht oder ich um meine Liebsten oder meine Arbeitsstelle bangen muss? Viele ertragen diese Ängste nicht und schlagen, verbal oder wörtlich, wild um sich, als ob man die Angst in sich erschlagen könnte wie einen Gegenstand. Wieder andere stecken den Kopf in den Sand – was man nicht sieht, das gibt es auch nicht. Oder verschließen gleich den Blick vor allem Bedrohlichen und tun so, als gäbe es nichts Angstmachendes.

David macht es anders. In einer Zeit höchster Bedrohung (nachzulesen in 1Sam 21,11-16) schlägt er nicht um sich oder verschließt die Augen. Er stellt sich seiner Angst und sagt: Ich will Gott vertrauen und ihn rühmen. Lange bevor Hilfe sichtbar wird. Denn in aller Bedrängnis und Not hält er, wie Hiob, an dem Wissen fest:

„Aber ich weiß, dass mein Erlöser lebt, ..." *Hiob 19,25*

„Der Weg ist das Ziel" – oder vielleicht doch nicht?

1. Johannes 3,1-10 **Montag, 2.**

Dieser Slogan aus dem Hinduismus ermahnt unsere stressgeplagte Gesellschaft dazu, das Leben im „Hier und Jetzt" nicht zu versäumen. Er birgt aber auch eine große Gefahr: die Mühen und Anstrengungen zu scheuen, die man auf sich nehmen muss, um

das Ziel auch wirklich zu erreichen – und gar kein Ziel mehr erreichen zu wollen, weil der Weg allein schon das Ziel ist.
Ist diese absolute Einstellung schon im Leben auf der Erde fatal, so gilt es für das Glaubensleben noch viel mehr. „Wir sind Kinder Gottes“ (V. 1) und „werden sein wie Jesus“ (V. 2), so berichtet Johannes. Wer sollte sich angesichts solcher Aussichten mit dem Weg – dem Leben hier auf der Erde – zufriedengeben? Doch auch das macht Johannes deutlich: Wie wir diesen Weg begehen, ist nicht egal!

„Und jeder, der solche Hoffnung auf ihn hat, der reinigt sich, wie auch jener rein ist.“ *1. Johannes 3,3*

Symptome des Glaubens

1. Johannes 3,11-18 **Dienstag, 3.**

Ein Krankheitserreger wird oft daran erkannt, welche Symptome er auslöst. Übertragen auf den Glauben kann das heißen: Jesus will in der Welt daran erkannt werden, wie wir als Gläubige miteinander umgehen. Jesus selber hat uns so sehr geliebt, dass er sein Leben für uns gab. Wie sollten wir da die, für die er gestorben ist, nicht lieben?
Dabei geht es Johannes aber nicht um ein „Lippenbekenntnis“, sondern um aktive, handelnde Liebe. Wem könntest du heute einen solchen Liebesdienst erweisen und dadurch zeigen, dass Jesus dein HERR ist, den du liebst?

„Darin besteht die Liebe: nicht, dass wir Gott geliebt haben, sondern dass er uns geliebt hat und gesandt seinen Sohn zur Versöhnung für unsere Sünden. Ihr Lieben, hat uns Gott so geliebt, so sollen wir uns auch untereinander lieben.“ *1. Johannes 4,10-11*

Sie liebt mich nicht, sie liebt mich doch – der Blumentest

1. Johannes 3,19 – 24 **Mittwoch, 4.**

In Zeiten von Smartphone und Co ist dieser „Blumentest" etwas in Vergessenheit geraten. Früher pflückte ein Verliebter schon mal eine Blume, riss ein Blütenblatt nach dem anderen aus und sagte abwechselnd: „Sie liebt mich nicht. Sie liebt mich. Sie liebt mich nicht ..." Und wenn das Ergebnis nicht passt? Hätte er einfach mit „sie liebt mich" beginnen sollen?
Unser Herz ist manchmal so. Bin ich nun gläubig? Was, wenn nicht? Gott rupft keiner Blume die Blütenblätter aus, um festzustellen, ob wir ihn lieben. Er schaut, ob wir mit seinem „Geist geimpft sind", und freut sich, wenn diese „Impfung" schon Wirkung zeigt:

„So haben wir Zuversicht zu Gott." *1. Johannes 3,21 (LUT 84)*

In der Welt habt ihr Angst

1. Johannes 4,1-6 **Donnerstag, 5.**

Wem darf ich mein Vertrauen schenken? Es geht in der heute so stark digitalen und globalen Welt zu wie auf dem Basar der Beliebigkeiten. Was beliebt, ist auch erlaubt. Welcher Geist herrscht? Worauf sollen wir hören? Mancher fällt auf den Zeitgeist herein. Diesen unglückseligen Geist, der versucht, so viele wie möglich an sich zu reißen. Der verführt und den Menschen auf den Thron stellt. Da wird ein falsch verstandener Humanismus zelebriert, der viele ins Verderben stürzt. Stellen wir uns doch lieber auf den Felsen der Wahrheit. Verlassen wir uns auf Jesus Christus, der für unsere Sünden starb, der uns das ewige Leben schenkt und der uns Kinder Gottes nennt. Wenn wir auf seiner Seite sind, haben wir den Stärkeren in uns und brauchen in dieser Welt keine Angst zu haben.

„Kinder, ihr seid von Gott und habt jene überwunden; denn der in euch ist, ist größer als der, der in der Welt ist." *1. Johannes 4,4*

Gott liebt uns

1. Johannes 4,7-16 **Freitag, 6.**

Gott liebt uns! Können wir diese Aussage bedingungslos stehen lassen? Kommen da nicht Zweifel auf durch Not, Krankheit, Angst und Tod? Gott steht nicht blind über diesen Zweifeln. Er liebt einzigartig und bedingungslos. Er liebte uns, als wir noch Sünder waren. Er hat bis heute nicht aufgehört, uns zu lieben. Er liebt uns so sehr, dass sein Sohn, Jesus, für uns alle sein Leben gegeben hat, um uns zu erlösen und uns in die ewige Gemeinschaft mit Gott zu bringen. Er versetzt uns in die Lage, Gott zu lieben, uns selbst zu lieben und auch unsere Mitmenschen zu lieben. Kann es sein, dass unsere Liebe so klein ist, weil wir Gott nicht sehen können? In seinem Wort hat Gott sich vielfältig offenbart. Zuletzt durch seinen Sohn. An ihm können wir die Liebe sehen. Und in unseren Taten und Worten erwidern.

„Gott ist Liebe; und wer in der Liebe bleibt, der bleibt in Gott und Gott in ihm.“ *1. Johannes, 4,16b*

Liebe ist nur ein Wort

1. Johannes 4,17-21 **Samstag, 7.**

Können wir diese Überschrift so stehen lassen? Sollte es nicht vielmehr heißen: Liebe ist mehr als ein Wort? Der Text zeigt, wie wichtig dieser kleine Einschub ist: „mehr als“. Der Mehrwert liegt auf der Hand. Hier ist nicht nur von Liebe, sondern von Freiheit, Furchtlosigkeit und Nächstenliebe die Rede. Mehr als ein Wort. Wo liegt der Schlüssel, der uns diese umfassende Liebe öffnet? Er, Gott, hat uns zuerst geliebt. Als Geliebte haben wir es leicht, ihn zu lieben, in Freiheit von ihm zu reden und ohne Furcht dem Tag des Gerichtes entgegenzugehen. Da ist noch der Bruder. Ihn zu lieben, fällt nicht leicht. Mit Gottes Hilfe schaffen wir das.

„‚Du sollst den Herrn, deinen Gott, lieben von ganzem Herzen, von ganzer Seele und von ganzem Gemüt.‘ Dies ist das höchste und erste

Gebot. Das andere aber ist dem gleich: ‚Du sollst deinen Nächsten lieben wie dich selbst.'" Matthäus 22,37-39

Wochenspruch

„Darum: Ist jemand in Christus, so ist er eine neue Kreatur; das Alte ist vergangen, siehe, Neues ist geworden." 2. Korinther 5,17

Ich will dich anbeten

Psalm 66 **Sonntag, 8.**

In Lobpreis, Worship und Anbetung hat gerade die junge Generation eine Ausdrucksmöglichkeit für ihre Spiritualität gefunden. Aber Anbetung ist keine Erfindung der heutigen Zeit. Gott zu jauchzen, ihm zu singen, seinen Namen zu rühmen und ihn für die Schöpfung zu preisen, sind seit Jahrtausenden Ausdruck der Liebe zu Gott und Urschrei der Glaubenden. Lobpreis ist die DNA der Christen. Anbetung hebt uns aus dem Einerlei des Alltags heraus und lässt uns in den Nöten des Lebens einen Blickwechsel vollziehen. Paulus und Silas, die angekettet im Gefängnis liegen, beten um Mitternacht und loben Gott. Sie erfahren, wie Fesseln abfallen, wenn man auch in auswegloser Lage zur Anbetung kommt (Apg 16, 23ff.). Der Blick weg von den eigenen Nöten hin zu Jesus Christus wird zur Rettung. Anbetung, ob in guten oder schlechten Zeiten, zieht uns zu Gott.

„Gelobt sei Gott, der mein Gebet nicht verwirft noch seine Güte von mir wendet." Psalm 66,20

Jahreslosung 2022

Jesus Christus spricht: Wer zu mir kommt, den werde ich nicht abweisen. Joh 6,37 (E)

„Eine große Schande"

Es war in der Blüte meiner Jahre, liegt also schon lange zurück. Ich mochte knapp unter 20 Jahre alt gewesen sein. In einer Gemeinschaftsstunde (so nannte man das damals) in Hildesheim predigte ein sog. Laienbruder. Aus seiner Predigt blieb mir nur ein einziger Satz hängen. Der hat mich erschreckt und meinen inneren Widerstand hervorgerufen: „Mein Leben nach meiner Bekehrung war eine große Schande".

Habe ich richtig gehört? Das war doch eine geistliche Bankrotterklärung! Schlimm, dass es mit diesem Bruder so gekommen ist. Das soll mir nicht passieren! War ich doch anderes gelehrt worden: Nach der Bekehrung geht es aufwärts. Mithilfe des Heiligen Geistes und des eigenen guten Willens bekommt man nach und nach die Sünde in den Griff. Wer glaubt, sündigt weniger, wenn überhaupt. Von „Schande" keine Spur.

Ich war also sehr optimistisch, was meinen weiteren Glaubensweg betraf. Doch ich bin eines Schlechteren belehrt worden und gebe ehrlich zu: Alles ist anders gekommen. Im Laufe eines langen Lebens musste ich feststellen: Das Wort der Jahreslosung gilt nicht nur für die, die noch vor den Toren des Glaubens stehen, sondern erst recht für mich und für alle, die ihren Lebensweg bewusst mit Jesus gehen. Der Liederdichter Ernst Gottlieb Woltersdorf (1725–1761) schlägt in dieselbe Kerbe: „Wenn ich mich selbst betrachte, so wird mir angst und weh". Er hat recht: liebloses Reden, ungerechtes Urteilen, gedankenloses Gerede, Trägheit und vieles andere mehr spielen sich täglich bei mir ab. Mehr als einmal klopfe ich im Gebet an die Tür meines Heilandes und bitte um Vergebung und hoffe, dass er mich nicht hinausstößt. Ich lebe davon, dass er seine Tür auch weiterhin für mich offenhält und ich mit meinen Anliegen und Sünden einen Platz bei ihm habe.

Deshalb ist unsere Jahreslosung nicht nur für die bestimmt, die – wie der berühmte Verlorene Sohn (Lukas 15,11ff.) – von Gott abgedriftet sind und nun reuig Einlass begehren. Sie gilt auch für alle, die bereits mitten im Glauben leben und die sich aufreiben an ihren Sünden und Unzulänglichkeiten.

Christoph Morgner

Glaube der überwindet

1. Johannes 5,1-5 **Montag, 9.**

Die Grenzbefestigungen der ehemaligen DDR waren fast unüberwindlich! Doch friedliche Proteste und Gebet brachten die Mauer zum Einsturz. Die Grenzen in den Köpfen sind teilweise noch vorhanden. Müssen wir uns nicht täglich überwinden, etwas zu tun oder zu lassen? Am besten ist es, wenn man eine Entscheidung trifft und dazu konsequent steht. Haben wir uns einmal für Jesus Christus, den Sohn Gottes und Erlöser der Welt, entschieden, werden wir als geliebte Kinder Gottes handeln. Gottes Gebote sind dann keine Verbotsschilder, sondern hilfreiche Wegweiser, die uns die Liebe Gottes erschließen und uns befähigen, Gott zu lieben. Die Liebe Gottes wird einmal das Böse in der Welt besiegen. Wollen wir schon jetzt an diesem Sieg teilhaben? Das könnte unser Leben verändern und sich in unseren Beziehungen heilsam auswirken.

„Aber in dem allen überwinden wir weit durch den, der uns geliebt hat.“ *Römer 8,37*

Erfahrbar glaubhaft

1. Johannes 5,6-12 **Dienstag, 10.**

Als Menschen aus dem westlichen Kontext sind wir dafür bekannt, dass wir es genau wissen wollen. Wir möchten Fakten und Beweise. Setzen auf Bestätigungen der Wissenschaft. Logik und Erfahrbarkeit sind uns wichtig. Wir sind durchaus kritisch und hinterfragen. Bereits zur damaligen Zeit gab es Kritiker, die nicht glauben konnten, dass Jesus der Sohn Gottes ist. Johannes hält dagegen: Jesus ist glaubhaft bezeugt. Es gibt gute Gründe, daran zu glauben (V. 6-8). Dabei macht er auf eine interessante Reihenfolge aufmerksam. „Wer an den Sohn Gottes glaubt, weiß in seinem Innersten, dass Gottes Aussage wahr ist.“ (V. 10). Wer sich also Jesus vertrauensvoll zuwendet, wird nicht nur mit dem ewigen Leben beschenkt, sondern bekommt eine innere Gewissheit. Und die ist erfahrbar glaubhaft!

„Selig sind, die nicht sehen und doch glauben.“ *Johannes 20,29*

Steine werfen oder Hände falten (V. 15-16)

1. Johannes 5,13-21 **Mittwoch, 11.**

Wie gehen wir mit Menschen um, die etwas Falsches gemacht haben und mit ihrem Leben das tun, was Gott nicht möchte? In den sozialen Medien werden sehr schnell Verurteilungs-Steine in die Hand genommen. Dabei wird gerichtet und verurteilt – und das in erbarmungsloser und schonungsloser Weise. Der Ton ist rau, nicht nur in der digitalen Welt. Auch unter Christen werden gerne Steine in die Hand genommen. Johannes dagegen fordert seine Glaubensgeschwister zu etwas anderem auf: statt Steinewerfen – Hände falten. Beten statt richten. Und zwar für diejenigen, die sich geistlich verrannt oder sogar eine Grenze überschritten haben (V. 16). Wir sollen beten, weil er unsere Bitten hört (V. 15) und sie etwas bewirken (V. 16). Was für eine Zusage und Aussicht! Für wen will ich heute beten?

„Betet allezeit mit Bitten und Flehen im Geist.“ *Epheser 6,18*

Aufgepasst: geistliche Demenz

2. Johannes 1-6 **Donnerstag, 12.**

Nach der deutschen Alzheimer Gesellschaft leben in Deutschland 1,6 Millionen Demenzkranke. „Geistliche Demenz“ ist zwar keine Krankheit, aber ein Phänomen, das unter Christen verbreitet ist. Wir vergessen gerne das, was Gott uns bereits Gutes getan (vgl.

Ps 103,3) und uns in seinen Worten zugesagt hat. Dies war auch der Grund, warum Johannes seinen persönlichen Brief an eine hoch geachtete Christin und ihre Kinder richtet. Er will sie erinnern. Und zwar an das, was bereits Jesus gesagt und gelebt hat: „Liebt einander!" (V. 5, vgl. Joh 13,34). Das ist nichts Neues unter der Sonne. Trotzdem wird es zu schnell und zu oft vergessen. Wie könnte heute deutlich werden, dass ich mich von der Liebe bestimmen lasse?

„Ein neues Gebot gebe ich euch, dass ihr euch untereinander lieb habt..." Johannes 13,34

Aufgepasst: Irrlehre

2. Johannes 7-13 **Freitag, 13.**

„Irrlehren bekämpfen bringt keinen Gewinn – es schadet nur." Diese Haltung des chinesischen Philosophen Konfuzius findet sich auch heute noch. Wir leben in einer pluralistischen und toleranten Gesellschaft. Alles ist wahr! Absolute Wahrheiten gibt es nicht. Alles ist mehr oder weniger gleichgültig. Das führt dazu, dass verschiedenste Glaubens- und Lehraussagen nebeneinander stehen gelassen werden. Johannes würde Konfuzius vehement widersprechen. Denn er „bekämpft" Irrlehren und Irrlehrer und warnt deutlich vor ihnen (V. 8). Er will, dass wir mit Gott verbunden bleiben (V. 9). Für unser Glaubensleben wird es dann gefährlich, wenn Jesus nicht mehr der ist, der er ist: wahrer Gott und wahrer Mensch. Es geht um den ganzen Jesus. Wie gehe ich damit um, dass die Bedeutung von Jesus an vielen Stellen infrage gestellt wird?

„Hab acht auf dich selbst und auf die Lehre." 1. Timotheus 4,16

Aufgepasst: Machtmensch

3. Johannes 1-15 **Samstag, 14.**

„Der Mensch strebt von Macht zu Macht", sagt Thomas Hobbes. Dass es Machtmenschen zu allen Zeiten gab und gibt, ist nichts

Neues. Auch in frommen Kreisen sind sie zu finden. Die Folgen des Machtmissbrauchs sind jedoch verheerend. Deshalb brauchen wir einen geschärften Blick für Machtmenschen. Dazu verhilft uns Johannes in seinem Schreiben an Gajus. Er warnt seinen Freund vor dem Machtmensch Diotrephes. Dieser sieht sich in seiner Machtposition durch den Wandermissionar Demetrius gefährdet (V. 12). Daher verweigert er sich Autoritäten, verleumdet böswillig, verweigert die Gastfreundschaft und stößt andere sogar aus der Gemeinde (V. 9-10). Gute Macht hingegen macht die anderen groß. Jesus gebrauchte seine Macht um zu dienen (vgl. Mk 10,45). Ihn möchte ich mir zum Vorbild nehmen.

„Folge nicht dem Bösen nach, sondern dem Guten.“

3. Johannes 11 (LUT 84)

Wochenspruch

„Ein Psalm. Singet dem HERRN ein neues Lied, denn er tut Wunder.“ *Psalm 98,1a*

Einstimmen in das Lob

Psalm 98 **Sonntag, 15.**

Singt das Lied der Freude, der Freude über Gott! Das ist eine Einladung, die sich durch die ganze Schrift zieht: Gott ist gut, Gott ist groß, Gott ist schön. Warum also sollten wir ihn nicht loben? Mir kommt es manchmal so vor, als hätten wir aus Gott eine Denkfigur oder den Teil einer Weltformel gemacht – wie soll man da fröhlich werden? Ohne die Erfahrungen, die Freude auslösen, gibt es keine Freude an Gott. Ohne das Erleben, das sich mit unserem Glück verbindet, mit der Dankbarkeit und wohl auch mit der Ekstase, gibt es diese Freude an Gott nicht. Dabei können sich die Psalmen nicht genug tun mit dem Ruf zur Freude an Gott, mit dem Ruf zum Lob Gottes. Sind wir zu beherrscht und zurückhaltend, zu sehr im Sündersein gefangen, um uns hinreißen zu lassen zu den schönen Lobliedern für Gott?

„Sie sangen ein neues Lied und sprachen: Würdig bist du …“
Offenbarung 5,9 (E)

Der Prophet Jona

Anders als die anderen Prophetenbücher ist das Buch Jona keine Sammlung von Prophetenworten, sondern eine Prophetenerzählung. Nur ein halber Vers enthält eine prophetische Botschaft (3,4b), ansonsten steht der Prophet selbst im Mittelpunkt. Es geht nicht primär um Ninive, sondern um Jona.
Als das heidnische Ninive, Assyriens riesige Hauptstadt, umkehrt und erlebt, dass auch Gott umkehrt – vom Gericht zur Gnade –, rezitiert Jona im Zorn das Glaubensbekenntnis von dem gnädigen, barmherzigen Gott, der sich das Übel gereuen lässt (4,1-3). Er will Gnade nur für sich, nicht für die Heiden, nicht für die anderen. Jona steht für Israel – auch für uns?
Das Buch Jona erinnert an das Ringen Jesu um eine „Herzenserweiterung“ der Pharisäer, etwa im Verhalten des älteren Sohnes im „Gleichnis vom verlorenen Sohn“ (Lk 15,25-32) oder an das Ringen des Paulus um die Heidenmission. Gott hofft auf unsere Mitfreude, dass seine Liebe und Barmherzigkeit weiter reicht als unser oft so kleinkariertes „Schwarz-Weiß-Denken“.

Ich bin ein Hebräer

Jona 1,1-16 Montag, **16.**

Jona liebt sein Land. So sehr, dass er vor Gottes Auftrag wegläuft, weil der bedeuten würde, den Feinden Israels eine Chance auf Vergebung zu bieten. Unmöglich, dass Gott am Ende mit den bösen Heiden Gnade haben sollte.
Also befindet er sich nun auf einem Boot. Doch während er, der Prophet, versucht, so weit wie möglich von Gott wegzukommen, hat Gott ganz andere Pläne. Mitten in Gottes Sturm erkennen die heidnischen Seeleute die Macht, der sie gegenüberstehen. Sie be-

ginnen, Jahwe, den Bundesgott Israels, mit seinem Namen anzurufen. Auf der Flucht vor den gottlosen Heiden, denen Jona nicht Jahwes Liebe verkünden wollte, passiert genau das: Heiden beginnen eine Beziehung mit Gott. Auch wenn wir es nicht immer auf den ersten Blick erkennen: Gottes Pläne sind gut und er kommt an sein Ziel.

„Von oben kommen nur gute Gaben und nur vollkommene Geschenke; sie kommen vom Schöpfer der Gestirne.“ *Jakobus 1,17 (NGÜ)*

Rettung

Jona 2,1-11 **Dienstag, 17.**

Jona ist nun ganz unten angekommen. Er befindet sich nicht nur tief im Meer, im Bauch eines Fisches, auch geistlich ist er „zu den Gründen der Berge“ gesunken (V. 7). Doch genau hier tut er etwas, was wir bisher noch nicht von ihm gesehen haben: Er betet zu Gott. Er erkennt, dass er von Gottes Gnade abhängig ist, und dass bei dem Herrn Rettung ist (V. 10). Es ist Gott, der ihn aus der Grube holen kann und der Vergebung schenkt. Die Distanz, die er so sorgfältig zwischen sich und Gott aufgebaut hatte, ist mit einem Schlag verschwunden. Das Gebet von Jonas dringt direkt in den Tempel Jahwes (V. 8). Der Prophet, der so weit wie möglich von Gott entfernt sein wollte, steht nun direkt vor seinem Gnadenstuhl. Wohin wenden wir uns, wenn wir an einem Tiefpunkt angekommen sind?

„Des Menschen Herz erdenkt sich seinen Weg; aber der HERR allein lenkt seinen Schritt.“ *Sprüche 16,9*

Umkehr

Jona 3,1-10 **Mittwoch, 18.**

„Hey! Übrigens, in zwei Monaten kommt Jesus wieder und dann gibt es das große Gericht!“ Wenn ich das zu jemandem sage, der nicht an Jesus glaubt, wie wird der wohl reagieren? Ich würde da keine spontane Bekehrung erwarten. Dafür müsste ich schon besser erklären, was es mit Gott und Jesus auf sich hat. Jonas Botschaft ist aber mindestens genauso kurz – und alle Einwohner von Ninive fangen an zu fasten und Buße zu tun. Unglaublich! So ganz anders als der Prophet, der Gott kennen sollte, reagieren die Heiden, die Gott nicht kennen, auf seine Worte. Und Gott ist ihnen gnädig. Und das, obwohl seine Gnade bisher auf das Volk Israel beschränkt war. Was für eine Botschaft an die ursprünglichen Leser. Und auch an uns. Gott liebt jeden Einzelnen, egal wo er herkommt, und in welcher Lage er steckt. Sogar die „bösen Heiden".

„Erzählet unter den Heiden von seiner Herrlichkeit, unter allen Völkern von seinen Wundern!" *Psalm 96,3*

Gnädig und gerecht

Jona 4,1-11 **Donnerstag, 19.**

Jona ist unzufrieden. Er beschwert sich über Gottes Gnade und möchte sterben, weil Gott Ninive verschont hat. Ganz schön anmaßend. Aber anstatt ihn sich selbst zu überlassen, kümmert sich Gott um Jona und erteilt ihm eine Lektion in Sachen Mitleid. Er zeigt ihm: Es leben so viele Menschen in Ninive und sie liegen mir alle am Herzen. Kannst du das nicht verstehen? An dieser Stelle endet der Text und Jona bleibt uns seine Antwort schuldig. Nun sind wir an der Reihe, die Frage zu beantworten: Sollte ich nicht Mitleid mit den vielen Menschen haben? Auch wenn es manchmal schwierig ist, zu verstehen, wie Gottes Gerechtigkeit und seine Gnade zusammenpassen. Gott ist immer beides: gnädig und gerecht.

„Und der HERR ging vor seinem Angesicht vorüber, und er rief aus: HERR, HERR, Gott, barmherzig und gnädig und geduldig und von großer Gnade und Treue." *2. Mose 34,6*

Der Galaterbrief

Nach Angaben des Briefes hat Paulus die Gemeinden in Galatien (die Gegend um die heutige türkische Hauptstadt Ankara) gegründet (1,8ff.; 3,2) und später nochmals besucht (4,13). Bald danach sind Irrlehrer („Judaisten") in den Gemeinden aufgetreten und haben zum einen die Autorität des Paulus als eines von Christus selbst berufenen Apostels und zum anderen seine Verkündigung eines „gesetzesfreien" Evangeliums in Misskredit gebracht. Sie halten die Beschneidung, das Einhalten des Sabbats und anderer Bestimmungen des jüdischen Gesetzes für heilsnotwendig. Sie scheinen mit ihrem „Zusatz-Evangelium" schon einen gewissen Erfolg errungen zu haben. Deshalb kämpft Paulus mit schneidender Schärfe bis hin zur Verfluchung gegen dieses „andere Evangelium" (1,9).

In Kap. 1 und 2 versucht er zunächst, das angeschlagene Vertrauen in die Echtheit und Vollmacht seines Apostelamtes wiederherzustellen, um dann in Kap. 3 und 4 aufzuzeigen, dass wir nur durch Christus und das Geschenk des Glaubens das Heil empfangen. Wer zusätzlich meint, auch das Gesetz befolgen zu müssen, verliert Christus (5,2). Es gibt nur ein „Entweder-oder", kein „Sowohl-als-auch"!

Den Vorwurf, die Freiheit vom Gesetz könne zu Zügellosigkeit und Beliebigkeit führen, wehrt Paulus in Kap. 5 und 6 dadurch ab, dass er aufzeigt, dass wahre Freiheit in Christus in der Freiheit zur Liebe konkret wird (vgl. 5,6). Die in Christus geschenkte Freiheit wird darin sichtbar, dass „durch die Liebe einer dem andern dient, denn das ganze Gesetz ist in dem einen Wort erfüllt: ‚Liebe deinen Nächsten wie dich selbst'" (5,13f.). Und diese Liebe erweist ihre Glaubwürdigkeit im Umgang mit schuldig gewordenen Mitchristen, denn wie Christus für Sünder eingetreten ist, so ist auch sein Geist eine aufhelfende, tragende und vergebende Kraft (6,1-5).

Kein anderes Evangelium

Galater 1,1-9 **Freitag, 20.**

Wie hat sich Paulus wohl gefühlt? Er war doch selbst durch Galatien gereist, hat den Menschen aus erster Hand das Evangelium gepredigt und Gemeinden gegründet. Und kaum verlässt er die Region, etablieren sich andere Lehrer an seiner Stelle und fangen an, die Botschaft der guten Nachricht zu verändern. Kein Wunder, dass Paulus hier so kühl schreibt und die Gemeinde nicht wie üblich lobt und für sie dankt. Wenn Paulus aber nun von keinem anderen Evangelium schreibt, so macht er sofort deutlich, was er damit meint: Es gibt keinen anderen Weg zu Gott außer durch die Gnade der Selbsthingabe Jesu Christi. Er beschreibt später noch, was er damit genau meint.

Wie geht es dir damit? Fällt es dir leicht, dieses eine Evangelium der Gnade anzunehmen, ohne eigenes Zutun, ohne eigene Werke, ohne Gesetz?

„Denn die Sünde wird nicht herrschen über euch, weil ihr ja nicht unter dem Gesetz seid, sondern unter der Gnade.“ *Römer 6,14*

Durch Gottes Führung

Galater 1,10-24 **Samstag, 21.**

Heute ist Paulus als großer Missionar anerkannt. An seiner Verteidigungsrede sehen wir aber, dass er so eine Autorität nicht immer hatte. Daher erzählt Paulus von seiner direkten Begegnung mit Jesus Christus und Bevollmächtigung durch ihn, seiner Kenntnisse der jüdischen Schriften, seinem Studium in Arabien und seinem Zeugnis durch die von ihm verfolgten Christen. Mit alledem macht Paulus deutlich: Es ist nicht sein, sondern Gottes Evangelium.

In einer Welt mit 1000 Antworten ist die große Frage: Wem glaube ich? Wem vertraue ich? Paulus versucht zu begründen, warum gerade er durch Gottes Autorität zum Apostel wurde. Er möchte nicht Menschen gefallen, sondern das Evangelium zur Ehre Gottes verbreiten. Daher dürfen wir auch heute noch seine Briefe mit Gewissheit lesen.

„Wer aus sich selbst redet, der sucht seine eigene Ehre; wer aber die Ehre dessen sucht, der ihn gesandt hat, der ist wahrhaftig, und keine Ungerechtigkeit ist in ihm." Johannes 7,18

Wochenspruch

„Gelobt sei Gott, der mein Gebet nicht verwirft noch seine Güte von mir wendet." Psalm 66,20

Kommt herzu – Beten dürfen

Psalm 95 **Sonntag, 22.**

Vor Gott das Herz ausbreiten. Seinen Namen ehren. Sein Lob vermehren. Seiner Güte im eigenen Leben Raum geben. Es ist eine so schlichte Begründung für alles Beten: Er ist unser Gott und wir sind sein Volk. Wie sollten wir nicht zu ihm beten? Es ist normal, dass Kinder mit ihrem Vater reden, dass sie ihm sagen, was sie hoffen, fürchten, ersehnen. Es kommt die Vergewisserung dazu: „Wir sind Schafe in seiner Hand" (V. 7). Auch die Mahnung: „Verstocket euer Herz nicht" (V. 8). Es scheint, dass es so sein kann: Man lobt die Schöpfung und den Schöpfer, aber man verweigert das Vertrauen auf den Weg im Alltag. Man singt Lobpreislieder, aber die eigene Lebenspraxis ist wie ein Widerruf dieser Lieder. Es gibt diese Widersprüchlichkeit im Leben. Sie heilt durch das Festhalten an Gott – auch gegen das eigene Herz.

„Wir wissen nicht, was wir beten sollen, wie sich's gebührt, sondern der Geist selbst tritt für uns ein." Römer 8,26

Einheit im Evangelium

Galater 2,1-10 **Montag, 23.**

Mich begeistert die demütige Art von Paulus immer wieder aufs Neue – auch wenn er häufig nicht so wahrgenommen wird. Ihm ist Jesus begegnet und hat ihn beauftragt. Danach lässt er sich Jahre Zeit, um die Schriften neu zu durchforsten und das Evange-

lium gänzlich zu verstehen. Anstatt nun als der neue große Apostel aufzutreten, stellt er seinen Auftrag und seine Erkenntnisse den Verantwortlichen der Gemeinde in Jerusalem vor und ringt mit ihnen darum. Denn er weiß: Die Einheit der Christen ist entscheidend für die Botschaft.
Sicherlich kennst du die Situation eines Aha-Erlebnisses oder eines Augenöffners beim Lesen biblischer Texte. Wie gehst du damit um? Ich wünsche uns, dass wir uns nicht abkapseln, sondern wie Paulus in der Gemeinschaft um die Wahrheit des Evangeliums ringen ...

„... bis wir alle hingelangen zur Einheit des Glaubens und der Erkenntnis des Sohnes Gottes, zum vollendeten Menschen, zum vollen Maß der Fülle Christi." *Epheser 4,13*

Zur Freiheit berufen

Galater 2,11-21 **Dienstag, 24.**

Was für ein Rückschlag. Paulus ringt mit der Gemeinde um die Freiheit im Evangelium und um ein Leben im Glauben und nicht im Gesetz. Und dann erlebt er, wie der große Leiter Petrus anderen Christen nicht den Weg des Evangeliums, sondern den Weg des Gesetzes auferlegen möchte. Wie gut, dass er ihn zur Rede stellt und Petrus das wahre Evangelium verinnerlicht.
Wie gerne wären wir wie Paulus. Wir sehen Gesetzlichkeiten und Vorschriften und ermahnen dann zu Freiheit im wahren Evangelium! Aber wie oft sind wir wie Petrus und verlangen von anderen, sich an Gesetze und Vorschriften zu halten, von denen wir längst befreit sind. Vielmehr als andere müssen wir uns selbst immer wieder ermahnen, am wahren Evangelium festzuhalten.

„Zur Freiheit hat uns Christus befreit! So steht nun fest und lasst euch nicht wieder das Joch der Knechtschaft auflegen!" *Galater 5,1*

Jesus genügt

Galater 3,1-14 **Mittwoch, 25.**

Das fromme Geflüstere „bezaubert“ (V. 1) gestern wie heute: „Du hast noch nicht den zweiten Segen empfangen? Du kannst nicht Zungenreden?“ Solche Anfragen verunsichern viele Christen. Stehe ich richtig im Glauben, wenn ich mich komplett auf das verlasse, was Jesus für mich getan hat, oder muss ich noch meinen eigenen Beitrag dazulegen? Paulus zeigt klare Kante: Allein Jesus und seine Erlösungstat bringen uns mit Gott ins Reine. Das muss durch nichts und niemand ergänzt werden. Siehe Abraham: Er wurde von Gott „gerecht“ gesprochen, als es Gottes „Gesetz“ noch gar nicht gab, das er hätte befolgen können. Allein sein „Glaube“, sein schlichtes Vertrauen, bringt ihm Frieden mit Gott. So auch heute: Was Jesus für uns getan hat, genügt vollkommen.

„Christus hat uns erlöst von dem Fluch des Gesetzes.“

Galater 3,13 (HfA)

Gott loben, das ist unser Amt

Psalm 68,1-19 **Christi Himmelfahrt, 26.**

Von Gott können wir Gutes erwarten. David hat das selbst erlebt. Er greift aber auch auf die Erfahrungen zurück, die das Volk Israel gemacht hat (V. 8f.). Was Gott gestern getan hat, wird zur Blaupause für das, was er heute tut. Gott hat sich nicht in den Ruhestand verabschiedet, sondern ist nach wie vor aktiv, um zu retten und zu helfen. Davon haben vor allem die Benachteiligten den Segen: Gefangene, Einsame, Witwen und Waisen. Sie, die an die Seite gedrängt und oft von anderen abgeschrieben werden, haben bei Gott einen Stein im Brett und dürfen mit seiner Hilfe rechnen. Denn Gott gibt keinen auf, der sich an ihn wendet. Grund genug, dass wir Gott viel zutrauen. Auf welche Weise er sich für uns einsetzt, wollen wir ihm überlassen. Auf jeden Fall werden wir alle Gründe haben, Gott für das zu loben, was er an uns tut.

„Singet Gott, lobsinget seinem Namen!“ *Psalm 68,5*

Gott hat sein Testament gemacht

Galater 3,15-18 **Freitag, 27.**

Wenn es etwas zu vererben gibt, erweist sich ein Testament als unerlässlich. Dann blicken die Nachkommen durch. Sie wissen, wonach sie sich zu richten haben. Keiner darf das Testament verändern. So auch nicht das „Testament", das Gott gefertigt hat. Abraham war dabei seine erste Adresse. Gott hat sich ihm zu 100% versprochen („frei geschenkt"). So gilt es bis zum heutigen Tag. Diesem Testament heute etwas hinzufügen? Unmöglich. Leider haben das die Christen in Galatien vor. Sie wollen das Heil, das Gott Abraham geschenkt und das Jesus am Kreuz mit seinem Leben besiegelt hat, durch allerlei eigene Zusatzleistungen ergänzen. Nach dem Motto: „Sicher ist sicher!" Doch unser Tun, auch wenn es dem „Gesetz" Gottes entspricht, fügt dem geschenkten Heil nichts hinzu. Geschenkt ist geschenkt! Gottes Testament ist auch für uns in Kraft.

„Jeder, der an Christus glaubt, wird für gerecht erklärt."

Römer 10,4 (NGÜ)

Diagnose – Therapie

Galater 3,19-29 **Samstag, 28.**

Ohne das „Gesetz", d. h. die Gebote Gottes, wissen wir nicht, was richtig und falsch ist. Das Gesetz Gottes zeigt uns auf, was bei uns schiefläuft. Aber – und das ist seine Grenze – es kann uns nicht heilen. Im Bild gesprochen: Ein Spiegel zeigt mir, dass ich mich beim Rasieren geschnitten habe. Aber der Spiegel kann meine blutende Wunde nicht schließen. Da muss ein anderes Mittel her. So auch bei den Geboten Gottes. Sie zeigen unseren Schaden auf, aber können uns nicht „lebendig machen" (V. 21). Das tut nur das Evangelium von Jesus Christus, das in uns Glauben wirkt. Allein dadurch werden wir „Gottes Kinder" (V. 26). Das Gesetz zeigt uns als „Zuchtmeister", wörtlich „Pädagoge" (V. 24), täglich die Macht der Sünde in unserem Leben auf. Es stellt die Diagnose, kann uns aber nicht heilen. Das tut allein Jesus Christus, dem wir uns im Glauben anvertrauen.

„Ihr seid alle durch den Glauben Gottes Kinder in Christus Jesus"
Galater 3,26

Wochenspruch
„Christus spricht: Und ich, wenn ich erhöht werde von der Erde, so will ich alle zu mir ziehen." *Johannes 12,32*

Gottesfurcht

Psalm 68,20-36 **Sonntag, 29.**

Nicht unbedingt zum Nachsprechen. So geht es mir. Am Anfang ein Wort zum Festhalten: „Gelobt sei der HERR täglich. Gott legt uns eine Last auf, aber er hilft uns auch." (V. 20) Aber dann: eine Flut nationaler Erwartungen. Gott ist hier nicht der Herr der Völker, er ist der Nationalgott Israels. Ein Gott, der für eigene Machtwünsche und Ohnmachtsgefühle in Anspruch genommen wird. Schwierig. Es ist das tiefe Wissen Israels, dass Gott erwählt und dass er damit zu Aufgaben gegenüber anderen Völkern beruft. Israel hat sich dieser Erwählung manchmal gerühmt, statt sie als Dienst an der Völkerwelt zu sehen. Und wir Christen? Sind wir nicht oft auf der gleichen Spur: Wir glauben Gott an unserer Seite und vergessen, dass er durch uns die anderen Völker und Religionen gewinnen will.

„Ist Gott für uns, wer kann wider uns sein?" *Römer 8,31*

Unverdient beschenkt

Galater 4,1-7 **Montag, 30.**

„Wir können Ihnen ein kostenloses Upgrade für diesen Flug anbieten. Haben Sie etwas dagegen in der 1. Klasse zu fliegen?" Würden Sie sich weigern ohne Mehrkosten einen besseren Flugplatz zu bekommen? Paulus vergleicht das Leben als Christ mit dem Unterschied zwischen einem Knecht ohne große Rechte und dem Sohn eines „Chefs", dem das Erbe bereits jetzt gehört, auch wenn er es noch nicht erhalten hat.

Als Christen sind wir jetzt schon Erben Gottes. Durch Jesu Tod und Auferstehung sind wir in die Familie Gottes aufgenommen worden. Damit gilt: Ich muss Gott nicht beeindrucken, um von ihm angenommen zu werden. Die Gefahr, wieder zurückzufallen, besteht jedoch auch für Christen. Es ist daher überaus wichtig, eine Sache immer wieder zu überprüfen: Versuche ich, wie ein Knecht, mir immer noch die Güte Gottes zu verdienen? Oder bin ich mir meiner Stellung als Sohn oder Tochter Gottes bewusst?

„Wer den Sohn hat, der hat das Leben“ — *1. Johannes 5,12*

Bund oder Vertrag?

Galater 4,8-20 — **Dienstag, 31.**

Als Gottes Kinder haben wir die unverdiente Gabe der Errettung geschenkt bekommen und wurden von Gott in seinen neuen Bund aufgenommen. Bund bedeutet dabei, dass wir keine Bedingungen mit ihm ausgehandelt haben. Es ist anders als bei einem Vertrag, bei dem z. B. ein Bauherr und ein Bauhandwerker aushandeln, wer wann seine jeweilige Leistung einbringt. Gott ist kein Geschäftsmann. Ich kann seinen Bund nur dankbar annehmen und jeden Tag versuchen, heilig zu leben, weil ich ein Kind eines heiligen Gottes bin. Diesen Gott will ich lieben und ehren und in eine immer tiefere Beziehung eintauchen. Christus lebt in mir (2,20), aber jetzt soll Christus auch immer mehr Gestalt in mir bekommen. Es braucht das tägliche Gebet um Weisung durch den Heiligen Geist, damit der Bund Gottes für mich in meinem Leben immer sichtbarer wird.

„Ist jemand in Christus, so ist er eine neue Kreatur; das Alte ist vergangen, siehe, Neues ist geworden.“ — *2. Korinther 5,17*

Monatsspruch Juni

Lege mich wie ein Siegel auf dein Herz,
wie ein Siegel auf deinen Arm.
Denn Liebe ist stark wie der Tod.

Hld 8,6

Versklavt oder frei?

Galater 4,21-31 **Mittwoch, 1.**

Eigentlich ist das doch keine echte Frage: Wer will schon versklavt leben? Wer will nicht frei sein? Doch genau an diesem Punkt befürchtet Paulus, dass Christen in eine Gesetzlichkeit zurückfallen, die Gefallen hat an religiösen Regeln, die Menschen gemacht haben. Er hat die Befürchtung, dass wir uns in die Zeit zurückbegeben, als der Vorhang im Tempel noch symbolisch den Weg zu Gott versperrte und nur der Hohepriester einmal im Jahr „Zugang" zu Gott hatte.

Freiheit im Leben als Christ bedeutet aber, dass ich jederzeit Zugang zu Gott habe. Und dass das so bleibt, liegt nicht an meiner Leistung, die ich erbringen müsste, sondern an dem Werk, das Jesus Christus am Kreuz vollbracht hat. Deshalb will ich aufhören, mit Gott aufgrund meiner Leistung in Beziehung treten zu wollen. Jesus ist der Eine, der trotz aller meiner Fehler in Ewigkeit garantiert, dass meine Beziehung zu Gott frei bleibt von allen versklavenden Einflüssen.

„Denn er hat den, der von keiner Sünde wusste, für uns zur Sünde gemacht, auf dass wir in ihm die Gerechtigkeit würden, die vor Gott gilt."

2. Korinther 5,21

Freiheit nur in Christus

Galater 5,1-15 **Donnerstag, 2.**

Kennen Sie auch Menschen, die Ihnen immer wieder das Gleiche erzählen? Vielleicht ist es ein Ereignis, das sich bei ihnen tief in das Gedächtnis eingeprägt oder das eigene Leben stark beeinflusst hat.

Auch Paulus warnt zum wiederholten Mal davor, in den alten Bund der Gesetzlichkeit zurückzufallen. Entweder versuche ich, die vor Gott geltende Gerechtigkeit selbstständig zu erreichen – dann muss ich ausnahmslos das ganze Gesetz einhalten. Oder ich glaube, dass ich durch Jesus ausnahmslos gerecht gesprochen und zur Freiheit berufen bin.

Paulus kennt beide Seiten. Und genau deshalb weist er auf Jesus hin. Das Kreuz ist genug und wer andere Lehren verkündigt, stellt sich gegen Gott. Wenn ich aber Jesus und die Verheißung des neuen Bundes annehme, sind der Tod meiner sündigen Natur, die Rechtfertigung allein durch Glauben und eine ewig sichere Errettung miteingeschlossen. Aber kann und will ich dies so akzeptieren?

„Zur Freiheit hat uns Christus befreit! So steht nun fest und lasst euch nicht wieder das Joch der Knechtschaft auflegen!“ *Galater 5,1*

Licht und Schatten unseres Lebens

Galater 5,16-26. **Freitag, 3.**

Wer schaut schon gern auf die Schattenseiten seines Lebens? Viel lieber schauen wir auf das, was in unserem Leben glänzt – oder zumindest ansehnlich aussieht. Da kann es passieren, dass wir stolz werden und andere durch unsere Stärken in den Schatten stellen, damit sie neidisch auf unsere „Sonnenseite“ werden. Der Bibeltext warnt uns vor Stolz (V. 26). Doch woher kommt das Licht in unserem Leben? Nicht aus uns selbst. Der Geist Gottes wirkt in uns. Das ist ein Grund mehr, nicht stolz auf uns selbst zu sein. Daher sollten wir andere ermutigen, den Geist Gottes in sich wirken zu lassen. Die Frucht des Geistes (V. 22-23) ist wünschenswert für unser Leben. Besonders dann, wenn wir die Liste der Schattenseiten lesen (V. 19-21). Es geht darum, loszulassen („das Fleisch kreuzigen“) und den Geist Gottes wirken zu lassen. Darum wollen wir der Aufforderung von Paulus folgen:

„Lebt im Geist, so werdet ihr die Begierden des Fleisches nicht vollbringen.“ *Galater 5,16 (LUT84)*

Einander tragen

Galater 6,1-18 **Samstag, 4.**

Wenn ich in die Gemeinde blicke, sehe ich viel Not durch das Versagen der Menschen. Versagen sehe ich aber nicht nur bei anderen, sondern auch in meinem eigenen Leben. Jeder von uns trägt seine eigene Last, verursacht durch Schuld. Das hat auch Paulus erkannt. Oft ist diese Last verknüpft mit den Begierden des Fleisches (5,19-21). Im Bewusstsein unserer eigener Fehler sollen wir uns gegenseitig ermahnen und an Gottes Wort erinnern. Einander tragen, anstatt zu verurteilen. Helfen, anstatt gleichgültig wegzuschauen oder mit dem erhobenen Zeigefinger zu drohen. In dem Bewusstsein, dass der Geist Gottes uns hilft, sollen wir einander Gutes tun – allen Menschen, aber insbesondere unseren Glaubensgeschwistern. Wer sich vom Geist Gottes leiten und helfen lässt, kann dem Nächsten mit Sanftmut und Barmherzigkeit begegnen.

„Die Gnade unseres Herrn Jesus Christus sei mit eurem Geist.“

Galater 6,18

Wochenspruch

„Es soll nicht durch Heer oder Kraft, sondern durch meinen Geist geschehen, spricht der HERR Zebaoth.“ Sacharja 4,6b

Der ewig reiche Gott

Psalm 148 **Pfingstsonntag, 5.**

Der ganze Kosmos – ein Lobgesang. Alles, was ist, ist nur, weil es durch Gott ist und ihm sein Leben verdankt. Darum ist auch alles, was existiert, Gott das Lob schuldig. Wir loben immer erst am Ende. Wenn alles gut ausgegangen ist. Wenn der Erfolg sichtbar wird. Wenn der Sieg errungen ist. Der Psalm heute will dazu verleiten, vorweg zu loben. Als wäre schon alles gut gegangen. Als hätte Gott schon sein gutes Werk an uns vollbracht. So ist es ja auch. Er hat schon den Weg zu seinem Vaterhaus aufgemacht. Er hat schon die Arme weit ausgebreitet und ruft: „Komm in meine Arme." Er hat schon gesagt: „Ich will Euch trösten, wie einen seine Mutter tröstet." An uns ist es nur noch, uns das gefallen zu lassen. Ich werde nie weiter kommen. Staunen über die Güte und Barmherzigkeit, die kein Ende hat, die alle Tage neu ist und eine ganze Ewigkeit währt.

„Seine Güte währet ewiglich." *Psalm 107,1*

Das Hohelied Salomos

Im „Lied der Lieder", so der hebräische Titel, sind ca. 25 Liebeslieder gesammelt, die wohl bei den mehrtägigen Hochzeitsfeiern vorgetragen wurden. Sie besingen das Liebesverhältnis von Braut und Bräutigam. Bis heute wird im Orient der Bräutigam gerne als König, ja als Salomo angeredet (1,4.12; 3,11; 6,8f.; 8,11f.). Die Texte stecken voller Vergleiche und Anspielungen; so sind Weinberg und Garten Symbole für die Frau (2,15; 4,12), das Pflücken, Essen und Trinken meinen meist den Liebesgenuss (4,16f.; 7,3; 8,2). Überraschend oft ergreift die Frau das Wort, gelegentlich entspinnt sich ein Wechselgespräch.

Von Gott wird nur einmal beiläufig gesprochen (8,6), aber durchgehend spürt man die Freude an Gottes Schöpfung.

Von der geschlechtlichen Liebe spricht bereits der Schöpfungsbericht (1Mo 2,24) – hier im Hohenlied wird sie auf vielfältige Weise besungen. Alle einzelnen Abschnitte handeln von der Liebe, die „stark ist wie der Tod", von der „Leidenschaft, die unwiderstehlich ist wie das Totenreich" (8,6).

Da bei Hosea, Jeremia u. a. häufiger das Bild der Ehe für das Verhältnis Gottes zu Israel gebraucht wird, lag es nahe, auch das Hohelied allegorisch auf das Verhältnis Gottes zu seinem Volk zu deuten, später auch die Beziehung Jesu zu seiner Gemeinde. Lange Zeit ist der Text nur als Bildsprache für Gottes Liebe zu den Menschen und der Menschen zu Gott verstanden worden. Zum Glück hat man neu entdeckt, dass es die unbefangene Freude und Dankbarkeit an der Schönheit des Menschen und dem beglückenden Miteinander von Mann und Frau bejubelt. Damit leistet es einen Beitrag zur Befreiung aus Verkrampfung und Abwertung der Sexualität, wie sie in manchen christlichen Frömmigkeitsvorstellungen immer noch zu finden ist.

Vom Hirten und König

Hohelied 1,1–2,7 **Pfingstmontag, 6.**

Es braucht den richtigen Moment für eine Liebeserklärung. Wer schon mal einen Liebesbrief verfasst hat, weiß, wie schwierig es sein kann, die richtigen Worte für das zu finden, was man empfindet. Jeder Vergleich ist ein Ringen nach dem geeigneten Ausdruck der Gefühle. Die innige Liebe soll ohne Zweifel verstanden werden. So ist es auch in diesen Versen. Wer sind nur die sich Liebenden im Hohelied? So ganz eindeutig lässt sich das auf den ersten Blick nicht erkennen. Zwar handelt es sich um einen alttestamentlichen Text, dennoch erinnern mich die Verse an den Bräutigam Jesus und die Gemeinde als Braut. Die Liebe von Jesus zu uns Menschen ist köstlicher als alle irdischen Freuden (V. 1: Wein). So groß ist die Sehnsucht Gottes zu uns Menschen. In Jesus haben wir diese Liebe empfangen und dürfen sie erwidern.

„Ich habe dich je und je geliebt, darum habe ich dich zu mir gezogen aus lauter Güte." *Jeremia 31,3*

Der rettende Freund

Hohelied 2,8–3,11 **Dienstag, 7.**

Es mag wohl einige geben, die davon träumen, als Prinz die Prinzessin zu retten. Wie viel mehr Prinzessinnen hoffen auf ihren Prinzen, der in Schönheit daherkommt. Soweit die Vorstellung in Märchen und Träumen. Die Botschaft im Hohelied geht viel tiefer, auch wenn der Freund hier ebenfalls als Schönling beschrieben wird. Die Freundin scheint hinter Mauern und Gittern gefangen zu sein. Der Freund Jesus rettet von aller Gefangenschaft der Sünde. Etwas Neues bricht auf, wie die Knospen an den Feigenbäumen und die Blüten an den Reben (V. 13). Jesus bringt das Leben zum Blühen. Allen Zweifel, der wie Füchse alles untergraben will und Gruben gräbt, soll der Freund einfangen (V. 15). „Mein Freund ist mein und ich bin sein" (V. 16) ist sicher eine der Kernaussagen im ganzen Lied. Die Zugehörigkeit durch den befreienden Messias Jesus wird in diesem Vers besonders deutlich.

„Fürchte dich nicht, denn ich habe dich erlöst; ich habe dich bei deinem Namen gerufen; du bist mein!" Jesaja 43,1

Du bist schön!

Hohelied 4,1–5,1 **Mittwoch, 8.**

Alles an dir ist schön. Deine Augen, Nase, Bauch, Po und Füße. Alles, auch die kleine Delle an deinem Bein und die abstehenden Ohren. Alles an dir ist schön! Die Worte, die der Liebende hier nutzt, sind voller Wertschätzung. Wann haben wir zuletzt jemandem solche Worte gesagt oder selbst gehört? Über den Körper redet man nicht. Und wenn doch, dann vergleichen oder beurteilen wir uns. Dabei ist doch alles an uns von Gott geschaffen! Darüber zu reden sollte nicht peinlich sein und schon gar nicht verurteilend. Diesem Mann wurde sein Herz gestohlen. Er hat es an eine Frau verloren. In ihr erkennt er die wunderbare Schöpfung Gottes. Auch du bist Teil dieser Schöpfung. Das anzunehmen, fällt nicht leicht. Doch es lohnt sich, Gottes Blick auf dich und andere einzunehmen. Lass es dir heute zusagen: Du bist schön!

„Du bist schön, ganz wunderschön, meine Freundin, und kein Makel ist an dir." Hohelied 4,7

Liebeskrank

Hohelied 5,2-16 **Donnerstag, 9.**

Wer einmal Liebeskummer hatte, kann den Schmerz über den Weggang des Geliebten nachvollziehen. Alles tut weh. Man fühlt sich erschlagen. Das zeigt mir: Die Bibel ist nicht weltfremd. Sie kennt das Leben in allen Facetten. Das Herzklopfen, aber auch das schmerzliche Vermissen. Das lässt mich immer wieder erstaunt in ihr lesen und spüren: Sie hat etwas mit meinem Leben zu tun! Gleichzeitig zeigt mir der Text noch etwas anderes. Dabei stellt sich die Frage, wie man das Hohelied auslegt. Wörtlich oder als Übertragung der Beziehung zwischen Gott und seinem Volk? Ich glaube, beides ist richtig und lässt mich sowohl etwas über das Leben als auch über Gott lernen. Wenn ich das so sehe, dann zeigt es mir auch, wie sehr Gott sich nach Beziehung zu uns Menschen sehnt. So sehr, dass es fast wehtut. Was für eine Zusage: Gott sehnt sich nach dir!

„Wenn ihr meinen Freund findet, was sollt ihr ihm sagen? Dass ich krank bin vor Liebe.“ *Hohelied 5,8*

Lust und Liebe

Hohelied 6,1–7,10 **Freitag, 10.**

Weiter geht es mit den Liebesworten. Es geht um Anziehung und Freude, um Vermissen und Begehren. Das gehört zum Leben dazu. Es ist immer beides ein Teil von mir: Geistliches und Leibliches. Deshalb darf und muss auch über Sexualität als Teil des Lebens gesprochen werden. So wie hier. Es wird die Lust besungen. Die Lust am Leben, am Lieben, an seinem Gegenüber, an der Schönheit und Pracht der Schöpfung. Ist es nicht so, dass einem der Mund übergeht und man in den höchsten Tönen schwärmt, wenn man von der Schönheit von etwas – sei es ein Mensch, Kunst oder Natur – ergriffen ist? Dann sehe ich, was Gott mir schenkt. Dann darf ich durch seine Augen sehen. Und ich frage mich: Was lässt mich ins Schwärmen kommen? Von wem lasse ich mich anziehen? Wen sehe ich durch die Augen des Schöpfers in all seiner Schönheit?

„Lasst uns lieben, denn er hat uns zuerst geliebt." *1. Johannes 4,19*

Die Kraft der Liebe

Hohelied 7,11–8,14 **Samstag, 11.**

Liebe hat eine Kraft, die scheinbar alles überwindet, was uns im Wege steht. Weder Feuer noch Wasser – nicht einmal der Tod kann ihr etwas anhaben. In der Geschichte werden uns immer wieder solche Liebesgeschichten erzählt, die sich durch nichts aufhalten lassen. Vielleicht dürfen wir selbst erleben, dass Liebe so manche Schwierigkeiten überwindet. Alles in dem Wissen, dass das nicht selbstverständlich ist. Denn menschliche Liebe kommt immer wieder an Grenzen. Doch unsere menschliche Liebe verweist auch immer auf eine Liebe, die tatsächlich unumstößlich ist: die Liebe Gottes zu uns Menschen. Sie ist stärker als alle Hürden und überwindet sogar den Tod. Diese Liebe hört niemals auf! Du bist geliebt mit der größten und stärksten Liebe, die es gibt!

„Viele Wasser können die Liebe nicht auslöschen noch die Ströme sie ertränken." *Hohelied 8,7*

Wochenspruch

„Die Gnade unseres Herrn Jesus Christus und die Liebe Gottes und die Gemeinschaft des Heiligen Geistes sei mit euch allen!"
2. Korinther 13,13

König Gott

Psalm 93 **Sonntag, 12.**

Alleine der erste Vers macht diesen Psalm schon zu etwas Besonderem. Der gesamte Psalm erklärt uns Menschen, wie wir Gott begegnen können. In der Bibelübersetzung nach Martin Luther (1984) wird dieser Psalm mit den einfachen und klaren Worten überschrieben: „Der ewige König". Mehr will uns der heutige Text auch gar nicht erklären. Dieser recht kurze Psalm – nur fünf

Verse – spricht mit jedem Wort davon, was und wie Gott ist: königlich. Er ist König über die Erde und die gesamte Natur. Der Psalmist schreibt davon, wie ihm das Wasser im Meer genauso gehört und gehorcht wie auch die Dinge auf dem Erdkreis.
Es ist für uns damit eigentlich selbstverständlich, diesem König Ehre zu bringen. Machen Sie an diesem Sonntag in der Stillen Zeit nichts anders, als Gott zu loben. Reden Sie mit ihm, wie man mit einem richtigen König spricht. Und bringen Sie ihm einfach nur Dankbarkeit und Ehre. Das ist genug.

„Der HERR ist König und herrlich gekleidet.“ *Psalm 93,1*

Das Buch der Richter

Das Buch Richter schildert die Ereignisse in der sog. „vorstaatlichen Zeit“ oder „Richterzeit“, also der Zeit zwischen der Landnahme unter Josua und der Königszeit, die mit Saul begann. Es war eine turbulente Zeit. Über längere Zeit fehlte eine politisch starke und geistlich überzeugende Führungsperson. „Zu der Zeit war kein König in Israel, und jeder tat, was ihn recht dünkte“ (17,6; 18,1 u. ö.). Einige Hinweise zum besseren Verstehen der Richterzeit:
1. Ri 1 zeigt: Das Land Kanaan ist noch längst nicht vollständig erobert. Die eher kargen Höhen werden besiedelt, die fruchtbaren Ebenen und festen Städte sind weiter in der Hand der Kanaaniter. Die Folge sind entweder viele Kämpfe einzelner Stämme gegen die Einheimischen oder aber Verträge mit ihnen, was dann oft zur teilweisen Übernahme ihrer Religion führte.
2. Im neuen Land erleben die Israeliten Kulte, in denen Fruchtbarkeitsgötter („Baale“) verehrt werden, die angeblich für Regen, gute Ernten, Gesundheit und Nachkommen zuständig sind. Ist der Gott Israels nur der „Gott der Geschichte“ oder auch der „Gott der Natur“? Muss man nicht ihn und Baal verehren? Die alleinige Verehrung Jahwes, des Gottes Israels, war Grundlage

für die Einheit des Volkes. Dieser Zusammenhang löste sich jetzt mehr und mehr auf.

3. Es gab damals nur ein Amt, das ganz Israel betraf, das der sog. „kleinen Richter". Zwei „Richterlisten" (Ri 10,1-5; 12,7-15, auch 1Sam 7,15-17) zeigen: Es war ein lebenslanges Amt und diente der Schlichtung von Streitigkeiten zwischen den Stämmen und zur Klärung schwieriger Streitfälle vor Ort.

4. Ausführlich wird von den sog. „großen Richtern" berichtet. Die Bezeichnung ist für uns heute eher irreführend, da sie eigentlich keine „Richter" sind, sondern „charismatische Heerführer". „Charismatisch", weil es bei ihrer Berufung oft heißt: „Der Geist Gottes kam über ..." – und „Heerführer", weil sie in einer Notlage von Gott an die Spitze des Heers gegen meist überlegene Feinde gestellt wurden. Jeweils aber wird deutlich, dass nicht der jeweilige Richter, sondern Gott selbst – oft auf wunderbare Weise! – den Sieg erringt. War der Konflikt überstanden, wurden sie wieder normale Stammesmitglieder; sie hatten eine zeitlich begrenzte Aufgabe.

5. Die Schlusskapitel 17–21 fallen aus dem Gesamtrahmen. Die Probleme der Stämme Dan und Benjamin zeigen aber deutlich die teils chaotischen Zustände in der „Richterzeit".

6. Beeindruckend in all dem Durcheinander und dem häufigen Abfall zu anderen Göttern ist die Treue Gottes zu seinem Volk. In „Gericht und Gnade" hält er an Israel fest. Viele erkennen in der allgemeinen Skizze der Richterzeit in Ri 2,11-23 einen festen Geschichtsablauf:

1. Abfall von Gott,
2. Unterdrückung durch die Feinde,
3. Hilfeschrei zu Gott,
4. Gottes Rettung durch Berufung eines „großen Richters".

Wichtiger als die Entdeckung eines Schemas ist jedoch das Staunen über Gottes immer neue rettende und vergebende Verlässlichkeit. Er hält sein Bundesversprechen bis heute – zu unserem Wohl und Heil.

Gott weist auf Fehler hin

Richter 1,1-3.17-21 **Montag, 13.**

In diesem Text wird die Geschichte des Volkes Israels weitererzählt. Das Buch der Richter schließt sich direkt an die Ereignisse im alttestamentlichen Buch Josua an.
Mir fällt es schwer, in diesem Text etwas „Positives“ zu erkennen, geht es doch um Kriege, Schlachten und Vertreibungen. Warum Gott diese Geschichte in die Bibel gehoben hat, ist mir lange nicht verständlich gewesen. Dennoch nehme ich einen ermutigenden Ansatz mit: Die Stämme von Juda und Simeon siegen in der Schlacht über die Kanaaniter in Zefat. Sie geben der Stadt einen neuen Namen: „Horma“. Das bedeutet so viel wie „verbannter Ort“.
An diesem Ort war nun für alle Menschen klar, dass dort vorher schlimme Dinge passiert sind. Gott will auf falsche Dinge aufmerksam machen und weist die Menschen damals auf Fehler hin. Tut Gott dies auch heute noch? In unserem Leben? Wie weist er uns auf Fehler hin und erkennen wir diese Hinweise dann auch?

„Siehe, ich habe das Land in seine Hand gegeben.“ *Richter 1,2*

Kompromisse machen?

Richter 1,27–2,5 **Dienstag, 14.**

Das Buch Richter beschreibt eine Menge weiterer Kämpfe der einzelnen Stämme Israels. Nicht immer waren sie erfolgreich und konnten alle Länder zurückerobern. Viele der Texte sprechen davon, wie die Kanaaniter, Edomiter und Amoriter mitten unter den Israeliten wohnen bleiben und sich so die Traditionen und Lebensweisen vermischt haben. Gott aber toleriert diese neue Lebensweise nicht. Hat er denn nicht den israelischen Stämmen versprochen und aufgetragen, das Land komplett zu erobern? Gott gibt sich nicht mit Kompromissen zufrieden, sodass er damals (wie auch heute) deutlich spricht, dass so nicht weitergelebt werden kann.

„Ihr aber solltet keinen Bund schließen mit den Bewohnern dieses Landes und ihre Altäre zerbrechen. Aber ihr habt meiner Stimme nicht gehorcht. Warum habt ihr das getan?“ *Richter 2,2*

Gott kann sich auch gegen uns stellen

Richter 2,6-23 **Mittwoch, 15.**

Mit dem Tode Josuas entsteht eine völlig neue Situation. Plötzlich sind die Israeliten gefordert, darauf zu achten, dass alle Gebote von Gott eingehalten werden, um ein gottesfürchtiges Leben zu führen. Es gibt nun keinen Josua mehr, der die Begegnungen mit Gott selbst erlebt hat und von Wundern und Zeichen persönlich erzählen konnte. Jeder Einzelne war nun gefordert, an dem festzuhalten, was ihm erzählt wurde. Doch leider schien das nicht lange gut zu gehen. Schon nach kurzer Zeit vergaßen die Menschen, was ihre Vorfahren mit Gott erlebt haben. Als Gott sie daraufhin verlässt, sind die Menschen gefordert, alle Erfahrungen noch einmal selbst zu machen, weil sie nicht überzeugt von dem waren, was ihre Vorfahren erzählt und durchlebt hatten.
Wie oft vergessen wir vergangene Zeiten und machen alte Fehler immer wieder neu. Auch wir brauchen Gottes starke und führende Hand, die uns stark werden lässt.

„Sondern sooft sie auszogen, war des HERRN Hand wider sie zum Unheil, wie denn der HERR ihnen gesagt und geschworen hatte. Und sie wurden hart bedrängt.“ *Richter 2,15*

Debora und Jaël

Richter 4,1-24 **Donnerstag, 16.**

Allzu häufig kommen die mächtigen und einflussreichen Frauen in der Bibel leider nicht vor. Umso wichtiger, dass solche Erzählungen wenigstens einige ihrer Stimmen aufbewahren. Keine Selbstverständlichkeit in einer Welt, die sonst von Männern für Männer gemacht zu sein scheint. Hier sind es gleich zwei starke Frauen, die die Geschicke der Geschichte lenken: Die richtende

Prophetin Debora und die wenig zimperliche Jaël. Sie stechen heraus, werden sichtbar und sind damit unermesslich wichtige Ausnahmen in den von Männern erdachten Regeln, in den meist von Männern erzählten Geschichten. Welche starken Frauen werden mir wohl heute begegnen?

„Sie sprach: Ich will mit dir gehen; aber der Ruhm wird nicht dir zufallen auf dem Weg, den du gehst, sondern der HERR wird Sisera in die Hand einer Frau ausliefern." *Richter 4,9*

Sonne und Schatten

Richter 5,1-31 **Freitag, 17.**

Das alte Deboralied ist kein seichtes Geträller. Weder ist sein Aufbau einfach zu verstehen noch ist sein Inhalt leicht zu verdauen: Es ist ein Kriegslied. Jaël ist wieder dabei, mitten im Kriegsgetümmel, und wir erfahren noch mehr schaurige Details über ihre „Ruhmestat" (V. 24-27). Debora singt von Schlachten, von Strategie und Allianzen – und mittendrin: Ihr Gott als große Kriegsgestalt. Ist das nicht verstörend? Der Gott des Friedens zieht mit (V. 13) – geradewegs hinein in das Chaos des Krieges. Gott als Lebenslicht für die einen und als Todesschatten für die anderen? Aber lässt Gott denn nicht seine Sonne aufgehen über gute und böse Menschen gleichermaßen (Mt 5,45)? Wie könnte ich selbst heute über Menschen leuchten?

„So sollen umkommen, HERR, alle deine Feinde! Die ihn aber lieb haben, sollen sein, wie die Sonne aufgeht in ihrer Pracht!" *Richter 5,31*

Schicksal und Erwartung

Richter 6,1-10 **Samstag, 18.**

Der Auftakt zur bekannten Geschichte von Gideon ist zunächst wenig ermutigend: Die demütigende Ausbeutung der Israeliten durch die Midianiter treibt das Volk an den Rand der Verzweiflung. Aber „Not lehrt beten", könnte man sagen. Die Antwort lässt nicht lange auf sich warten. Dabei klingt sie fast so, als habe Gott seiner Schuldigkeit doch schon lange Genüge getan, damals, in Ägypten. Oder ist es nicht vielleicht doch eine Mut machende Erinnerung daran, welchem Gott man sich da überhaupt anvertraut? Befreiung ist schließlich Gottes Kerngeschäft und darf erwartet werden! Was erwarte ich denn eigentlich von Gott?

„So spricht der HERR, der Gott Israels: Ich habe euch aus Ägypten heraufgeführt und heraus aus der Knechtschaft und habe euch errettet aus der Hand der Ägypter und aus der Hand aller, die euch bedrängten." *Richter 6,8-9*

Wochenspruch

„Christus spricht zu seinen Jüngern: „Wer euch hört, der hört mich; und wer euch verachtet, der verachtet mich."

Lukas 10,16

Ruhe und Frieden

Psalm 76 **Sonntag, 19.**

Bei den ganzen Kriegsgeschichten des Richterbuchs braucht es ein ordentliches Gegengewicht. Glaube ich denn tatsächlich an einen Gott, in dessen Namen die Schlachtfelder bestellt werden? Der 76. Psalm trägt eine hoffnungsvolle Ahnung in sich, dass Gott darüber hinausgeht. Mehr noch: Der Psalm scheint sich danach zu sehnen, dass Gott dem Kriegen und Streiten ein friedvolles Ende setzt. Das Bild vom friedlich schlafenden Kriegsgetöse, die V. 6-7 ausmalt, hat etwas zutiefst Beruhigendes. Wenn es doch so leicht ginge mit den Kriegen – einfach eine Nacht drüber schlafen. Aber wer weiß, vielleicht wäre es ja etwas für meine ganz persönlichen Konflikte ...

„Beraubt sind die Stolzen und in Schlaf gesunken, und allen Kriegern versagen die Hände. Von deinem Schelten, Gott Jakobs, sinken in Schlaf Ross und Wagen." *Psalm 76,6-7*

Gott braucht keine Helden.

Richter 6,11-24 Montag, **20.**

Heldengeschichten sind sehr beliebt, nicht nur bei Kindern. Aber Gideon ist kein Held. Aus Angst vor den Midianitern drischt er den Weizen heimlich in der Kelter, wo ihn niemand beobachten kann. Er ist auch kein Glaubensheld. Das Erste, was ihm beim Segensgruß des Engels einfällt, sind Fragen, Zweifel und Vorwürfe Gott gegenüber. Und er ist kein strahlender Prinz. Seine Familie ist unbedeutend und er selbst ist der jüngste Sohn seines Vaters. Und ausgerechnet mit diesem Mann will Gott Geschichte schreiben? – Ja doch! „Geh hin in dieser deiner Kraft!“ (V. 14), sagt Gott. Wenn Gott jemanden gebrauchen will, reichen fünf Brote und zwei Fische oder eine Durchschnittsbegabung wie bei Gideon. Weder Mose, Jeremia noch Saul halten sich für geeignet. Anders als Petrus – der an seinem großen Sendungsbewusstsein scheitert. Und wie geht es uns mit Gottes Aufträgen?

„Gott widersteht den Hochmütigen, aber den Demütigen gibt er Gnade.“ *1. Petrus 5,5*

Klare Verhältnisse

Richter 6,25-32 Dienstag, **21.**

Gott will klare Verhältnisse. Und Gideon braucht sie auch, wenn er für Gott wirksam werden will. Und wir selbstverständlich ebenfalls. Bisher hat Gideon offensichtlich kein Problem damit, dass ausgerechnet sein Vater einen Baalsaltar betreibt und eine Ascherastatue verehrt. Das ganze Dorf wird dadurch verführt zu glauben, dass diesen Götzen angeblich die Fruchtbarkeit von Menschen, Vieh und Äckern zu verdanken ist. Die Nachbarn werden ihn lynchen und sein Vater wird toben, wenn sein Jüngster diese Kultstätten in einer Nacht- und Nebelaktion niederreißt und auch noch zwei wertvolle Stiere für seine Aktion entwendet. Aber Joas stellt sich vor seinen Sohn. Er spürt wohl, dass hinter dem Alleingang Gideons tatsächlich der Gott seiner Väter steckt. Und auch das Volk wird eines Besseren belehrt, sodass es schon bald Gideon in den Kampf folgt. Eindeutigkeit zahlt sich aus.

„Wie lange hinkt ihr auf beiden Seiten?“ *1. Könige 18,21*

Zwischen Gewissheit und Verunsicherung

Richter 6,33-40 **Mittwoch, 22.**

Wie schon so oft wird das Volk Gottes von Feinden bedroht. Gideon ist voller Tatendrang und ruft die wehrfähigen Männer des Stammes Manasse zusammen. Das dauert natürlich einige Tage. Zwischenzeitlich scheint er Angst vor der eigenen Courage zu bekommen und braucht, obwohl er vom Geist des Herrn erfüllt ist, Vergewisserung. Es ergeht ihm wohl wie uns auch: Gottes Geist erspart uns nicht das innere Ringen um die richtige Entscheidung. Wie bereits bei seiner Berufung erbittet Gideon – nein er fordert es geradezu – ein Zeichen. Gott lässt sich darauf ein. So etwas gibt es offenbar. Aber wir müssen sehen: Es geht nicht um irgendwelche Privatangelegenheiten von Gideon. Wir befinden uns vielmehr vor einer wichtigen Weichenstellung der Geschichte Gottes mit seinem Volk. – Welche Möglichkeiten kennen Sie, um Gottes Willen und Führung zu erkennen?

„Weise mir, HERR, deinen Weg, dass ich wandle in deiner Wahrheit.“
Psalm 86,11

Wo sind all seine Wunder?

Richter 7,1-15 **Donnerstag, 23.**

Viel hilft viel. Oder doch nicht? – Der entscheidende Kampf gegen die Midianiter rückt näher. Gott will das Volk nicht nur von seinen übermächtigen Feinden befreien. Er möchte vor allem sicherstellen, dass dieser Sieg zu einer starken Glaubenserfahrung wird. Erinnern wir uns an die Eingangsfrage Gideons bei der Begegnung mit dem Engel des HERRN (6,13): „Wo sind alle seine Wunder, die uns unsere Väter erzählten und sprachen: ‚Der HERR hat uns aus

Ägypten heraufgeführt?'" So findet ein mehrstufiges Auswahlverfahren statt, an dessen Ende nur rund ein Prozent der mühsam zusammengerufenen Soldaten zum Einsatz kommen. Erneut beseitigt Gott durch ein Zeichen, den Traum eines gegnerischen Soldaten, alle Zweifel und Furcht bei Gideon. Endlich hat er verstanden, was wir Menschen so schwer nur akzeptieren können:

„Es soll nicht durch Heer oder Kraft, sondern durch meinen Geist geschehen, spricht der HERR Zebaoth." *Sacharja 4,6*

Gott allein ist Israels Retter

Richter 7,16–8,3 **Freitag, 24.**

Gideon hatte, auf Gottes Anweisung, seine Streitmacht radikal reduziert (V. 2-8). Die 300 Krieger, die übrig blieben, sind für einen direkten Angriff viel zu wenige – also musste Gideon mit List handeln. Er teilte sein Heer in drei Gruppen, die nachts das Lager der Midianiter umzingeln sollten. Sie sollten dann so viel Lärm machen, dass die Gegner verwirrt würden. Der Kern der Strategie: Jahwe, der Gott Israels, richtete „eines jeden Schwert gegen den anderen" (V. 22). Nicht die Israeliten besiegten die Midianiter – die Midianiter besiegten sich selbst.
Das ist mehr als nur eine gelungene Kriegslist. Gott macht deutlich, dass sich Israel nicht aus eigener Kraft von den fremden Mächten befreien kann. Es kann nur „stehen" (V. 21) und zusehen, wie Gott handelt. Nicht Israels Stärke rettet, sondern Gottes Macht.

„Es soll nicht durch Heer oder Kraft, sondern durch meinen Geist geschehen, spricht der HERR Zebaoth." *Sacharja 4,6*

Die wahren Machtverhältnisse

Richter 8,22-35 **Samstag, 25.**

Wie verführerisch: den Kriegshelden zum Herrscher zu machen. Der starke Mann, nach dem man sich sehnt. Er hat ja schon bewiesen, dass er siegen kann und damit sein Volk zu bewahren ver-

mag. „Sei Herrscher über uns“ (V. 22). Und am besten gleich auch dein Sohn und dein Enkel. Eine Gideon-Dynastie verspricht Sicherheit und Kontinuität.
Gideon widersteht der Versuchung der Macht. Er weiß, dass er nicht aus eigener Kraft die Feinde Israels besiegt hat. Jahwe, der Gott Israels, hat Gideon berufen und begabt. Gott hat die Feinde besiegt und sein Volk beschützt. Darum stellt Gideon klar: „Der HERR soll Herrscher über euch sein.“ (V. 23b). Wenn Menschen sich anmaßen, Gottes Macht als die eigene Macht auszugeben, werden sie scheitern. Wenn sich die Macht von Gott löst, wird sie zerstörerisch.

„Fraget nach dem HERRN und nach seiner Macht, suchet sein Angesicht allezeit!“ *1. Chronik 16,11*

Gewalt in der Bibel

Ist die Bibel ein gewalttätiges Buch, vor allem das Alte Testament? Vor allem der sogenannte „Bann“, die völlige Vernichtung von Städten mit allem, was darin lebt (z. B. Jos 6,20f.), ist nur schwer zu ertragen. Aber auch die Kämpfe, von denen das Buch der Richter ausführlich berichtet. Für die einen ein Grund, sie verächtlich zur Seite zu legen. Für andere ist Gewalt gerechtfertigt – weil sie in der Bibel steht.
Die Welt, in der Israel mit Josua um sein Existenzrecht kämpfte, war geprägt von Verdrängungskämpfen. Von einem „Bann“, der völligen Vernichtung des Gegners, sprechen auch außerbiblische Quellen. Und: Wer alles Wertvolle seiner Feinde vernichtet, konnte sich daran nicht bereichern. Für uns heute sicherlich kein geeignetes Mittel, um das Zusammenleben der Völker zu ermöglichen.
Die Kämpfe der Richterzeit waren vor allem Verteidigungskriege gegen äußere Feinde. Moabiter, Midianiter, Philister. Gott beruft Kämpfer – mit Deborah auch eine Frau –, die Israel für kurze Zeit

von den bedrängenden Nachbarvölkern befreiten. Israel konnte sich so, mit Gottes Hilfe, einigermaßen behaupten – konnte sich aber nie endgültig befreien, weil es immer wieder in alte Verhaltensweisen zurückfiel, in denen Gott keine große Rolle spielte.
Zur Zeit Davids änderten sich die Machtverhältnisse. Er eroberte, ganz im Stil der damaligen Großreiche in Ägypten und am Euphrat, ganze Landstriche von seinen Nachbarvölkern.
Die Geschichte Israels, auch der gewaltsamen Auseinandersetzungen, zeigt: Israel war ein Volk wie andere Völker auch, dass in einer gefallenen Welt darum kämpfen musste, seine Identität zu erhalten und sich gegen Feinde zu behaupten. Und mitten in dieser Geschichte steht Gott seinem Volk bei, verhilft ihm zum Sieg gegen seine Feinde, lässt auch Niederlagen zu und zieht auch sein Volk zur Rechenschaft.
In jüngeren Texten des Alten Testaments entsteht dann die Vision eines völkerübergreifenden Friedensreiches (Jes 2,3f.; Micha 4,3f.; Jes, 65,17ff.). Gottes Gerechtigkeit wird sich durchsetzen. Beginnend mit seinem Volk und dann auf alle Völker ausstrahlend. Nicht mehr Gewalt wird herrschen, sondern Frieden, Schalom. Ein Gegenbild zu der langen, gewaltsamen Geschichte nicht nur Israels, sondern aller Völker. Gott ist erst am Ziel, wenn er Frieden für alle schafft. Im Neuen Testament wird dann ein neues Kapitel der Geschichte Gottes mit allen Völkern aufgeschlagen ...

Wochenspruch

„Kommt her zu mir, alle, die ihr mühselig und beladen seid; ich will euch erquicken." *Matthäus 11,28*

Was für ein Gott

Psalm 36 **Sonntag, 26.**

David staunt über die Güte und Wahrheit Gottes, die Gerechtigkeit und das Recht Gottes in vielen Bildern und Vergleichen. In allen Lebenslagen hilft Gott seinen Menschenkindern (V. 8) und bietet Schutz und Hilfe an. Er will geben. Er will helfen. Und sie über alle Maßen versorgen. „Denn bei dir ist die Quelle des Lebens, und in deinem Lichte sehen wir das Licht" (V. 10). Das ist die Aussage, die alles umfasst: die Quelle des Lebens bei Gott. Diese Quelle erfrischt unser Leben. Wir erkennen im Licht Gottes, wer wir sind und welche Auswirkungen Gott in unserem Leben hat. Haben Sie diese Quelle bei Gott schon gefunden und leben Sie als sprudelnde Quelle für Gott? In Joh 4,14 heißt es: „Wer aber von dem Wasser trinkt, das ich – der Sohn Gottes – ihm geben werde, wird niemals mehr durstig sein ..." (NGÜ) Der lebendige Gott stillt unseren Lebensdurst. Dann werden wir staunen, wie er uns gebraucht und zu einer sprudelnden Quelle werden lässt.

„Denn bei dir ist die Quelle des Lebens." *Psalm 36,10*

Zerstörerische Machtgier

Richter 9,1-6 **Montag, 27.**

Der Vater, Gideon, hatte noch der Verführung der Macht widerstanden, sein Sohn Abimelech will unbedingt König von Israel werden – koste es, was es wolle. Seine Argumente klingen gut: „Besser ist, dass einer herrscht, als dass sich 70 potenzielle Anwärter auf den Thron streiten" (V. 2a) Und: „Ich bin doch einer von euch. Ihr kennt mich. Wir gehören zusammen." (V. 2b).

Seine Argumente scheinen zu verfangen, denn die Brüder seiner Mutter zweigen Geld aus einem Tempel ab. Damit bezahlt Abimelech Meuchelmörder, die seine 70 Brüder und potenziellen Konkurrenten um den Königsthron umbringen (V. 3-5). Abimelech nimmt sich mit Gewalt, was er auf legalem Weg nicht erreicht.

Ein Musterbeispiel für die Gier nach Macht, die Leben zerstört und letztlich das Zusammenleben zerrüttet. So entsteht kein Vertrauen. Kein Zusammenhalt. Keine gemeinsame Zukunft.

„Brüstet euch nicht mit Macht!" *Psalm 75,5*

Mut zur Wahrheit

Richter 9,7-21 **Dienstag, 28.**

Manche Wahrheit kann man nicht direkt aussprechen. Aus Angst vor den Mächtigen, die einem das Leben schwer machen können – oder sogar, wie bei Jotam, dem Sohn Gideons, das Leben kosten können. Er war als Einziger dem Blutbad an seinen 69 Brüdern entgangen, das sein machtsüchtiger Bruder Abimelech in Auftrag gegeben hatte (V. 5). Jotam musste also vorsichtig sein mit dem, was er sagt. Und darum erzählt er eine Geschichte, mit der er, wohlverpackt in Bildern, seinen Bruder, den König Israels, bloßstellt (V. 8-15).

Ein mutiges Unterfangen. Jotam gelingt es gerade noch, sich dem Zorn Abimelechs zu entziehen (V. 21). Aber einer muss den Mut haben auszusprechen, was falsch läuft. Unrecht kann keine Basis für eine gute Herrschaft sein. Für kurze Zeit kann es dem Machterhalt dienen – aber letztlich hat Unrecht keine Zukunft.

„Den Königen ist Unrecht tun ein Gräuel; denn durch Gerechtigkeit wird der Thron befestigt." *Sprüche 16,12*

Die wahre Macht

Richter 9,50-57 **Mittwoch, 29.**

So schnell endet die Herrschaft Abimelechs: „Als aber die Israeliten sahen, dass Abimelech tot war, ging ein jeder heim." (V. 55). Die Herrschaft, für die Abimelech so sehr gekämpft hatte und für die er „über Leichen gegangen ist", verflüchtigt sich unmittelbar nach seinem Tod. Als habe es sie nie gegeben. Die Einheit, die er versprochen hatte (V. 2), hat sich als vergänglich und vergeblich erwiesen. Und dafür ist so viel Unrecht geschehen?

König in Israel zu sein bedeutet nicht nur Macht zu haben, sondern auch für Gerechtigkeit einzustehen. Denn Jahwe, der Gott Israels, liebt Gerechtigkeit und hasst Unrecht. Nur so kann ein Volk als Gemeinschaft bestehen. Die Macht des Unrechts ist begrenzt – die Gerechtigkeit schafft wahre Macht.

„Denn ich bin der HERR, der das Recht liebt und Raub und Unrecht hasst.“ *Jesaja 61,8*

Zu Risiken und Nebenwirkungen ...

Richter 13,1-25 **Donnerstag, 30.**

Gottes Plan für einen Neuanfang ist gut und sorgfältig durchdacht. Und diesmal kann eigentlich auch nichts schiefgehen. Er schickt extra einen Engel, um die Eltern des künftigen Retters (Simson) in seine Pläne einzuweihen und sie dafür zu gewinnen. Aber Manoah ist ein kritischer Zeitgenosse, der sich nicht so leicht überzeugen lässt. Ihm klingt das alles äußerst komisch. Und vor allem unsicher, was der Gottesbote da erzählt. Deshalb fragt er nach, will dies und jenes noch wissen, die eine oder andere Sache noch klären, bevor er sich auf den Plan einlässt. Am Ende aber reichen alle Antworten nicht aus, und Manoah scheint an Gottes gutem Willen zu verzweifeln. Gott zu folgen, beinhaltet auch Risiken und Nebenwirkungen. Wer die nicht eingehen will, wird früher oder später am Glauben scheitern.

„Wer seine Hand an den Pflug legt und schaut zurück, der ist nicht geschickt für das Reich Gottes.“ *Lukas 9,62*

Monatsspruch Juli
Meine Seele dürstet nach Gott, nach dem lebendigen Gott.
Ps 42,3

Außer Kontrolle

Richter 14,1-20 **Freitag, 1.**

Wenn Feuerwehrleute davon reden, dass ein Brand außer Kontrolle geraten ist, dann ist die Not sehr groß. Dann wüten die Flammen ungehindert und Löscharbeiten bewirken nichts mehr. So ähnlich scheint die Situation in unserem heutigen Text: Simson lässt sich von seinem impulsiven, unbelehrbaren Temperament treiben und richtet großen Schaden an. Nichts und niemand hält ihn auf; selbst von seinen Eltern lässt er sich nicht korrigieren. Alles scheint außer Kontrolle. Doch wer aufmerksam liest, wird feststellen, dass Gott selbst in diesem Chaos noch Herr der Lage ist. Er lenkt Simson trotz seiner unbeherrschten Art und nutzt sogar seine Schwächen und Fehler, um sie in seinen Plan einzubauen. Was ist das für ein Gott!

„Des Menschen Herz denkt sich seinen Weg; aber der HERR allein lenkt seinen Schritt.“ *Sprüche 16,9*

Für kantige Typen

Richter 15,1–16,3 **Samstag, 2.**

Wie ein Terrier, der sich von der Leine losgerissen hat, wütet Simson unter den Philistern. Mit seinem cholerischen Temperament lässt er sich durch nichts und niemanden aufhalten. Mit dem Ergebnis: Chaos und Zerstörung, wohin man auch blickt. Eigentlich disqualifiziert er sich damit selbst. Denn wozu kann man einen solchen Mann noch gebrauchen? Doch Gott sieht das scheinbar anders: Er versorgt seinen „Helden“ mit geistlicher (V. 14) und körperlicher Nahrung (V. 19) und macht damit deutlich, dass er hinter ihm steht; ihn sogar ermutigt, weiterzumachen. Für Außenstehende ist das schwer nachvollziehbar. Für kantige und unbequeme Simson-Typen aber ist es das Evangelium: Gott gebraucht nicht nur die aalglatten Typen, sondern auch mich!

„Was töricht ist vor der Welt, das hat Gott erwählt.“ *1. Korinther 1,27*

Wochenspruch
„Der Menschensohn ist gekommen, zu suchen und selig zu machen, was verloren ist." *Lukas 19,10*

Gottes Güte will unser Leben durchdringen

Psalm 52 **Sonntag, 3.**

Die Anklage gilt einem König, der immer wieder nach dem Leben von David trachtet. Alle Punkte werden aufgelistet. Dann wird von Gott das Urteil gesprochen: König Saul wird alles verlieren. Selbst sein eigenes Leben. Was hat Saul getan? Er hat Gott verlassen und sein Leben trotz der Güte Gottes in eigenwillige und zerstörerische Bahnen gelenkt.
Ab V. 10 zeigt uns der Psalmbeter, wie das Leben stattdessen gelingen kann: „Ich aber werde bleiben ... im Hause Gottes", „Ich verlasse mich auf Gottes Güte ...", Ich danke dir ...", – denn du, mein Gott, bist gut. Er ist da. Trotz aller Sorgen und Nöte. Gottes Güte und Barmherzigkeit beschenkt uns. Erstellen Sie doch eine Liste mit den vielen Situationen, in denen Sie Gottes Güte schon erlebt haben. Haben Sie heute Gott dafür gedankt und ihn im Gebet oder mit einem Lied gelobt? „Denn Du hast es getan" (V. 11), denn du, mein Gott, bist gut! – Darauf können Sie sich verlassen!

„Ich verlasse mich auf Gottes Güte immer und ewig." *Psalm 52,10*

Herz ist Trumpf!

Richter 16,4-21 **Montag, 4.**

Was Soldaten mit Waffen und Gewalt nicht schaffen, gelingt einer einzigen Frau: Sie findet den Schlüssel, um Simson zu besiegen, verrät das Geheimnis an die Philister und sorgt somit für das Ende des bärenstarken Helden. Die innigste Beziehung zweier Menschen, die uns eigentlich stärken und zum Guten motivieren soll, wird für Simson zur Falle, weil Delila nicht hinter ihrem Mann stand, sondern aufseiten der Philister. Von deren Geist wurde sie gelenkt und geleitet und war somit ein hervorragendes

Werkzeug in ihren Händen. Um ein Werkzeug in Gottes Händen zu werden, sollten beide Ehepartner vom gleichen, Heiligen Geist getrieben sein. Dann kann eine Ehe sehr viel Gutes bewirken und mit Gottes Hilfe wunderbare Kreise ziehen, die auch für andere zum Vorbild werden.

„... und eine dreifache Schnur reißt nicht leicht entzwei!“

Prediger 4,12

Die Hoffnung stirbt zuletzt?

Richter 16,22-31 **Dienstag, 5.**

Für Simson sind die Tage scheinbar gezählt. Blind und in Ketten gelegt wartet er auf seine Hinrichtung. Ein verheißungsvoller Anfang findet sein Ende in Einsamkeit und Resignation. So würde vielleicht die Schlagzeile lauten, wenn die Geschichte hier zu Ende wäre. Ist sie aber nicht. Deshalb heißt die letzte Überschrift: „... das Haar auf seinem Kopf fing wieder an zu wachsen“ (V. 22). Hiermit wird an die ursprüngliche Kraft Simsons erinnert, die durch das Abschneiden seiner Haare leider verloren ging. Das war die tragische Wende in seinem Leben. In dem Hinweis auf die wieder wachsenden Haare liegt das unübersehbare Signal, dass auch die größten und folgenschwersten Fehler bei Gott nicht das letzte Wort haben. Da, wo wir innerlich und äußerlich gefangen und unfähig sind, keimt neue göttliche Hoffnung.

„... denn meine Kraft ist in den Schwachen mächtig.“

2. Korinther 12,9 (LUT84)

Das Buch Rut

Eine kleine, in sich geschlossene, romantische Geschichte – laut Goethe „das lieblichste kleine Ganze ... das uns episch und idyllisch überliefert ist“. Das Buch Rut schlägt die Brücke von der

chaotisch-anarchischen Richterzeit, in der es spielt, zur Königszeit und damit zu Gottes weiterer Heilsgeschichte.
Während im Richterbuch alles drunter und drüber geht („Zu der Zeit war kein König in Israel", Ri 21,25), finden wir hier ein Beispiel von Liebe, Tugend und charakterlicher Größe. In der Geschichte gibt es keine Schurken, aber es gibt große Vorbilder, von deren Liebe, Treue und Güte wir lernen können.
Was für uns nichts Außergewöhnliches ist, war für die patriarchalische Gesellschaft im Alten Orient eine Sensation: Im Zentrum stehen zwei starke, selbstständige Frauen, und Rut, die Moabiterin – also eine Heidin – erweist sich durch ihr Bekenntnis zu dem Gott Israels und durch ihr Handeln als eine wahre Israelitin und wird so eine der Vorfahrinnen von König David (4,22) und damit eine Stammmutter des einen, wahren Sohnes Davids, also des Messias. Und es geht auch in dem Buch um Erlösung: Nach 5Mo 25,5-10 musste der nächste Verwandte eines kinderlos Verstorbenen dessen Witwe heiraten, um ihm einen Sohn zu zeugen – zum Fortbestand des Namens und der Familie. Damit verbunden war eine weitere Pflicht: Dieser nächste Verwandte musste auch das Land des Verstorbenen „auslösen", also kaufen, damit es der Sippe erhalten blieb. Boas ist bereit, sich dieser Verpflichtung zu stellen und Rut „auszulösen". Noomi wird dadurch „das Leben zurückgegeben" (so 4,15 wörtlich, wo in der Lutherübersetzung „Der wird dich erquicken" steht). Hinter diesen vordergründig ganz irdischen, juristischen Abläufen steht Gott, der die Geschicke der Protagonisten und die (Heils-)Geschichte lenkt. Und irgendwann einmal wird ein Nachfahre von Rut und Boas als Erlöser erscheinen ...

Hoffnungsvoll im Leid

Rut 1,1-22 **Mittwoch, 6.**

Sie hat nahe Menschen verloren, fühlt sich leer. Ihr Lebensglück ist zerbrochen. Hat Gott sie vergessen? Ist er gegen sie? Welchen Namen setzen Sie ein, um von einem ähnlichen Schicksal zu erzählen? Hier ist es Noomi. Ihr Name bedeutet „die Liebliche".

Passend zu ihrem Los möchte sie aber „die Bittere“ genannt werden. Sie selbst ist nicht verbittert. Sie hat gehört, dass die Hungersnot in Israel zu Ende ist und Gott sich über sein Volk erbarmt hat. Wendet sich dieser Gott auch ihr zu? Die Hoffnung setzt sie in Bewegung. Ihre Schwiegertöchter folgen ihr, aber sie denkt an die Zukunft der beiden und will sie zurückschicken. Rut lässt sich nicht abweisen. Mit einem Treuegelöbnis bindet sie sich an Noomi. Teilt sie ihre Hoffnung auf den Gott Israels? Teilen wir diese Hoffnung? Setzt sie uns in Bewegung?

„Seid fröhlich in Hoffnung, geduldig in Trübsal, beharrlich im Gebet.“

Römer 12,12

Der Segen Gottes

Rut 2,1-23 **Donnerstag, 7.**

Wann haben Sie einmal für einen Menschen Gottes Segen erbeten oder sind selbst anderen zum Segen geworden? Noomi erbittet im 1. Kapitel die Barmherzigkeit Gottes für ihre Schwiegertöchter. Sie selbst kann ihnen nicht helfen. Als sie hört, wie Boas Rut voller Achtung begegnet ist, spricht sie über ihn einen Segenswunsch aus und lobt Gott. Rut lernt Boas kennen, als sie Ähren auf seinem Feld aufliest. Es ist die erlaubte Arbeit der Ärmsten. Doch sie ist als Frau aus dem Ausland der Willkür der Arbeiter ausgeliefert. Boas weist seine Arbeiter an, sie zu achten und gütig zu behandeln. Er spricht ihr zu, dass sie Schutz und Zuflucht beim Gott Israels finden wird. Gesten der Wertschätzung und des Zuspruchs geben Gewissheit – auch heute. Der aaronitische Segen in 4Mo 6,24-26 schließt mit der Erklärung:

„So sollen sie meinen Namen auf die Israeliten legen, dass ich sie segne.“ *4. Mose 6,27*

Verantwortung übernehmen

Rut 3,1-18 **Freitag, 8.**

Welche Verantwortung übernehmen Sie in Ihrer Verwandtschaft und in Freundschaften? Welchen Erwartungen stellen Sie sich? Welche verweigern Sie? Noomi sucht eine endgültige Versorgung für Rut. Es ist ihre Aufgabe, einen Mann für sie zu finden. Rut geht auf Noomis Pläne ein. Lässt sie blind über sich verfügen? Boas stellt es in ein anderes Licht. Er lobt ihre Treue und Liebe zu Noomi. Rut gibt in Kap. 1,16 nicht nur ein Versprechen, sondern sie übernimmt auch die Rolle, die ihr damit zukommt. Es geht um den Fortbestand der Familie und deren Landbesitz. Wenn Boas das Feld auslösen und Rut heiraten wird, ist das Weiterleben der Familie gesichert. Boas reagiert weise, hält sich an die Rechtslage, zeigt sich großzügig und achtet Ruts Würde. In welcher Haltung übernehmen wir Verantwortung?

„HERR, zeige mir deine Wege und lehre mich deine Steige!“

Psalm 25,4

Geschichte des Heils

Rut 4,1-22 **Samstag, 9.**

Wo entdecken Sie Segensspuren, Gottes Führung und sein Wirken in Ihrem Leben? Die Genealogie von Boas, Obed, Isai und König David wird im Stammbaum Jesu (Mt 1) durch Rut und zwei weitere heidnische Frauen ergänzt. So haben auch Heiden schon im AT Anteil an der Heilsgeschichte Gottes. Noomis und Ruts Geschichte endet mit großer Freude und dem Geschenk eines Kindes. Rut findet ein gesichertes Zuhause – Noomis Segenswunsch geht in Erfüllung. Boas ist maßgeblich daran beteiligt. Geschickt leitet er die Verhandlungen. Er handelt aus Liebe und nicht aus Eigennutz. Das erworbene Feld wird später von Ruts Sohn als Nachkomme Elimelechs in Besitz genommen werden. Gott hatte das Schicksal dieser Frauen im Blick und hat durch sein Wirken und die Treue von Menschen die Geschicke gelenkt.

„HERR, ich warte auf dein Heil!" *1. Mose 49,18*

Wochenspruch

„Einer trage des anderen Last, so werdet ihr das Gesetz Christi erfüllen." *Galater 6,2*

Israel alone?

Rut, eine Moabiterin, wird in Gottes Volk aufgenommen. Eine große Ausnahme, von denen es nur wenige weitere gibt, wie z. B. Jitro (2Mo 18,6), Rahab (Jos 6,25), Naaman (2Kön 5). Aber im Normalfall galt im Alten Testament: Gott ist der Gott Israels, und die anderen Völker haben ihre eigenen Götter. Und Gott ist für das Wohlergehen seines Volkes zuständig und verantwortlich. Jona ist ein klassisches Beispiel für eine „Israel-alone"-Haltung (vgl. S. 103). Nationalgottheiten waren in der Antike üblich: Assur war der Gott der Assyrer, Marduk der Gott der Babylonier, Jahwe der Gott Israels.

Aber war der Gott der Bibel wirklich so ein Nationalgott? Das 1. Buch Mose beginnt damit, dass Gott die ganze Welt und den Menschen erschafft. Der Bund, den Gott mit Noah schließt, umfasst die ganze Menschheit. Als Gott Abraham ruft, sagt er zu ihm: „In dir sollen gesegnet werden alle Geschlechter auf Erden" (1Mo 12,3). Der Plan: Ein auserwähltes Volk sollte zum Vorbild für die anderen Völker und damit für alle Menschen werden. Als Gott Israel aus der Gefangenschaft in Ägypten befreit hat und sie am Sinai ankommen, sagt er zu Mose: „Und ihr sollt mir ein Königreich von Priestern und ein heiliges Volk sein" (2Mo 19,6). Aufgabe eines Priesters ist, zwischen Mensch und Gott zu vermitteln. Priestervolk sein – das war der Sinn der Berufung Israels. Leider ist der Plan nicht aufgegangen. Rut, Naaman, Rahab und Jitro leuchten als Ausnahmen hervor. So wie hier bei Rut, so sollte es eigentlich sein. Die Propheten, besonders Jesaja (z. B.

Jes 2,2), sehen dann in ferner Zukunft, dass die Völker nach Jerusalem pilgern werden, um beim Gott Israels Rat und Schutz zu suchen und Jahwe anzubeten. Das Volk Israel hat seinen Auftrag zur Zeit des Alten Testaments nicht erfüllen können. Es brauchte einen neuen Bund Gottes mit seinem Volk. Deshalb kam Jesus, um den alten Auftrag zu erfüllen. In ihm, dem einen, wahren Israeliten, sollten alle Völker gesegnet werden. Gottes Plan war immer, die ganze Welt zu erlösen – Israels Geschichte war Teil dieses Plans. „Israel alone“ stand nie auf der Agenda Gottes.

Sehnsucht nach Gott

Psalm 42 **Sonntag, 10.**

Wie ein Hirsch nach frischem Wasser dürstet, so sehnt sich der Beter danach, Gott ganz nahe zu sein. Als Sohn Korachs und als Tempelsänger hat er die Gegenwart Gottes in den Gottesdiensten im Tempel von Jerusalem erleben dürfen. Doch nun befindet er sich fern vom Heiligtum in der Gegend der Jordanquelle am Hermon, in heidnischem Gebiet. Die höhnende Frage seiner Gegner: „Wo ist nun dein Gott?“ steigert seine Qual. Voller Sehnsucht denkt er daran, wie er in feiernder Menge zum Hause Gottes zog. Daraus schöpft er neue Hoffnung. Gleich dreimal wiederholt er den Aufruf, auf Gott zu harren, der seine Hilfe ist (V. 6., V. 12 u. V. 5 in Ps. 43). Sehnen wir uns auch nach Gott, der uns an das große Ziel unseres Lebens bringen will?

„Ich aber will schauen dein Antlitz in Gerechtigkeit, ich will satt werden, wenn ich erwache, an deinem Bilde.“ *Psalm 17,15*

Einführung ins Johannesevangelium s. S. 9

Ortswechsel mit Folgen

Johannes 5,1-18 **Montag, 11.**

Großer Ortswechsel. In Kap. 4 ist Jesus mit seinen Jüngern in Galiläa, jetzt ist er in Jerusalem. Seit 38 Jahren liegt dort ein Mann krank am Teich. 38 Jahre, das ist wohl fast ein ganzes Leben. Der Ort ist der richtige, an dem der Kranke liegt. Das Problem ist: Der noch fehlende, kleine Ortswechsel zum richtigen Zeitpunkt, direkt zum Teich, ist für den Kranken allein ohne fremde Hilfe gar nicht möglich. Knapp vorbei ist auch daneben. Jesus überbrückt die Distanz, um dem Kranken zu helfen. Und der Zeitpunkt passt auch, weil Jesus jetzt genau in diesem Augenblick hilft.
Jesus ergreift die Initiative und kommt auf uns zu. Er bewegt sich, wenn wir uns nicht mehr bewegen können, mag die Situation auch noch so ausweglos sein.

„Und sogleich wurde der Mensch gesund." *Johannes 5,9*

Wahrlich, wahrlich!

Johannes 5,19-30 **Dienstag, 12.**

Die Heilung des Kranken hat ein Nachspiel. Jesus heilt am Sabbat. Und der Anspruch, dass Gott sein Vater sei, hat eine Androhung der Todesstrafe zur Folge. Das ist zu viel des Guten. Die Erklärung und Antwort folgen jetzt in diesen Versen. Jesus nimmt Stellung. Und weil die Antwort so grundlegend ist, heißt es im Text dreimal „Wahrlich, wahrlich!" oder „Amen, Amen!" (V. 19.24.25).
Jesus leitet seinen Anspruch direkt von Gott, seinem Vater, ab. So wie ein Handwerker seinem Sohn die Fähigkeit für seinen Dienst vermittelt. Und das so gründlich, dass zwischen Gott und Jesus kein Blatt passt. Und so grundlegend, dass es für uns um Leben und Tod geht. Jesus ist der einzige Weg zum Leben. Wir müssen uns diesen Weg nicht mühevoll erarbeiten. Wer glaubt, der hat schon das ewige Leben. Auch, wenn wir heute noch nicht am letzten Tag angekommen sind. Schon jetzt und noch nicht. Das ist die Spannung im Glauben. Jeden Tag.

„Wer mein Wort hört und glaubt dem, der mich gesandt hat, der hat das ewige Leben." *Johannes 5,24*

Ein dreifaches Zeugnis

Johannes 5,31-40 **Mittwoch, 13.**

Die Auseinandersetzung mit den Gegnern Jesu geht in die nächste Runde. Jesus erhebt klar und deutlich seinen Anspruch, im Namen des Vaters zu handeln. Aber wer garantiert, dass Jesus die Wahrheit sagt, dass sein Anspruch berechtigt ist? Gleich drei Argumente kommen zur Sprache. Johannes der Täufer hat auf Jesus hingewiesen. Ein noch stärkeres Argument: die Werke und Wunder, die Jesus tut. Die Heilung am Teich Bethesda ist solch ein Zeugnis. Das größte Zeichen ist die Auferstehung, die hier schon leise anklingt. Und Argument Nummer drei ist die Schrift selber, die auf Jesus hinweist. Diese Schrift kennen die Skeptiker, die Jesus hier herausfordern. Alle Argumente sind entscheidende Hinweise auf Jesus. Den alles entscheidenden Schritt müssen wir machen. Zu Jesus kommen (V. 40), damit wir das Leben haben.

„Und wir sahen seine Herrlichkeit." *Johannes 1,14*

Ehre, wem Ehre gebührt

Johannes 5,41-47 **Donnerstag, 14.**

Angriff ist manchmal die beste Verteidigung. Jesus dreht den Spieß um. Er kennt seine Gegenspieler gut genug. Sie glauben allen möglichen Leuten – aber Jesus nehmen sie nicht an. Und das, obwohl sie sich alle auf die Schrift berufen. Das sind starke und entlarvende Worte, denen auch wir nicht so einfach entfliehen können. Bibelkenntnis bedeutet nicht automatisch, dass Jesus unser Herr und Retter ist.

Jesus ist nicht unser Ankläger. Jesus will uns retten. Mose, im Alten Testament der Fürsprecher für das Volk Israel (2Mo 32,11-14), wird hier als Ankläger genannt. Viele Quellen und Menschen weisen auf Jesus hin. Wir werden immer wieder wachgerüttelt. Jesus ist auf unsere Ehre nicht angewiesen – wir aber auf seine Rettungstat.

„Ich bin nicht gekommen, dass ich die Welt richte, sondern dass ich die Welt rette." *Johannes 12,47*

Warum tut Jesus Wunder?

Johannes 6,1-15 **Freitag, 15.**

Wieder mal hatte Jesus etwas Unglaubliches getan. Mit zwei Fischen und fünf Broten hatte er 5000 Menschen satt gemacht. Was ein Wunder! Und die Reaktion der Menschenmenge ist verständlich: „Das ist wahrlich der Prophet, der in die Welt kommen soll" (V. 14). Aber Jesus entzieht sich ihnen, obwohl er ihre Reaktion eigentlich hätte vorhersehen können, denn in V. 6 heißt es: „Das sagte er aber, um ihn zu prüfen; denn er wusste wohl, was er tun wollte." Jesus prüft auch uns als Leser. Er will sich nicht selbst inszenieren oder damals als König präsentieren. Er will uns Menschen zeigen, dass er wahrhaftig Gottes Sohn ist, und uns prüfen, ob wir dies glauben können. Bist du bereit, etwas zu glauben, was über deine Vorstellungskraft geht? Bist du bereit, dich auf Jesus in deinem Leben zu verlassen?

„Das sagte er aber, um ihn zu prüfen; denn er wusste, was er tun wollte." *Johannes 6,6*

Jesus als Sicherheit gegen die Furcht

Johannes 6,16-21 **Samstag, 16.**

Im Dunkeln mitten im Sturm auf einem kleinen Boot – und plötzlich kommt ihnen eine Gestalt entgegen. Die Jünger fürchten sich. Ein unangenehmes Gefühl. Furcht ist etwas, dass sich auf nichts richtet, was gerade ist, sondern auf etwas, was sein könnte. Sie entsteht durch Unsicherheit, durch das Gefühl, die Situation nicht unter Kontrolle zu haben. Die Jünger fürchten sich, weil sie im Sturm auf dem Meer allein sind. Aber dann kommt Jesus und ändert die Situation. Jesus hat den Jüngern schon aus vielen schwierigen Situationen geholfen. Als sie Jesus erkennen, bekommen die Jünger eine neue Sicherheit. Sie sind nicht allein. Und dieser Jesus ist auch in unserem Leben. Diese Sicherheit, die die Jünger im Sturm erfahren haben, erfahren auch wir durch Jesus. Wenn wir uns auf ihn einlassen und uns auf ihn verlassen, werden wir merken, dass auch wir nicht alleine sind.

„Ich bin's, fürchtet euch nicht.“ *Johannes 6,20*

Wochenspruch
„Aus Gnade seid ihr gerettet durch Glauben, und das nicht aus euch: Gottes Gabe ist es.“ *Epheser 2,8*

Wo bleibt die Gerechtigkeit?

Psalm 73 **Sonntag, 17.**

Dreistigkeit setzt sich durch. Eine Erfahrung, die wir täglich machen können. Aber warum kommen Menschen in ihrem egoistischen, verantwortungslosen und gottlosen Tun weiter – während andere schwer geschüttelt werden? Wo bleibt da Gott? Warum greift er nicht ein? Sind ihm jene, die sich nach ihm ausrichten, egal? Lohnt es sich, Gott treu zu bleiben? Dieses Thema treibt nicht nur Asaf um. Doch sein Blickwinkel erweitert sich, als er seine Erlebnisse und Zweifel zu Gott bringt. Plötzlich stehen nicht mehr die eigenen Not oder diejenigen, die scheinbar besser dran sind, im Vordergrund. Der Psalmist findet zum „Du“, der Anrede Gottes im Gebet. Er erkennt: Gott ist da. Er hält und leitet mich und gibt mir Zukunft. Das ist besser als vergänglicher Erfolg.

„Wer will uns scheiden von der Liebe Christi? Trübsal oder Angst oder Verfolgung oder Hunger oder Blöße oder Gefahr oder Schwert?“
Römer 8,35

Zeichen für den Glauben

Johannes 6,22-34 **Montag, 18.**

Würden wir nicht alle gerne ein Zeichen dafür sehen, dass Jesus wirklich Gottes Sohn ist? Das der Glaube nicht nur eine fromme Vermutung ist? Genau das fordern die Menschen von Jesus nach der wundersamen Speisung der 5000. Er soll ihnen ein Zeichen geben, wie Mose es für die Israeliten mit dem Manna in der Wüste tat. So wie Mose durch das Manna zeigte, dass er im Namen Gottes handelt, so soll Jesus durch ein neues Wunder zeigen, dass auch er Gottes Willen tut. Jesus aber gibt keine Zeichen auf Bestellung. Für uns heißt das: Fordert nicht ein Zeichen für den Glauben oder sucht in allem diese Zeichen. Geht vielmehr mit offenem Herzen durch die Welt und merkt, wie der Glaube Menschen zusammenbringt, ihnen Sicherheit gibt und Grenzen überwindet. Dann erfahrt ihr, dass der Glaube mehr ist als nur eine wirkungslose Fantasie.

„Was tust du für Zeichen, auf dass wir sehen und dir glauben?“

Johannes 6,30

Das Brot des Lebens

Johannes 6,35-51 **Dienstag, 19.**

Brot ist ein Grundnahrungsmittel. Daran knüpft Jesus an, wenn er von sich sagt: „Ich bin das Brot des Lebens.“ (V. 35.48) Jesus spricht nicht nur von dem Leben in der diesseitigen Welt, sondern auch vom Leben in Ewigkeit. Dieses ewige Leben wird uns durch Jesus geschenkt, indem er sich uns selbst schenkt. Das Lebensbrot ist keine bloße gegenständliche Gabe, sondern Jesus selber ist es, der sich für uns Menschen hingibt. Er ist nicht nur der Heilsgeber, sondern zugleich auch die Heilsgabe. Jesus gibt sein eigenes Leben am Kreuz als Gabe für uns. Durch diese Hingabe verliert der Tod seine Macht. Dadurch, dass Jesus sich uns als das Brot des Lebens gibt, ist der Tod nicht das Ende. Jesus öffnet uns allen den Weg zu Gott, dem Vater – ins ewige Leben. Jesu Hingabe kann uns nicht die Angst vor dem Tod nehmen. Es zeigt aber, dass auch im Tod Leben ist.

„Ich bin das Brot des Lebens.“ *Johannes 6,48*

Jesus, das Brot des Lebens in Person

Johannes 6,52-59 **Mittwoch, 20.**

In der Synagoge von Kapernaum gibt es heftigen Streit: „Wie kann dieser uns sein Fleisch zu essen geben?“, fragen die Anwesenden, die über die Aussage von Jesus empört sind. Jesus vertieft in seiner Antwort das, was er bereits über sich als „Brot des Lebens“ gesagt hat: Wer ihn als den leidenden und sterbenden Menschensohn-Messias in sich aufnimmt, gewissermaßen „sein Fleisch isst“ (wörtlich: „kaut“) und „sein Blut trinkt“, der hat das ewige Leben. So wie Jesus mit dem Vater eins ist und mit ihm lebt, so ist er auch bleibend mit dem verbunden, der ihn als das Brot des Lebens in Person an- und aufnimmt. In solch inniger Verbundenheit mit Jesus wird der Glaubende ewig leben. Auch wenn das Johannesevangelium keine Einsetzungsworte vom Abendmahl wiedergibt, so wird dessen Bedeutung hier besonders klar.

„Wer mein Fleisch isst und trinkt mein Blut, der bleibt in mir und ich in ihm“ *Johannes 6,56*

Ablehnung bei den Jüngern

Johannes 6,60-65 **Donnerstag, 21.**

Auch für viele seiner bisherigen Anhänger sind die Worte Jesu vom Essen und Trinken seines Fleisches und Blutes „hart“ und unerträglich. Jesus aber deutet an, dass sie ihn noch weniger verstehen werden, wenn er „als Menschensohn dorthin aufsteigen wird, wo er früher war.“ Nur der lebendig machende Geist, den Gott schenkt, kann ihren Anstoß überwinden. Jesus verweist auf die Abhängigkeit vom Vater, ohne dessen Handeln niemand zu ihm kommen kann. Er kannte daher auch die Abtrünnigen und wusste auch, wer ihn verraten wird. Sind wir bereit, unsere absolute Abhängigkeit von Gott einzugestehen und in inniger Beziehung zu Jesus Christus zu leben, der für uns gestorben ist, von Gott erhöht wurde und zu ihm heimgekehrt ist?

„Alles ist mir übergeben von meinem Vater, und niemand kennt den Sohn als nur der Vater, und niemand kennt den Vater als nur der Sohn und wem es der Sohn offenbaren will.“ *Matthäus 11,27*

Bewusste Entscheidung für Jesus

Johannes 6,66-71 **Freitag, 22.**

Jesus zwingt sich nicht auf. Er schenkt auch den Zwölfen die Freiheit zur Entscheidung. Für sie bekennt Simon Petrus: „Du hast Worte ewigen Lebens!“ Nicht Zeichen und Wunder sind es, die sie bei Jesus bleiben lassen. Sein ewiges Leben schenkendes Wort hat sie mit ihm verbunden. Sie sind zum Glauben und zur Erkenntnis gekommen, dass Jesus „der Heilige Gottes“ ist, der in einzigartiger Verbundenheit mit dem Vater lebt.
Einer von ihnen aber ist ein „Diabolos“, ein „Verkläger“, der ihn verraten wird. Gemeint ist Judas, der wohl aus dem radikalen Kreis der Sikarier, der „Dolchleute“, stammte, die gegen die römische Fremdherrschaft kämpften. Er wollte den Leidensweg Jesu nicht mitgehen und seiner Absage an den Kampf mit Dolch und Schwert nicht folgen. Sind wir im Glauben und Erkennen Jesu zur Nachfolge bereit?

„Wir haben erkannt und geglaubt die Liebe, die Gott zu uns hat“
1. Johannes 4,16

Warten, bis die Zeit reif ist

Johannes 7,1-13 **Samstag, 23.**

Vor jeder Wahl stellen sich die Kandidaten ihren Wählern vor, verkündigen ihr Programm, treten immer wieder in der Öffentlichkeit auf. Nach der Stimmabgabe heißt es für sie dann: warten, bis alle Stimmen ausgezählt sind. Erst danach tritt der Gewählte als künftiger Amtsinhaber an die Öffentlichkeit. Jesus hat sich in Galiläa in Worten und Taten immer wieder als Messias, als der von Gott gesandte Retter, gezeigt. Nun zieht er sich zurück, weil er weiß, dass für ihn noch nicht der rechte Moment (griech. kairos) gekommen ist, um auch in Jerusalem öffentlich aufzutreten. Doch woher weiß er das? Aus seiner innigen Verbindung mit Gott, seinem Vater (6,37-40). Wie Jesus dürfen auch wir mit dem himmlischen Vater sprechen, mit ihm unsere Pläne oder auch Probleme teilen. Er zeigt uns gerne, was gerade dran ist in unserem Leben: warten oder handeln.

„Denn meine Zeit ist noch nicht erfüllt." *Johannes 7,8*

Wochenspruch

„Und nun spricht der HERR, der dich geschaffen hat: Fürchte dich nicht, denn ich habe dich erlöst; ich habe dich bei deinem Namen gerufen; du bist mein!" *Jesaja 43,1*

Wo bleibt die Datenschutz-grundverordnung?

Psalm 139 **Sonntag, 24.**

Wieder erscheint ein nerviger Cookie-Hinweis auf dem Display. Ich habe es eilig und erwische den Button „Alles erlauben". Zurück bleibt ein mulmiges Gefühl, denn ich möchte nicht für jeden transparent sein.
Gott kennt mich besser, als ich mich selbst kenne. Er kennt alle meine Aktivitäten, Worte und Motive. Keine Dimension ist ihm verborgen. Diese Erkenntnis des heutigen Psalms könnte ein mulmiges Gefühl zurücklassen, wäre da nicht das eindeutige Ja Gottes zu jedem Leben. Gott hat jeden Einzelnen liebevoll geschaffen und ihm das Leben geschenkt. Wir können am eigenen Leib erfahren, wie wichtig wir Gott sind. Deshalb ist es gut, in seiner Hand zu sein und sich ganz in seine Hand zu begeben. Auch die Dinge, mit denen wir hadern, haben dort ihren Platz. Gott hat die Urheberrechte – und das ist gut so.

„Von allen Seiten umgibst du mich und hältst deine Hand über mir."
Psalm 139,5

Die Quelle kennen

Johannes 7,14-24 **Montag, 25.**

Immer wieder treten Menschen auf, die ein Wundermittel gegen alle Krankheiten zu kennen scheinen, und ich frage mich: Aus welcher Quelle haben sie diese Erkenntnis? Woher kommen solche Heilsversprechen? Jesus verschweigt die Herkunft seiner Worte nicht. Obwohl er kein ausgebildeter Schriftgelehrter ist, legt er im Jerusalemer Tempel öffentlich das Wort Gottes aus, und zwar, so urteilen die Zuhörer, mit Vollmacht und großem Verständnis. Woher stammt seine Lehre? Von dem, der ihn gesandt hat! Jesus wiederholt hier noch einmal: Der Vater hat ihn gesandt, und er gibt ihm die Fähigkeit, Gottes Wort neu und befreiend auszulegen (V. 22-24). Gott selbst ist die Quelle für alles, was Jesus lehrt. Vertrauen die Zuhörer auf diese Quelle? Und wir? Wagen wir es!

„Wenn jemand dessen Willen tun will, wird er innewerden, ob diese Lehre von Gott ist oder ob ich aus mir selbst rede." *Johannes 7,17*

Wer ist Jesus?

Johannes 7,25-31 **Dienstag, 26.**

„Was bin ich?" hieß eine Sendung im deutschen Fernsehen, bei der die Quizteilnehmer durch Ja- und Nein-Fragen erraten mussten, welchen Beruf eine unbekannte Person ausübte. Das Berufe-Raten war so beliebt, dass die Sendung über 30 Jahre lang ausgestrahlt wurde. Wir wissen eben gerne, was oder wer der andere ist. Die Zuhörer von Jesus kennen seinen Beruf: Er ist ein Zimmermann aus Nazareth, der nun öffentlich auftritt, Gottes Wort auslegt und sogar Wunder tut. Doch sie fragen sich: Ist dieser Jesus auch der von Gott gesandte Retter? Jesus bejaht das und tritt mit dem Anspruch auf, der Messias zu sein. Die Reaktionen darauf reichen von Glauben bis zu Ablehnung und Verfolgung. Seine

Jünger glauben ihm (6,69), einige aus dem Volk auch (V. 31). Und jedem, der ihn hört, stellt sich die Frage: Glaube ich, dass Jesus der Erlöser der Welt und mein Retter ist?

„Ich glaube; hilf meinem Unglauben." *Markus 9,24*

Mehr Fragen als Antworten

Johannes 7,32-39 **Mittwoch, 27.**

Warum ist die Erde rund? Wenn Kinder etwas nicht verstehen, dann fragen sie so lange nach, bis sie eine Antwort gefunden haben. Fragen helfen uns, Sachverhalte zu klären. Die Zuhörer von Jesus verstehen seine Rede nicht und sie fragen sich: Was hat er gesagt? Wo will Jesus hingehen? Eine befriedigende Antwort finden sie zu diesem Zeitpunkt noch nicht. Erst mit Tod und Auferstehung wird klar, dass Jesus hier davon spricht, zu leiden, zu sterben und zu seinem himmlischen Vater zurückzugehen. Erst im Glauben daran, dass Jesus wirklich der von Gott gesandte Retter der Welt ist, ergeben seine Worte vollen Sinn. Und erst mithilfe des Heiligen Geistes (vgl. 20,22) verstehen auch wir seine Worte. Dafür bin ich dankbar.

„Der Tröster, der Heilige Geist, den mein Vater senden wird in meinem Namen, der wird euch alles lehren und euch an alles erinnern, was ich euch gesagt habe." *Johannes 14,26*

Streit um Jesus

Johannes 7,40-52 **Donnerstag, 28.**

Längst haben die Mächtigen ihr Urteil gesprochen: Jesus muss weg! Doch aus der geplanten Gefangennahme wird nichts. Selbst die Tempelpolizisten fallen unter den Bann des Predigers aus Nazareth. Seine bloßen Worte überzeugen sie. Kein anderer ist so wie er! Die heftige Reaktion der Führungsschicht zeigt ihre Verachtung für die Gläubigen aus dem einfachen Volk. Aber es gibt auch besonnene Stimmen unter ihnen. Nikodemus, der heimliche Jesusfreund, erinnert sie an die Bestimmungen des Gesetzes, das zu schützen sie ja vorgeben. So geht der Streit um Jesus in die nächste Runde. Die Frage steht unüberhörbar im Raum, auch heute: Wer ist dieser Mann? Die Antwort darauf finden wir in der Heiligen Schrift und der Begegnung mit Jesus selbst.

„Sie nahmen das Wort bereitwillig auf und forschten täglich in der Schrift, ob sich's so verhielte." *Apostelgeschichte 17,11*

Der Schutzraum der Vergebung

Johannes 7,53–8,11 **Freitag, 29.**

Der Ort des Geschehens unterstreicht die Brisanz. Hier im Tempel soll ein Exempel statuiert werden. Die mächtigen Feinde von Jesus wollen einen Schauprozess veranstalten. Nur vordergründig geht es um die vorgeführte Frau. Letztlich wollen sie Jesus in die Enge treiben. Er soll als Gesetzesverächter entlarvt werden. Oder er soll sich an der Steinigung dieser Frau beteiligen. Doch Jesus bleibt Herr der Lage. Dabei bestätigt er das alttestamentliche Gebot. Zugleich aber führt er allen vor Augen, dass nur ein Sündloser das letzte Urteil über andere fällen kann. So schafft er einen seelsorgerlichen Schutzraum für die beschämte Frau. Erst als alle sich fortgeschlichen haben, spricht er mit ihr und schenkt ihr neue Hoffnung. Dabei unterstreicht Jesus beides: die Gültigkeit des Gebots und die verändernde Kraft der Gnade.

„Der dir alle deine Sünde vergibt und heilet alle deine Gebrechen."
Psalm 103,3

Wahres Zeugnis

Johannes 8,12-20 **Samstag, 30.**

Unmissverständlich erhebt Jesus einen ungeheuren Anspruch. Wir hören ihn ganz verdichtet in den „Ich-bin-Worten". Sie sagen: In Jesus offenbart sich Gott selbst. Dieser Anspruch verlangt nach einer Antwort. Die Gesprächspartner von Jesus stellen sein Zeugnis infrage. Dagegen verweist Jesus auf den Vater, der durch ihn wirkt. Die machtvollen Taten und Heilungswunder bestätigen ihn. Sie sind das Zeugnis, das der Vater ihm gibt, als Bestätigung seiner Sendung. Auch wir stehen vor der Frage, ob wir Jesus vertrauen und seinen Worten folgen. Auch wir sind in unserem Ringen um Wahrheit nicht allein gelassen. Worte, Wesen und Wirken von Jesus, sein Leben, sein Tod und seine Auferstehung bilden ein umfassendes Zeugnis seiner Wahrheit.

„Das Wort ward Fleisch und wohnte unter uns, und wir sahen seine Herrlichkeit, eine Herrlichkeit als des eingeborenen Sohnes vom Vater, voller Gnade und Wahrheit.“ *Johannes 1,14*

Wochenspruch

„So seid ihr nun nicht mehr Gäste und Fremdlinge, sondern Mitbürger der Heiligen und Gottes Hausgenossen.“ *Epheser 2,19*

Ein weltumspannender Blick

Psalm 87 **Sonntag, 31.**

Im Tempel in Jerusalem geht es immer hoch her. Hörner, Trompeten, Pauken und Zimbeln ertönen. Laut erschallen die Loblieder. So preisen die Korachiter, eine Abteilung der Leviten, Gottes Gnade und Gunst, die hier auf dem Zionsberg in Jerusalem besonders greifbar sind. Hier ist das Zentrum, hier ist die Quelle. Doch führt dieses Bewusstsein nicht zu einem verengten, selbstverliebten Glauben. Nein, der Blick geht weit über das Volk Israel hinaus. Selbst die feindlichen Großmächte wie Babylon und Ägypten und auch die Nachbarvölker im Westen und Norden sollen Teil der großen Gottesfamilie werden. Sogar die weit entfernten sudanesischen Kuschiter gehören auch dazu. Das ist die weltumspannende Berufung des Volkes Gottes: eine lebendige Erinnerung zu sein, dass Gottes Liebe alle Menschen meint.

„Es werden kommen von Osten und von Westen, von Norden und von Süden, die zu Tisch sitzen werden im Reich Gottes.“ *Lukas 13,29*

Monatsspruch August

Jubeln sollen die Bäume des Waldes
vor dem HERRN, denn er kommt,
um die Erde zu richten.

1.Chr 16,33 (E)

Auf den Erhöhten sehen

Johannes 8,21-30 **Montag, 1.**

Der Streit Jesu mit seinen Gegnern wird heftiger. Da lenkt er den Blick auf den Erhöhten (V. 28). Nur Jesus selbst weiß, dass er bald einer der vielen sein wird, die von den Römern ans Kreuz geschlagen werden und dann als Hingerichtete sterben müssen. Joh 19,25-27 erzählt, wie Maria, die Mutter Jesu, drei Frauen und Johannes dabeistehen und mit blutendem Herzen zu Jesus, dem so Erhöhten, aufschauen. Was wird nun aus dem Wunderbaren, über das er gepredigt hat, und aus den Heilungen, die er Menschen erleben ließ, werden? Verwirrt sind ihre Gedanken und zerrissen sind ihre Seelen. Wo aber Jesus von seiner Erhöhung redet, da hat er auch vor Augen, dass Gott ihn von den Toten auferwecken und zu seiner Rechten setzen wird. Die Volxbibel überträgt Phil 2,9 mit den Worten: „Darum hat Gott ihn am Ende auch groß rausgebracht."

„Von nun an wird der Menschensohn sitzen zur Rechten der Kraft."
Lukas 22,69

Sich grundlegend befreien lassen

Johannes 8,31-36 **Dienstag, 2.**

Von einem meiner Lehrer habe ich gelernt: Im biblischen Denken ist Freiheit nicht ein Zustand, ein Recht oder eine Haltung. Freiheit erfährt ein Mensch dort, wo er sich aus einer Knechtschaft befreien lässt. Der Streit Jesu mit seinen damaligen Gegnern aus der Führungsschicht des jüdischen Volkes geht weiter. Auch eine fest geprägte Frömmigkeit kann zu einem Gefängnis mit seinen Gitterstäben werden. Von sich aus war es den Pharisäern nicht möglich, ihre sich auf Abraham berufende Frömmigkeit in ihrer einengenden Struktur zu durchschauen. Ihnen ruft Jesus zu: „Wenn euch nun der Sohn frei macht, so seid ihr wirklich frei." (V. 36) Einer, der sich so hat befreien lassen, war der Apostel Paulus. Er bekennt: „Was mir Gewinn war, das habe ich um Christi willen für Schaden erachtet" (Phil 3,7).

„Ich vergesse, was dahinten ist, und strecke mich nach dem aus, was da vorne ist.“ *Philipper 3,13*

Wer sind die Kinder Abrahams?

Johannes 8,37-45 **Mittwoch, 3.**

Ich soll in diese Verse aus Joh 8 einführen. Viele warten darauf, dass mein Text ihnen hilft, in ihrer „Stillen Zeit“ an einem Mittwochmorgen oder -abend in dieses Streitgespräch Jesu mit den Pharisäern über die Abrahams-Kindschaft hineinzuhören. Da komme ich an meine Grenzen. Müssten wir da nicht alle miteinander zunächst die Geschichten über Abraham in 1Mo 11-25 lesen? In 10 Büchern des NTs wird über das Verhältnis der Gemeinde Jesu zu Abraham, dem Stammvater Israels, nachgedacht! Zugleich: Falsche Auslegungen dieser neutestamentlichen Stellen haben zu der Entstehung der unseligen Geschichte des Antisemitismus beigetragen. Vor 80 Jahren hat dies in unserem Land mit zum Holocaust geführt. So mag für heute der Satz des Paulus genügen: „Die aus dem Glauben sind, das sind Abrahams Kinder“ (Gal 3,7).

„Abraham glaubte dem HERRN, und das rechnete er ihm zur Gerechtigkeit.“ *1. Mose 15,6*

Der Streit wird schärfer

Johannes 8,46-59 **Donnerstag, 4.**

Viermal setzt Jesus neu an und redet von sich. Dreimal verdächtigen seine Gegner ihn in übelster Art und Weise. Am Ende greifen sie nach Steinen. Fast hätten sie Jesus umgebracht – schon jetzt. Doch er kann sich entfernen und verbergen. Je heftiger es zwischen Jesus und den Pharisäern hin und her geht, desto mehr gibt er von sich preis. Am deutlichsten wird Jesus in der letzten Rede: „Ehe Abraham wurde, bin ich.“ (V. 58) Jesus stellt sich über den Stammvater Israels. Noch klarer wird er, wo er sagt: „Ich und der Vater sind eins.“ (Joh 10,30) Das ist nichts anderes als das, was Thomas an Ostern staunend vor ihm ausruft: „mein Herr und mein Gott!“ (Joh 20,27) Aber heißt es nicht schon beim Eingang des Evangeliums: „Im Anfang war das Wort, und das Wort war bei Gott.“ (Joh 1,1)?

„Der Engel sprach zu Maria: ... Der wird groß sein und Sohn des Höchsten genannt werden.“ *Lukas 1,30.32*

Nicht warten – starten!

Johannes 9,1-12 **Freitag, 5.**

Manchmal erwische ich mich dabei, erst tausend Fragen zu stellen, bevor ich handle. „Warum ist das so?“ „Was wäre, wenn ...?“ „Und wenn nicht, was dann ...?“ Auch die Jünger wollen wissen, warum dieser Mensch, dem sie unterwegs begegnen, blind geboren wurde. Das muss doch einen Grund haben, oder? Doch anstatt sich an dieser Frage aufzuhalten, wendet Jesus den Blick auf das, was Gott mit dem Blinden vorhat. Er schaut nicht zurück, er sieht nach vorn. Gottes Wirken soll sichtbar werden, solange es noch möglich ist. Denn die Zeit, die Gott zur Verfügung stellt, ist begrenzt und kostbar. Darum lieber starten, nach vorne schauen und von Gott Großes erwarten! Er hat uns versprochen, dass wir Wunder erleben werden. Ja, wir werden Augen machen, was mit ihm alles passieren kann.

„Wir müssen die Werke dessen wirken, der mich gesandt hat, solange es Tag ist.“ *Johannes 9,4a*

Ansichtssache

Johannes 9,13-23 **Samstag, 6.**

Manches im Leben lässt sich relativ einfach klären: War der Geheilte wirklich der Blindgeborene, der dasaß und bettelte, oder sah er ihm nur ähnlich? Die Antwort ist eindeutig. Man braucht nur die Eltern anzusprechen; die wissen es. Die Frage aber, ob der, der ihn geheilt hat, von Gott gesandt ist, ist umstritten. „Natürlich!

Ein sündiger Mensch kann so etwas nicht tun", sagen die einen. Die andern kontern: „Nein, er hält ja nicht einmal den Sabbat!" Und so kommt alles auf den an, der Jesus begegnet ist. „Ja, er ist ein Prophet, er weist hin auf Gott und seine Herrschaft", sagt er voller Überzeugung. Darum: Wenn wir gefragt werden, was wir von Jesus halten, dann lasst uns erzählen, was wir mit ihm erlebt haben. Dann werden Ansichtssachen eindeutig.

„Fragt ihn, er ist alt genug; lasst ihn für sich selbst reden."

Johannes 9,21a

Wochenspruch

„Wandelt als Kinder des Lichts; die Frucht des Lichts ist lauter Güte und Gerechtigkeit und Wahrheit." *Epheser 5,8.9*

Eine hervorragende Führungskraft

Psalm 48 **Sonntag, 7.**

Gott überragt alles! Es ist ein Privileg, unter seiner Führung zu stehen. Lasst uns das nicht vergessen. Und lasst uns das weitergeben an unsere Kinder und Enkel, an die nachfolgenden Generationen. Diese Verse, die wohl zu Tempelfesten gesungen wurden, sprühen nur so über vor Begeisterung. Wie in einem Aquarell verlaufen dabei die Ebenen aus Vergangenem, Gegenwärtigem und Zukünftigen ineinander und lenken den Blick auf Jerusalem. Weil Gott hier wesentliche Kapitel seiner Heilsgeschichte geschrieben hat und auch vollenden wird, wird der Zionsberg, trotz mancher Anfeindung, zu einem Leuchtturm für die Welt. Damals und heute lädt Gott Menschen ein, zu ihm zu kommen und sich an ihn zu binden.

Seine Strahlkraft möchte uns prägen, damit wir durch unser Leben weitergeben: Es ist gut, zu ihm zu gehören.

„Ihr seid das Licht der Welt. Es kann die Stadt, die auf einem Berge liegt, nicht verborgen sein." *Matthäus 5,14*

Das passt mir nicht

Johannes 9,24-34 **Montag, 8.**

„Zwei mal drei macht vier – widdewiddewitt – und drei macht neune. Ich mach' mir die Welt – widdewidde –, wie sie mir gefällt." Den Titelsong zu den Pippi-Langstrumpf-Filmen kennen wir alle. Und genauso das Quäntchen Wahrheit, das dahintersteckt: Einen Teil unserer Wirklichkeit und deren Wahrnehmung bestimmen wir selbst. Wir entscheiden, was wir an uns heranlassen wollen und was nicht. Und so bringt auch das erneute Gespräch mit dem Blindgeborenen keinen Fortschritt. Wenn ich mir die Welt so mache, wie sie mir gefällt, dann kann jemand wie der Blindgeborene zwar noch so dezidiert darauf verweisen, dass Jesus nichts tun kann, wenn er nicht aus Gottes Kraft heraus handeln würde. Aber den Blick öffnen, kann der Geheilte nicht. Ihm ist das widerfahren – er wurde sehend. Und wir? Sind wir offen für Neues?

„Wäre dieser nicht von Gott, er könnte nichts tun." *Johannes 9,33*

Einsicht

Johannes 9,35-41 **Dienstag, 9.**

„Glaubst du an den Menschensohn?" Damit es zum Glauben an Jesus kommen kann, reicht die Heilung allein nicht. Hinzukommen muss, dass wir offen sind für den, der mit uns redet. Darum geht Jesus dem Blindgeborenen nach, sucht ihn und findet ihn. Er möchte, dass wir Augen für ihn, den Menschensohn, bekommen, für den, durch den wir vor Gott bestehen können. Einsehen, dass Jesus heilen möchte, weil Sünde uns alle blind macht, das ist der Grund, warum Jesus zu uns Menschen gekommen ist. Erst nach der Heilung wird der Blindgeborene wirklich sehend. Er erlebt Gottes Macht, vertraut Jesu Wort („der mit dir redet, der ist's") und betet ihn an: Herr, ich glaube. Es ist der Weg seiner Rettung. Es ist sein Augenblick. Es ist Ein-Sicht. Wunder-voll!

„Du hast ihn ja gesehen, und der mit dir redet, der ist's."

Johannes 9,37

Der Gott, der mich ruft

Johannes 10,1-10 **Mittwoch, 10.**

Hast du schon einmal versucht, in eine größere Gruppe hineinzurufen: „Hey, du da ...“? Einige werden sich angesprochen fühlen, andere nicht. Es ist ja auch gar nicht klar, wer wirklich gemeint ist. Bei Jesus ist das anders. Ihm ist die persönliche Ansprache wichtig. In unserem Text ist beschrieben, wie Jesus, der gute Hirte, zu seinen Schafen spricht. Er kommt in den Stall und er ruft sie mit Namen – egal wie viel Schafe in dem Stall sind. Jesus ruft dich und mich. Er ist kein Gott, der von ferne auf die Menschenmasse schaut. Jesus möchte eine persönliche Beziehung zu dir haben. Darum ruft er jeden Einzelnen beim Namen. Jeden Tag möchte er dich in seiner Nähe haben und dich führen.

„Fürchte dich nicht, denn ich habe dich erlöst; ich habe dich bei deinem Namen gerufen; du bist mein!“ *Jesaja 43,1b*

Der Gott, der mich kennt

Johannes 10,11-21 **Donnerstag, 11.**

Neulich las ich einen Artikel über einen der letzten Schäfer in unserer Gegend. Ein Satz hat mich besonders beeindruckt: „Ich kenne alle meine 150 Schafe mit Namen“, wurde der Schäfer zitiert. Jesus geht hier noch einen Schritt weiter: Er sagt, dass er die Seinen kennt und die Seinen ihn kennen. Und damit wir verstehen, wie innig er dieses „Kennen“ meint, vergleicht er es mit seiner Beziehung zu seinem Vater. So eng, wie Jesus mit Gott, seinem Vater, in Beziehung steht, so eng stehen auch wir mit ihm in Verbindung. Oder: So eng möchte er mit uns in Verbindung stehen. Und damit das möglich wird, investiert er alles: Er gibt sogar sein Leben für seine Schafe. Wie kann ich diesen guten Hirten heute mehr kennenlernen?

„Der HERR ist nahe allen, die ihn anrufen, allen, die ihn ernstlich anrufen.“ *Psalm 145,18*

Der Gott, der mich hält

Johannes 10,22-30 **Freitag, 12.**

„Not lehrt beten" ist ein bekanntes Sprichwort. Meine Erfahrung ist, dass das oft nicht stimmt. Es hilft, wenn ich in den guten Zeiten beten lerne. Dann weiß ich in der Not, wie es geht. Manchmal macht Not nämlich auch bitter. Manchmal ist Not so erdrückend, dass ich es nicht mehr schaffe zu beten – oder es auch gar nicht will. Manchmal schaffe ich es dann auch nicht mehr, an Gott festzuhalten. Wie gut ist die Zusage von Jesus, dem guten Hirten. „... niemand wird sie aus meiner Hand reißen" (V. 28). Wie gut, dass er mich noch festhält, wenn ich mich nicht mehr festhalten kann – oder will. Wie gut, dass er mich noch festhält, wenn ich schon dabei bin loszulassen. Jesus und seine Liebe trägt die Beziehung zwischen ihm und mir. Gott sei Dank!

„... ich halte dich durch die rechte Hand meiner Gerechtigkeit."
Jesaja 41,10

Der Gott, der mich überzeugt

Johannes 10,31-42 **Samstag, 13.**

Es ist mal wieder so weit. Die religiöse Führerschaft geht auf die Barrikaden, weil Jesus irgendwie alles auf den Kopf stellt. Allein dadurch, dass er den Menschen erklärt, dass nicht Regeln und Vorschriften retten, sondern allein die Beziehung zum guten Hirten. Zu ihm, dem Sohn Gottes. Das ist Revolution. Jesus muss weg! Aber die Verfolger können ihm (noch) nichts anhaben. „Er entging ihren Händen" (V. 39b) und wendet sich den Menschen zu, die ihn schon erwarten, weil Johannes, der Täufer, ihn schon bezeugt hat. Und Jesus weckt den Glauben in ihnen. So wie Johannes, der Täufer, sollen auch wir Jesus bezeugen. Und Jesus selbst ist der, der die Menschen dann überzeugt. Wo kann ich heute ein Zeuge für die Liebe von Jesus in meinem Leben sein?

„Ihr werdet die Kraft des Heiligen Geistes empfangen, der auf euch kommen wird, und werdet meine Zeugen sein ..." Apostelgeschichte 1,8

Wochenspruch

„Wem viel gegeben ist, bei dem wird man viel suchen; und wem viel anvertraut ist, von dem wird man umso mehr fordern."

Lukas 12,48

Gottesleugner sterben nicht aus

Psalm 53 — Sonntag, **14.**

Die Behauptung „es gibt keinen Gott" ist keine Erfindung unserer Neuzeit. Schon zu Davids Zeiten hat sie den Gläubigen zugesetzt. Damals war sie vielleicht eine freche Äußerung auf dem Marktplatz, aber heute wird es von sogenannten Freidenkern und naturalistischen Ideologen versucht, als wissenschaftliche Erkenntnis hinzustellen, dass es keinen Gott gäbe. Die überheblichste Meinung ist, dass der Glaube nur etwas für einfältige, unaufgeklärte und damit dumme Menschen sei. Davon könnte man sich als Christ abwenden oder davor die Ohren verschließen. Das wäre aber lieblos. David erbittet konkrete Hilfe von Gott, dass er eingreift und die Gottlosen in die Irre laufen lässt. Jesus zeigt uns eine neue Strategie: Dem Ungläubigen, dem Lästerer und dem Christenhasser mit Liebe zu begegnen. Das hat eine Dynamik, die nicht aus uns selbst kommt. Gott selbst will nicht den Tod des Gottlosen, sondern dass er zum Leben findet.

„Gott spricht: Ich habe keinen Gefallen am Tode des Gottlosen, sondern dass der Gottlose umkehre von seinem Wege und lebe."

Hesekiel 33,11

Die Bücher der Chronik

Die Chronikbücher erzählen die Geschichte der Welt und des Gottesvolkes von Adam an bis zum Edikt des Kyros (538 v. Chr.). Sie laufen damit über weite Strecken parallel zu den Samuel- und Königebüchern, und wie diese bilden sie in der hebräischen

Bibel ein einziges Werk. Es geht weniger um neue Information als vielmehr um eine geistliche Interpretation der Geschichte: Gott ist der eigentliche König, und sein Tempel ist der Mittelpunkt der wahren Anbetung.
Die Geschlechtsregister in 1Chr 1–9 beschreiben Gottes Geschichte mit dieser Welt und mit seinem Volk in komprimiertester Form. Für die israelitischen Sippen und Familien machen sie deutlich: Wir gehören zum Volk Gottes! Wir mögen diese Namenslisten als „trocken" empfinden – für die Israeliten waren sie eine Stütze für lebendige Erinnerungen und zeigten ihnen ihren Platz in Gottes Weltgeschichte.
Im Mittelpunkt des Werkes (1Chr 10–2Chr 9) steht das Königtum Davids und Salomos als ideale Zeit des Königtums u. der Gründung und Erbauung des Tempels. Der Chronist legt dementsprechend großes Gewicht auf Gottesdienst, Lobpreis und alles, was damit zusammenhängt – und Salomo wird als Erbauer des Tempels gesehen. Sein Versagen (1Kön 11) wird ihm nicht noch einmal vorgehalten.
2Chr 10–36 beschreibt die Herrschaft der Nachkommen Davids. Nach der Teilung des Reiches ist allerdings nur die Geschichte des Südreiches Juda aufgezeichnet – denn nur Juda hatte Anteil am Tempel Gottes in Jerusalem. Der Chronist will das Scheitern der Führer Israels vor dem Exil aufzeigen, damit das Volk Israel in seiner Gegenwart erkennt, was zu tun ist, um den Segen Gottes wieder zu erfahren.
Das Buch der Chronik hat damit zwei große Themen:
1. Gottes Herrschaft über die Welt, die ihr Zentrum in seiner Herrschaft über sein Volk findet. Das Neue Testament zeigt dann, dass sich diese Herrschaft in Jesus Christus in einem Punkt verdichtet und von dort dann zur Herrschaft über die ganze Welt wird.
2. Gemeinschaft mit Gott: Die Chronik zeigt uns, dass Gemeinschaft mit Gott und seine Verehrung das Zentrum im Leben jedes Einzelnen und des ganzen Volkes Gottes sein müssen. Als Bürger und Diener im Reich Gottes soll all unser Planen und Arbeiten aus der Gemeinschaft mit Gott entspringen und ihn verherrlichen.

Treuebruch ist tödlich

1. Chronik 10,1-14 **Montag, 15.**

Wenn in einer harmonischen Ehe ein Treuebruch vorkommt, dann stürzt zumindest der Betrogene in ein tiefes Loch, aber auch der Betrüger kann nicht weiterleben wie bisher. Oft stirbt die Liebe, weil sie so tief verletzt ist.

König Saul hat die Treue Gottes vom Anfang seiner Herrschaft an erfahren, als er vom Propheten Samuel zum König gesalbt wurde. Dann erlebt er Siege über die Feinde, wird musiktherapeutisch betreut und hat stolze und fähige Kinder. Doch er wird überheblich, befragt die falschen Ratgeber und kündigt Gott damit die Treue auf. Gott zieht seine Hand zurück und die Tragödie der Königsfamilie könnte nicht größer sein. Der Triumphzug vor den Götzen des Feindes trifft die Israeliten tief in ihrem Glauben. Doch Gott fängt neu an, er sucht sich einen König, der die Treue hält.

„Treu ist Gott und kein Böses an ihm, gerecht und wahrhaftig ist er."

5. Mose 32,4

Einigkeit macht stark

1. Chronik 11,1-9 **Dienstag, 16.**

Der Bericht über die Schwierigkeiten, die David 7 Jahre zu bestehen hatte, ist mehr im Telegrammstil verfasst. Er war ja nur König über den Stamm Juda und es floss viel Blut, bis es zu dieser Versöhnung und dem Bundesschluss mit allen Stämmen Israels kam (In 2Sam 2–4 wird das ausführlicher berichtet). Nun sind sich alle einig: David ist der neue König über ganz Israel. Gottes Zusage durch den Propheten Samuel (1. Sam 16) wird endlich Wirklichkeit. Die neue Einheit wird vertraglich vor Gott und allen Israeliten bestätigt. Nun beginnen 33 sehr erfolgreiche Jahre für König David. Ohne die beschlossene Einheit wäre das nicht möglich gewesen. Einigkeit ist ein Schlüsselwort für militärischen und wirtschaftlichen Erfolg. Sie ist auch eine Herausforderung für uns Christen. Wie viel Streit und Uneinigkeit gibt es unter den Konfessionen, ja bis hinein in die einzelnen Gemeinden! Im Sinne Jesu ist das nicht.

Jesus betet: „... damit sie alle eins seien und die Welt glaubt, dass du mich gesandt hast.“ *Johannes 17,21*

Furcht oder Ehrfurcht

1. Chronik 13,1-14 **Mittwoch, 17.**

Und wieder geht es David um die Einigkeit. Er möchte ein geistliches Zentrum schaffen und die Bundeslade – die symbolische Gegenwart des lebendigen Gottes – in Jerusalem stationieren. Mit Abgesandten aus allen Volksgruppen wird sie wie im Triumphzug mit Musik und Begeisterung Richtung neuer Königsstadt gekarrt. Und da, mitten in der Volksfeststimmung, geschieht der schreckliche Unfall mit einem Toten. Noch schrecklicher ist, dass dies Gottes Strafe für eine hilfreiche Rettungsaktion sein soll. Ist die Bundeslade so heilig, dass Unbefugte sie nicht berühren dürfen? Da wird David die Sache zu heiß, sodass er die Lade lieber nicht in seiner Nähe haben will. Seine Ehrfurcht ist der Furcht gewichen. Angst vor Gott brauchen wir nicht zu haben, aber mehr Ehrfurcht und Respckt vor seiner Heiligkeit wären sicher manchmal angebracht.

„Gott hat uns nicht gegeben den Geist der Furcht, sondern der Kraft und der Liebe und der Besonnenheit.“ *2. Timotheus 1,7*

Sich mitfreuen über den Erfolg des anderen

1. Chronik 14,1-17 **Donnerstag, 18.**

Die Philister können es nicht ertragen. Dieser lumpige Nomadenstamm aus den Bergen feiert einen Erfolg nach dem anderen. Aus Zelten werden feste Häuser. Aus einem Anführer wird ein respektierter König bei den Nachbarn. Aus wenigen werden viele Israeliten. Anstatt sich mit dem Nachbarn Israel zu freuen, wird zur vernichtenden Tat geschritten. Gleich zwei Mal treibt der Neid die Philister in die militärische Katastrophe. Neid – der Stoff, aus dem nicht nur die Weltgeschichte gemacht ist, sondern wer kennt ihn nicht? Das Gefühl, zu kurz zu kommen. Dem anderen den Erfolg nicht zu gönnen. Denke heute nach, bei wem es dir schwerfällt, sich über seinen Erfolg mitzufreuen. Gestehe es dir ehrlich ein und bringe es vor Gott. Mal schauen, was sich ändert.

„Wer ist weise und klug unter euch? Der zeige mit seinem guten Wandel seine Werke in Sanftmut und Weisheit. Habt ihr aber bittern Neid und Streit in eurem Herzen, so rühmt euch nicht." *Jakobus 3,13-14*

Wen hätte es gewundert

1. Chronik 15,1-16; 25-29 **Freitag, 19.**

Jahrelang hatte sich das Volk danach gesehnt. Endlich ist es so weit: Die Bundeslade, und damit Gott selbst, kehren heim nach Jerusalem. Was für eine Party! Alle sind auf der Straße. Es wird ausgelassen Musik gemacht und getanzt. Mitten unter ihnen David, der seinen Emotionen freien Lauf lässt. Aber – und wen hätte es gewundert – es öffnet sich ein Fenster (V. 29) und ein verächtlicher Blick trifft David. Anstatt sich mitzufreuen, ist Michal von der Art und Weise des Gottesdienstfeierns genervt. Wie viel unnötigen Stress gibt es genau deswegen auch heute in unseren Gemeinden. Zu laut, zu leise, zu modern, zu traditionell, zu emotional, zu nüchtern, zu ... – und bei allem Stress um kulturelle Ausdrucksformen im Gottesdienst verpassen wir eines: die Freude über Gottes Gegenwart!

„So brachte ganz Israel die Lade des Bundes des HERRN hinauf mit Jauchzen, Posaunen, Trompeten und hellen Zimbeln, mit Psaltern und Harfen." *1. Chronik 15,28*

Mit dem Gedächtnisverlust droht uns der Ich-Verlust

1. Chronik 16,1-22 **Samstag, 20.**

Was für ein geniales Danklied! Mitten in der Freude über die Heimkehr der Bundeslade erinnert sich David an die große Segensgeschichte Gottes. An einem völlig unbedeutenden Nomadenstamm – dem „kleinsten unter allen Völkern“ (5Mo 7,7-8) und zigmal bedroht vom Untergang zwischen den Weltmächten – zeigt Gott seine Liebe. David lässt sich nicht von dem Moment überwältigen. Er sieht das große Ganze. Eine solche Erinnerungskultur droht uns heute in Eilmeldungen im Sekundentakt abzusaufen. Und mit unserem Gedächtnisverlust droht uns der Ich-Verlust. Wer nicht weiß, woher er kommt, weiß auch nicht, wer er ist – und schon gar nicht, wohin er unterwegs ist. David lädt dich und mich ein: Sieh auf das, was Gott durch die Geschichte getan hat. Gedenke der Krisen. Und freue dich über seine unendlich vielen Neuanfänge mit uns Menschen.

„Gedenket seiner Wunder, die er getan hat …“ *1. Chronik 16,12*

Wochenspruch

„Wohl dem Volk, dessen Gott der HERR ist, dem Volk, das er zum Erbe erwählt hat!“ *Psalm 33,12*

Vernichte sie!

Psalm 59 **Sonntag, 21.**

Hilfe – wie soll ich solch einen Psalm mitbeten? Und das am heiligen Sonntag. Wo bleibt hier die Feindesliebe, die Jesus predigt (Mt 5,43-48)? Das ist doch der blanke Hass! So geht es mir jedes Mal, wenn ich auf solche Liedzeilen in der Bibel stoße.

Geholfen haben mir folgende Gedanken: Zum einen ist es gut, dass uns die Bibel ermutigt, unsere Gefühle nicht zu unterdrücken, sondern rauszulassen. Und wer so misshandelt wird wie der Beter hier, der hat berechtigt emotionale Gründe, dem Unterdrücker den Untergang zu wünschen. Dafür muss er sich nicht entschuldigen. Zum anderen ist aber der Punkt, auf den es ankommt, dass der Psalmbeter nicht selbst zum Schwert greift und Selbstjustiz verübt. Nein, er klagt Gott seine Not und seine Rachegefühle und überlässt ihm das Wiederherstellen der Gerechtigkeit.

„Rächt euch nicht selbst, meine Lieben, sondern gebt Raum dem Zorn Gottes; denn es steht geschrieben (5Mo 32,35): ‚Die Rache ist mein; ich will vergelten, spricht der Herr'!" *Römer 12,19*

Lobpreis, der unter die Haut geht!

1. Chronik 16,23-43 **Montag, 22.**

Das Danklied Davids geht weiter. Der erste Teil (V. 15-22) berichtete von den großen Taten Gottes. Die Fortsetzung beschreibt nun die Größe und Herrlichkeit Gottes. In Beidem gründet sich das Lob Gottes. Psalm 96 wird in dieses Danklied einbezogen.
Wenn Ihnen die Worte fehlen, um Gott zu loben, dann machen Sie es wie David: Blicken Sie auf das zurück, was Gott Ihnen Gutes getan hat. Bedenken Sie die Größe, Güte, Barmherzigkeit, Herrlichkeit Gottes – und was er durch seinen Sohn Jesus Christus schenkt. Ein Rückblick auf Erlebtes und ein Aufblick zu Gott verändern und helfen, dass wir neu Gott die Ehre geben können.
Diese persönlichen Entdeckungen sollen unser Erzählen und Verkündigen (V. 23.24) bestimmen. Menschen um uns herum sollen vom Lob Gottes angesteckt und zum Glauben an ihn eingeladen werden.

„Wir hören sie in unseren Sprachen die großen Taten Gottes verkünden!" *Apostelgeschichte 2,11*

Von Gott abhängig!

1. Chronik 17,1-14 **Dienstag, 23.**

David hat einen Wunsch: Wenn er ein königliches Haus bewohnen darf, dann soll auch Gott nicht „campen", sondern anständig wohnen. Also muss ein würdiger Tempel her. Aber Gott macht ihm einen Strich durch seine „fromme" Rechnung. Im Auftrag Gottes muss der Prophet Nathan dem König widersprechen. Das ist eine Aufgabe von Seelsorgern: Gottes Wort dem Einzelnen zuzusprechen. Das kann eigene Wünsche bestätigen oder ihnen auch widersprechen.

Gott bedarf keiner Wohnung „von Davids Gnaden“! David lebt „von Gottes Gnaden“! Das wird ihm deutlich gesagt: Er ist Fürst Israels durch die Gnade Gottes. Der Bestand seiner königlichen Dynastie hängt davon ab. Einer seiner Nachkommen aber „wird regieren über das Haus Jakobs in Ewigkeit, und sein Königreich wird kein Ende haben“ (Lk 1,33). Durch Jesus, den „Sohn Davids“, ist Gott uns allen gnädig. Davon leben wir!

„Und er rief: Jesus, du Sohn Davids, erbarme dich meiner!“

Lukas 18,38

Dein Wille geschehe!

1. Chronik 17,15-27 **Mittwoch, 24.**

Ein wirklich großer König! David verzichtet auf die Durchsetzung seiner Wünsche. Von Beleidigtsein keine Spur. Er bittet Gott, seine Zusagen zu erfüllen. Gottes Segen soll dadurch sichtbar werden. „Dein Wille geschehe“, so lehrt Jesus Christus seine Nachfolger das Beten. Eine Bitte, die unseren Willen herausfordert. Wir erhalten unseren Wert nicht dadurch, dass unser Wille geschieht und unsere Wünsche in Erfüllung gehen. Dass uns Gott sieht, sich um uns kümmert, uns segnet mit Gnade und Barmherzigkeit und uns unsere Sünde vergibt, das macht uns wertvoll. Darum ist sein Sohn Jesus Christus in unsere Welt gekommen, „damit jeder, der an ihn glaubt, nicht verloren geht, sondern ewiges Leben hat“ (Joh 3,16; E). So hält Gott sein Wort.

„Macht euch um nichts Sorgen! Wendet euch vielmehr in jeder Lage mit Bitten und Flehen und voll Dankbarkeit an Gott und bringt eure Anliegen vor ihn.“ *Philipper 4,6 (NGÜ)*

Gott hilft!

1. Chronik 18,1-17 **Donnerstag, 25.**

David ist erfolgreich. Die feindlichen Nachbarn, die Israel immer wieder überfallen und beraubt haben, werden besiegt. Die Gren-

zen sind nach langer Zeit gesichert. Aber nicht das geschickte Taktieren Davids und nicht der Mut seines Heeres haben zum Sieg geführt. „Der HERR half David überall." (V. 6.13) Gott hilft und hält seine Zusagen. Und David? Er widersteht den Verlockungen und Eitelkeiten eines Erfolgsmenschen. Erbeutetes Material wird kriegsuntauglich gemacht. Schätze füllen nicht seine Schatzkammern, sondern werden im Gottesdienst verwendet. Kostbarkeiten werden gesammelt, um später den Tempel Salomos zu schmücken.
Bei allem, was uns gelingt und was wir besitzen, dürfen wir nicht vergessen: „Der HERR half überall." Die biblische Konsequenz wäre, ihm alles zur Verfügung zu stellen.

„Der HERR hat mir geholfen, darum wollen wir singen und spielen, solange wir leben, im Hause des HERRN!" *Jesaja 38,2*

Misstrauen zerstört

1. Chronik. 19,1-15 **Freitag. 26.**

So freundschaftlich, wie es hier klingt, war das Verhältnis Davids zum König der Ammoniter nicht. Aber sein Tod hat David offenbar berührt und er wollte Trost spenden. Die Berater Hanuns waren sich sicher, dass Davids Boten nicht in guter Absicht gekommen sein können. Sie unterstellen ihnen Spionage. Und so wuchs das Misstrauen. Wie wäre die Geschichte wohl weitergegangen, wenn Hanun den Boten Davids geglaubt hätte? Oder sie zumindest nicht derart gedemütigt hätte? Er tut es nicht. Damit setzt er die Spirale „Wie du mir, so ich dir" in Gang. So wird aus Misstrauen Streit und Krieg. Das ist leider nicht nur eine alte Geschichte. Sie geschieht immer wieder, auch wenn es nicht bis zum Krieg kommt. Wie wäre es, sich nach dem Satz zu richten: „Wie mir Gott, so ich dir!"?

„Er lässt es den Aufrichtigen gelingen und beschirmt die Frommen."
Sprüche 2,7

Gottes Zusage gilt

1. Chronik 19,16–20,8 Samstag, **27.**

Die Geschichte nimmt ihren Lauf. Wie so oft, im Großen wie im Kleinen. David kann sich diese Demütigung nicht bieten lassen. Hanun ahnt wohl die Folgen seines Handelns. Deshalb kauft er sich eine imposante Streitmacht zusammen. Was er nicht weiß, ist, dass er nicht nur gegen David kämpft, sondern gegen Gott. Gott hatte David zugesagt, für ihn zu streiten (17,8). Und Gott steht zu seinem Wort. Wer auf der Seite Gottes ist, der ist immer auf der Seite des Stärkeren. Das mag zu Beginn gar nicht so aussehen. Aber selbst die Riesen (20,4), Menschen von besonderer Größe und Kraft, mit einem anormalen Körperbau und dämonischen Zügen, ändern daran nichts. Mit diesem Sieg ist die Gefahr von außen für Israel beseitigt. David muss keine Kriege mehr führen. Er weiß, wem er seine Siege zu verdanken hat.

„Der HERR ist mit mir, darum fürchte ich mich nicht; was können mir Menschen tun?“ *Psalm 118,6*

Wochenspruch

„Gott widersteht den Hochmütigen, aber den Demütigen gibt er Gnade.“ *1. Petrus 5,5*

Der weite Blick

Psalm 145 Sonntag, **28.**

Grenzenlose Worte über Gott – in unserem begrenzten Leben. Gott ist allen gütig (V. 9), hält alle, die fallen (V. 14), sättigt alles, was lebt (V. 16), behütet alle, die ihn anrufen (V. 18). Das überschreitet unsere Glaubenserfahrungen: „Alle“? Wir stoßen immer wieder an Grenzen, an denen nicht immer die Güte Gottes spürbar ist; in der Menschen, die sich an ihn halten, dennoch fallen; in der nicht alle gesättigt werden und alle, die zu Gott schreien, behütet sind. Doch der Lobpreis will nicht beschreiben, wie die Welt ist, sondern will uns den Blick darauf richten, wer Gott ist: treu in allen seinen Worten (V. 13), gerecht in allen seinen Wegen, gnädig in allen seinen Werken (V. 17). Die Not verengt unseren Blickwinkel – der Lobpreis will ihn weiten. Nicht um das Belastende und Beengende zu verleugnen, sondern um Gott nicht aus den Augen zu verlieren.

„Aller Augen warten auf dich.“ *Psalm 145,15*

Ungehorsam ist Sünde

1. Chronik 21,1-14 **Montag, 29.**

Was ist nur in David gefahren? „Der Satan“, sagt die Bibel. Das heißt: Was David denkt und tut, ist nicht von Gott bestimmt. Er will sein Volk zählen, sich seiner Stärke und Streitmacht vergewissern, ihrer Treue zum König sicher sein. Warum eigentlich? Gott hat doch für ihn gekämpft und gesiegt. David ist nicht von seinem Plan abzubringen. „Des Menschen Wille ist sein Himmelreich“, sagt man – oder er führt ihn in den Abgrund. So bei David. Die Zahlen hat er – aber was helfen sie ihm? Da erkennt David seinen Ungehorsam als Schuld vor Gott. Immerhin. Denn auch das ist nicht selbstverständlich. Die Wahl der Strafe zeigt: Er möchte lieber in die Hände des strafenden Gottes fallen als in die Hände seiner Feinde. Er kennt Gottes Barmherzigkeit und vertraut darauf.

„Wer seine Missetat leugnet, dem wird's nicht gelingen; wer sie aber bekennt und lässt, der wird Barmherzigkeit erlangen.“

Sprüche 28,13

Buße bringt Rettung

1. Chronik 21,15–22,1 **Dienstag, 30.**

Buße. Ein altes Wort. So fremd ist es uns aber gar nicht. Niemand möchte, dass sein Name im Zentralregister der Verkehrssünder steht. Dort Einträge zu sammeln ist nicht nur teuer, sondern kann zum zeitweiligen Verlust der Fahrerlaubnis führen. Meint das die

Bibel, wenn sie von Buße redet? David tut Buße, auch wenn das Wort im Bibeltext hier gar nicht vorkommt. Wie sieht seine Buße aus? 1. David erkennt seine Schuld. 2. David erkennt seine Schuld an. Er bereut sein Tun. 3. David bittet Gott um Vergebung. 4. David tut, was Gott ihm sagt. Erkennen, anerkennen, bereuen, um Vergebung bitten, Gottes Willen tun. Das meint Buße. Das ist der Weg aus Schuld und Sünde. Dieser Weg ist gangbar, weil Gott barmherzig ist. Das weiß David und das dürfen wir glauben – zumal Jesus für unsere Schuld am Kreuz bezahlt hat.

„Die Zeit ist erfüllt, und das Reich Gottes ist nahe herbeigekommen. Tut Buße und glaubt an das Evangelium!“ *Markus 1,15*

Mit Gottes Frieden handeln

1. Chronik 22,2-19 **Mittwoch, 31.**

Um Großes in unserer Welt zu bewegen, sollte man ein Mensch der Ruhe sein. Salomo, der Sohn des großen König Davids, wird als Persönlichkeit mit innerer Ruhe beschrieben. Er war klug und auf Gottes Weisungen ausgerichtet. David selbst, ein starker Kämpfertyp, ist oft schuldig geworden. Deshalb ist er für den Bau des großen Tempels in Jerusalem nicht geeignet. Diese Entscheidung Gottes hat ihn tief geschmerzt. Aber er hat sie akzeptiert. Ich finde es faszinierend, dass David alles für das berühmte Werk seines Sohnes vorbereitet. Ein Vater stärkt seinem Sohn den Rücken. Dadurch ist auch er am Bau des Tempels indirekt beteiligt! Mit welcher Haltung engagieren wir uns? Lasst uns Menschen sein, die bei Gott Ruhe finden und mit seinem Frieden klug handeln. Wenn Gott, der himmlische Vater, uns den Rücken stärkt, wird Gutes gelingen – wie damals bei David und Salomo.

Jesus sagt: „Kommt her zu mir ... so werdet ihr Ruhe finden für eure Seelen.“ *Matthäus 11,28.29*

Monatsspruch September

Gott lieben,
das ist die allerschönste Weisheit.

Sir 1,10

Gemeinde mitgestalten!

1. Chronik 28,1-13 **Donnerstag, 1.**

David ruft alle Führungskräfte aus den Stämmen Israels zusammen. Er legt seine Pläne vor und wirbt für den Tempel Gottes, in dem das ganze Volk feiern kann. Dabei geht es um eine kluge gesellschaftliche Entscheidung. Er führt mit dem Tempelbau die vielen Anbetungsstätten im Land zu einer geistlichen Mitte zusammen. Der Tempel in Jerusalem soll ganz offiziell das gemeinsame religiöse Zentrum werden.

Ich staune darüber, dass David sich nicht selbst ein Denkmal baut (wie viele Herrscher dies bis heute tun!), sondern öffentlich bezeugt: Gott selbst ist der Auftraggeber des Tempelprojekts. Salomo wird beauftragt den Bau auszuführen.

Im NT zeigt Jesus klar: Die Gemeinde der Christen ist der Tempel Gottes. Wir sollen an diesem lebendigen Tempel Gottes mit bauen. Wie damals in Jerusalem gilt die Einladung, Gottes Nähe zu suchen. Er lässt sich finden. Das ist eine absolut gute Nachricht für uns!

„Wenn ihr mich von ganzem Herzen suchen werdet, so will ich mich von euch finden lassen, spricht der Herr." Jeremia 29,13-14

Ein Fest des Schenkens

1. Chronik 29,1-22 **Freitag, 2.**

Ein gigantisches Projekt: auf den Hügeln vor Jerusalem Gott eine neue Wohnung zu bauen. David will seinen jungen Sohn Salomo unterstützen und startet eine große Spendenaktion. Fundraising würden wir heute sagen. Dabei geht er selbst als glaubwürdiges Vorbild voran und findet dadurch Gehör bei den Verantwortlichen wie beim Volk. Viele Gaben für den Bau kommen zusammen. Freude bricht auf über die großzügigen und freiwilligen Spenden. David lädt sein Volk zum Danken, Staunen und Loben ein.

Auch uns zeigt David heute: Alles, was wir sind und haben, ist ein Geschenk von Gott! Diese Einsicht hilft uns zu einer neuen Demut und befreit uns von lebenszerstörerischem Materialismus. Wir werden ermutigt, die Lebensgeschenke Gottes zur Ehre Gottes einzusetzen. Wer gerne und freizügig seine Zeit, seine Kraft, sein Geld für den Bau von Gottes Reich verschenkt, kann fröhlich feiern. Wie damals in Jerusalem.

„Einen fröhlichen Geber hat Gott lieb." *2. Korinther 9,7*

Das Beste kommt zum Schluss

2. Chronik 1,1-17 **Samstag, 3.**

In der jüdischen Bibel haben die Bücher eine andere Reihenfolge, als wir es gewohnt sind. Die 2. Chronik steht ganz am Ende. Und startet dann gleich mit einem solchen Regierungsantritt des neuen Königs. Salomo, der Sohn Davids, tritt in die Fußstapfen seines Vaters, der 40 Jahre regiert hat. Fußstapfen, die ziemlich groß sind. Da ist jede Hilfe wichtig und wertvoll.
Und wenn Gott beruft, dann hilft er auch. Er lässt uns nicht allein. Und diese Hilfe ist keine Bevormundung. Wir dürfen mitreden. Wir werden gefragt, was Gott uns geben soll. Es klingt auf den ersten Blick verführerisch, einen Wunsch frei zu haben.
Aber die Antwort ist alles andere als einfach. Mit einem Satz zusammenfassen, was wir gerne hätten und vor allem brauchen. Klug und universell antworten. Und nicht beliebig. Im Verheißungsrahmen Gottes bleiben. Ein sehr großes Geschenk, nicht nur für uns allein. Was werden wir heute in unserer konkreten Situation auf diese Frage Gottes antworten?

„Und Jesus antwortete ihm und sprach: Was willst du, dass ich für dich tun soll?" *Markus 10,51*

Wochenspruch
„Das geknickte Rohr wird er nicht zerbrechen, und den glimmenden Docht wird er nicht auslöschen." *Jesaja 42,3*

Krasser Lobpreis

Psalm 49 **Sonntag. 4.**

Psalmen sind Lieder im jüdischen Gottesdienst. Doch über was soll man singen? „Bist du reich, dann geht's dir gut – bist du arm, dann bist du arm dran“ (V. 2-3)? Für Lobpreis ist das nicht so geeignet. Wie wäre: „Die Reichen können beim Sterben nichts mitnehmen – die Armen haben Hoffnung auf den Himmel“ (V. 6-13)? Da würden wir aufs Jenseits vertröstet. Zum Loben passt das auch nicht. Der Psalmist erkennt: „Egal, ob jemand arm oder reich ist, weise oder dumm: Am Ende sterben wir alle und müssen all unseren Besitz zurücklassen.“ Das ist wahr, aber es fehlt die Pointe. Die kommt ab V. 15: Der Tod ist nicht das Letzte. Wer glaubt, der wird ewig leben. Das ist Hoffnung, die heute schon trägt!

„Jesus spricht zu ihr: Ich bin die Auferstehung und das Leben. Wer an mich glaubt, der wird leben, ob er gleich stürbe; und wer da lebt und glaubt an mich, der wird nimmermehr sterben.“ Johannes 11,25

Das Beste ist gerade gut genug

2. Chronik 1,18–2,17 **Montag. 5.**

Diese Baubeschreibung macht uns heute schwindelig. Solch eine Pracht, von allem nur das Beste. Gut, Salomo ist kurz vorher reich beschenkt und ausgestattet worden. Aber muss das jetzt so gewaltig schön werden mit dem Tempel? Will Salomo allen zeigen, was in ihm als Bauherr steckt? Der Beginn der Leistungsgesellschaft? Nein, der König kennt seine Grenzen genau (V. 5). Und in diesem scheinbaren Widerspruch steckt ein großes Geheimnis des Glaubens. Für Gott nur das Beste geben und trotzdem wissen, dass es nicht darum geht, sich damit selbst zu erhöhen. Und dazu dürfen wir auf unsere von Gott geschenkten Fähigkeiten und Mittel und die aller Mitarbeiter zurückgreifen (V. 12f.).

„Wahrlich ich sage euch: Diese arme Witwe hat mehr als sie alle eingelegt.“ Lukas 21,3

Das Beste ist, wenn Gott da ist

2. Chronik 3,1-17 **Dienstag, 6.**

Mit dem Tempel verbinden die Juden etwas Besonderes. Er ist die Wohnung Gottes. Drei Bereiche: die Vorhalle, die große Halle und das Allerheiligste. Das Allerheiligste mit der Bundeslade durfte nur einmal im Jahr, am Versöhnungstag Jom Kippur, durch den Hohepriester betreten werden. Abgetrennt ist der Bereich durch einen prächtigen Vorhang (V. 14). Der Zutritt ist streng limitiert. Und genau dieser Vorhang zerreißt in dem Augenblick, in dem Jesus am Kreuz stirbt (Mt 27,51), und gibt damit den Zugang zum Allerheiligsten frei. Welche Bedeutung hat die prächtige Ausstattung des Allerheiligsten für unseren Glauben heute?

„Und wenn ich hingehe, euch die Stätte zu bereiten, will ich wiederkommen und euch zu mir nehmen, auf das auch ihr seid, wo ich bin.“

Johannes 14,3

Der Tempel – das sind wir!

2. Chronik 5,1-14 **Mittwoch, 7.**

Was für ein herrlicher Tempel! Die kostbarsten und edelsten Materialien wurden verarbeitet (V. 1). Viele Würdenträger haben sich zur Einweihung eingefunden (V. 2-6). Chöre und Orchester erfüllen den gottesdienstlichen Raum, als die Bundeslade ins Allerheiligste getragen wird (V. 7-13). Das Volk betet Gott an und gibt ihm die Ehre (V. 13). Doch der eigentliche Höhepunkt kommt noch: Gott selbst erfüllt den Tempel in einer Wolke.

König Salomo hat viel Geld, Zeit und Liebe in den Tempel investiert. Er sollte würdevoll und einzigartig sein. Doch bei allem geht es nicht zuerst um den Bau, sondern um die Gegenwart Gottes. Heute sind *wir* der Tempel, wenn wir zu Jesus gehören. Er will in uns wohnen. Ein Mensch ohne Gott ist wie ein leerer Tempel! Gott wohnt in seinen Kindern (Joh 14,17.18.23) – wohnt er auch in dir?

„Oder wisst ihr nicht, dass euer Leib ein Tempel des Heiligen Geistes ist?“ *1. Korinther 6,19*

Beten mit Herz und Hirn

2. Chronik 6,1-21 **Donnerstag, 8.**

Von Salomo können wir Beten lernen. Er beginnt mit dem *Lob* Gottes (V. 4). Lob ist immer konkret. Salomo denkt über die Führung und Erwählung nach, die zum Bau des Tempels geführt haben (V. 4-11). Schreibe auf, wie du Gott im letzten Jahr erlebt hast: Bewahrung im Alltag, Gottes Reden, seine Hilfe, Vergebung usw. Und nun danke ihm dafür!

Nach so vielen Erfahrungen kann Salomo nicht anders, als vor Gott auf die Knie zu gehen (V. 12). In der Bibel ist das Knien die Körperhaltung der *Anbetung*. Bei der Anbetung geht es nicht um ein gutes Gefühl, das der Beter hat, sondern darum, dass wir Gott sagen, wie groß und einzigartig er ist (V. 14).

Auch die Bitten kommen in Salomos Gebet nicht zu kurz (V. 16. 17.19-21).

„Aber es kommt die Stunde und ist schon jetzt, dass die wahren Anbeter den Vater anbeten werden im Geist und in der Wahrheit; denn auch der Vater will solche Anbeter haben.“ *Johannes 4,23*

Jahreslosung 2022

Jesus Christus spricht: Wer zu mir kommt, den werde ich nicht abweisen. **Joh 6,37 (E)**

Ein Stern war vom Himmel gestürzt.

Der junge Pastor einer Gemeinde hatte versagt. Irgendwie war es ruchbar geworden. Irgendjemand hatte geplaudert. Und die Presse hatte es natürlich gnadenlos ans Tageslicht gezerrt: „Ein Pastor, der sündigt“ – welch eine schöne Schlagzeile. Mag mancher den Glauben auch längst abgehakt haben, so etwas liest er dann doch mit großem Interesse. Ein Skandal! Nicht nur einmal, nein, gleich dreimal hatte der Pastor Dinge getan, die man als

Pastor einfach nicht tut. Die Gegner des Mannes rieben sich die Hände, und seine Freunde gingen vorsichtig auf Distanz. Und im ganzen Ort fragte man sich, ob mit dem Fall des jungen Gemeindeleiters nicht die Integrität des gesamten Christentums infrage gestellt wäre. Morgen würde der Gemeinderat über seine Zukunft bestimmen. Und dem unglücklichen Mann war nur allzu klar, wie die Entscheidung ausfallen würde.
Der Pastor liebte seinen Beruf. Seine Arbeit war für ihn mehr als nur ein Broterwerb. Sie war im wahrsten Sinne des Wortes eine Berufung. Er meint wirklich ernst, was er sagte. Aber er war schwach geworden, ganz einfach schwach. Und nun war es mit Händen zu greifen: „Der ist nicht zu halten, dieser Mann. Das wäre schlecht für das Renommee der jungen Gemeinde. Er ist eben noch nicht reif genug, um die Gemeinde zu führen.“ Niemand wusste das besser als der Pastor selbst. Er setzte sich irgendwo an den Wegesrand und weinte. Doch wen kümmerten seine Tränen? Also fing er an zu beten: „Dreimal habe ich versagt, und ich kann keine Garantie abgeben, dass ich es nicht wieder tun werde. Ich bin einfach nicht für diesen Job gestrickt. Herr, du weißt, dass ich dich liebe. Aber ich kann deinen Auftrag nicht ausführen. Nicht, ohne deine Sache in Misskredit zu bringen. Herr, auf so tönerne Füße kannst du dein Reich nicht bauen. Die anderen sind einfach besser. Ich habe es probiert, aber ich schaffe es nicht. Vergib mir meine Vermessenheit und such dir jemand anderen.“
Er schloss die Augen und ging seinen Gedanken nach. Plötzlich hörte er Jesus zu sich sprechen: Simon, Sohn des Johannes, liebst du mich mehr, als mich diese lieb haben? Er spricht zu ihm: Ja, Herr, du weißt, dass ich dich lieb habe. Spricht Jesus zu ihm: Weide meine Lämmer! ...“ (Joh 21,15-17)

Klaus Douglass

Beten ist gelebte Beziehung mit Gott

2. Chronik 6,22-42 — **Freitag. 9.**

Beten hat viele Gesichter. Nach Lob, Anbetung und Bitte geht es ab V. 22 um die Fürbitte. Salomo bittet für den einzelnen Sünder

und für ganz Israel (V. 22-24). Er bittet für die, die um Regen beten (V. 26-27), für Zeiten der Hungersnot, Seuchen und anderen Katastrophen (V. 28-31). Er betet für Menschen aus dem Ausland (V. 32) und für kommende Kriege (34-39).
Salomo erkennt, wie Sünde das Leben, die Umstände und den Menschen zerstört. Sünde ist Beziehungsstörung mit Gott, die sich in den genannten Lebensbereichen negativ auswirkt. Deshalb brauchen wir Gottes Gnade und Segen. Gottes Gnade allein kann Sünde vergeben und die Beziehung wiederherstellen. Allein durch Gott kann Leben gelingen und gedeihen. Darum bittet Salomo wiederholt darum, dass das Volk seine Sünden erkennt, bekennt und stets neu zu Gott umkehrt.

„Lasst uns freuen und fröhlich sein und ihm die Ehre geben."
Offenbarung 19,7

Platznot im Tempel

2. Chronik 7,1-11 **Samstag, 10.**

Ein neues Gemeindehaus wird eingeweiht. Seit Wochen wird das große Fest geplant. Viel ist zu tun, beim Gottesdienst und der Vorbereitung des Büfetts. Im heutigen Text entdecken wir, wie sich die Einweihung des Tempels in Jerusalem an etlichen Punkten von unseren Festen unterscheidet. Äußerlich verwundert die Dauer: Sieben Tage lang wird gefeiert. Ganz besonders ins Gewicht fällt, dass nach Salomos Gebet die Herrlichkeit Gottes das ganze Haus (er)füllt. Der lebendige Gott nimmt den Tempel in Besitz. Für niemand und nichts sonst ist mehr Platz im Haus Gottes. Der Tempel ist heilig, weil Gott hier präsent ist – nicht wegen der Pracht des Goldes. Die Antwort des Königs und des Volkes sind ein reiches Opfer und die vielfältige Anbetung Gottes.

„Und Mose konnte nicht in die Stiftshütte hineingehen, weil die Wolke darauf ruhte und die Herrlichkeit des HERRN die Wohnung erfüllte." *2. Mose 40,35*

Wochenspruch

„Christus spricht: Was ihr getan habt einem von diesen meinen geringsten Brüdern, das habt ihr mir getan.“ *Matthäus 25,40*

Ich hoffe auf dich

Psalm 39 **Sonntag, 11.**

Alltägliches leidvolles Leben, nicht feierliche Dichtung begegnet uns in diesem Klagepsalm. Von Menschen und von Gott gestraft und verlassen kämpft der Beter um sein Leben. Aus Angst vor unbedachten Worten will er lieber schweigen. Aber dann bricht es doch aus ihm heraus. Vor allem die Erfahrung der eigenen Vergänglichkeit: das Leben der Menschen als eine nur kurze Etappe („eine Handbreit“), vergänglich und spurlos wie ein Schatten und ein Windhauch. Aber viel Lärm um nichts (V. 7). Die Vergänglichkeit und Vergeblichkeit des Lebens nimmt er als eine Strafe Gottes an. Und doch schreit er zu Gott um Hilfe. Er bittet um Errettung aus der Not und von der Sünde. Auch wenn die Auferstehungsgewissheit (noch) nicht im Blick ist, setzt er seine Hoffnung auf Gott.

„Dennoch bleibe ich stets an dir, denn du hältst mich bei meiner rechten Hand, du leitest mich nach deinem Rat und nimmst mich am Ende mit Ehren an.“ *Psalm 73,23.24*

Gottes Antwort

2. Chronik 7,12-22 **Montag, 12.**

„Ich habe dein Gebet erhört“ – was für ein außergewöhnliches Erlebnis für den König Salomo, als Gott ihm erscheint. So eine persönliche Bestätigung wäre auch für uns eine große Ermutigung. Auch wenn wir die grundsätzliche Zusage Gottes haben, dass er Gebet erhört. In diesem Moment erfährt Salomo, dass Gott sich zu dem Bauwerk stellt, dass er den Tempel als sein Haus annimmt und nun dort präsent sein wird. Dieses feierliche Versprechen hat aber auch eine ernste Seite. Es ist keine Zusage ohne Wenn und

Aber, vielmehr eine dringliche Warnung an den König und das Volk Israel. Die Zusage, dass Gottes Name, seine Augen, sein Herz im Tempel sein werden, ist eng verknüpft mit der Forderung an den König und das Volk, im Haus Gottes nur Gott allein zu verehren. Ihm darf nichts den Platz streitig machen.

„Wenn ich dich anrufe, so erhörst du mich und gibst meiner Seele große Kraft." Psalm 138,3

Ein außergewöhnlicher König

2. Chronik 9,1-12.29-31 **Dienstag, 13.**

Außergewöhnliche Menschen gibt es zu jeder Zeit. Von diesen bedeutenden Zeitgenossen erfahren wir meist nur durch die Medien. Solchen Menschen mal persönlich zu begegnen, ist etwas ganz Besonderes. So auch bei Salomo. Seine Weisheit und sein Reichtum sind „weltweit" bekannt. Viele Herrscher sehnen sich danach, ihn persönlich zu treffen. Von einer solchen Begegnung erzählt der Text. Neben den üblichen Höflichkeitsformeln und Geschenken fällt eine Aussage der Königin besonders auf. Sie würdigt nicht allen den König, sondern sie huldigt seinem Gott, der Salomo und das Volk Israel offensichtlich besonders lieb hat (V. 8). Darum hat er Salomo zum König eingesetzt. Mehr als der besondere Mensch ist der lebendige Gott zu ehren.

„Die Königin vom Süden wird auftreten beim Gericht mit diesem Geschlecht und wird es verdammen; denn sie kam vom Ende der Erde, Salomos Weisheit zu hören. Und siehe, hier ist mehr als Salomo." Matthäus 12,42

Dumm gelaufen?

2. Chronik 10,1-19 **Mittwoch, 14.**

Auf wen hören wir, wenn wichtige Entscheidungen anstehen? Hier werden Menschen gefragt, nicht Gott. Hätte er doch wenigstens auf die erfahrenen Regierungsberater gehört, denke ich unwillkürlich, dann wäre manches anders gelaufen: Die Bruderkämpfe zwischen den nun entstandenen Staaten Nordreich und Südreich hätten nicht stattgefunden. Die Verführung der Menschen zur Anbetung von Götzen an den aus machtstrategischen Gründen selbst gemachten heiligen Orten im Nordreich wäre unterblieben. Doch – und das ist das Anstößige – Gott hat es so bestimmt (V. 15)! Als Strafe für den Götzendienst des Königs Salomo hat Gott diesen gewaltigen Einschnitt geplant (siehe 1Kön 11,29-39). Klar ist: Es geschieht, was Gott will. Er ist der Herr. Deshalb können wir ihm in guten und schwierigen Situationen voll vertrauen!

„Geschieht etwa ein Unglück in der Stadt, und der HERR hat es nicht getan?“ *Amos 3,6*

Berechnende Buße

2. Chronik 12,1-16 **Donnerstag, 15.**

Haben wir schon einmal die geballte Macht einer Gruppe gegen uns gehabt? Was waren die Gründe? Wie sind wir damit fertiggeworden? Rehabeam sieht die geballte militärische Macht der Ägypter auf sich zurollen. Gott hat es so bestimmt. Der König und sein Volk sind mächtig und reich geworden. Doch statt Gott für die Hochkonjunktur zu danken, vergessen sie ihn und seine Gebote. Da sendet Gott seinen Propheten, der deutlich Kritik übt. Rehabeam und seine Minister haben Angst. Schnell erfolgt ihr Schuldbekenntnis. Allerdings hat man den Eindruck, dass dies angesichts der Bedrohung aus Berechnung geschieht. Rehabeams Umkehr ist nicht von Dauer. Als die Gefahr abgewendet ist, vergisst er Gott wieder (V. 14). Klar ist: Buße und Vergebung sind dann zum Ziel gekommen, wenn es bei uns zu neuem Verhalten kommt.

„Bringt Frucht hervor, die eure Umkehr zeigt.“ *Matthäus 3,8 (E)*

Auf Gottes Wort hören

2. Chronik 18,1-27 **Freitag, 16.**

Wir tragen eine Sehnsucht in uns, in bestimmten Situationen Klarheit zu bekommen. Wir sind dankbar für jeden Hinweis. Kein Wunder, dass die Könige wissen wollen, ob der geplante Kriegszug im Sinne Gottes ist. Damals wie heute stellen sich Fragen: Durch wen spricht Gott? Wer sagt demzufolge die Wahrheit? Ahabs am Regierungssitz angestellte Propheten wissen genau, was von ihnen erwartet wird. Sie verheißen im Namen Gottes den Sieg, obwohl sie von Gott keine Botschaft empfangen haben. Zweifel bestehen, und der Prophet Micha wird gerufen. Dieser sagt den entscheidenden Satz: „Darum höret des HERRN Wort!" (V. 18) Klar ist: Heute haben wir Gottes Wort, die Bibel. Wer dieses Wort kennt und sich glaubend einprägt, hat geistliche Worte für sich und andere.

„Ich will dich unterweisen und dir den Weg zeigen, den du gehen sollst; ich will dich mit meinen Augen leiten." *Psalm 32,8*

Es kann nicht sein, was nicht sein darf

2. Chronik 18,28–19,3 **Samstag, 17.**

Haben wir schon einmal gegen einen überzeugenden Ratschlag versucht, unseren Kopf durchzusetzen? Ahab will die Stadt Ramot zurückerobern. Dem haben sich alle unterzuordnen. Als Micha eine Niederlage und den Tod Ahabs prophezeit, wird er kaltgestellt. Erstaunlich ist, dass Josaphat trotz seiner Bedenken den Weg Ahabs mitgeht. Wollte er das gute Verhältnis zu Ahab nicht gefährden? Ahab geht geschickt vor: Er verkleidet sich als einfacher Soldat und meint, dem Spruch Michas so entgehen zu können. Aber ein auf gut Glück abgeschossener Pfeil trifft ihn tödlich. Klar ist: Gott hat durch Micha gesprochen und entsprechend gehandelt. Hätte Ahab doch gehört! Frage: Vertrauen wir Gottes Wort, auch wenn es unsere Pläne durchkreuzt?

„Denn ich weiß wohl, was ich für Gedanken über euch habe, spricht der Herr: Gedanken des Friedens und nicht des Leides, dass ich euch gebe Zukunft und Hoffnung.“ *Jeremia 29,11*

Wochenspruch
„Lobe den HERRN, meine Seele, und vergiss nicht, was er dir Gutes getan hat.“ *Psalm 103,2*

Gott loben ist der Sinn des Lebens

Psalm 146 **Sonntag. 18.**

Dieses Lied gehört zur Morgenliturgie frommer Juden. Eine Einladung, jeden Morgen ein Loblied anzustimmen. Viele christliche Songs sind von diesem Gotteslob inspiriert.
Am Anfang und am Ende des Psalms erklingt ein großes Halleluja – d. h. „Gott gehört alle Ehre!“
Wir werden ermutigt, Gott mit unserer Seele, unserer ganzen Persönlichkeit, zu loben. Unser ganzes Leben soll die Größe Gottes weiterstrahlen – nicht nur am Sonntag, sondern auch mitten in der Hitze des Werktags. Nicht nur in guten Zeiten, sondern auch in Krisen. Die Zusage gilt: Der Schöpfer der Welt nimmt uns ernst. Seine Treue hält uns in jeder Lebenslage fest. Seine helfende Hand richtet uns auf, wenn wir von Menschen verletzt wurden und enttäuscht sind. So gewinnen wir echtes Leben und können täglich dieses Loblied fröhlich anstimmen. Gottes große Zusagen gelten immer. Er öffnet uns die Zukunft. Was ist das für ein Geschenk!

„Menschenfurcht bringt zu Fall; wer sich aber auf den HERRN verlässt, wird beschützt.“ *Sprüche 29,25*

Lobpreis siegt

2. Chronik 20,1-26 **Montag. 19.**

Die Ammoniter greifen an? Heute sind es andere Feinde, die gegen Gottes Gemeindevolk marschieren: Corona-Stress, Machtspielchen, Glaubensmüdigkeit. Joschafat lehrt uns kämpfen: Erstens sollt ihr flehen und loben! Beim „Buß- und Bettag“ wird erinnert an das Geheimnis des Herrn, der nahe ist und den Notschrei seiner Gemeinde hört. Auch im Blick auf die „Pest“ – also: eine Seuche, die das Land verheert. Schon bevor das Problem gelöst ist, wird laut gelobt. Zweitens sollt ihr aufbrechen und loben! Seltsamer Kriegszug, bei dem die Lobpreisgruppe vorneweg marschiert! Nicht die Gemeinde kann ihre mächtigen Gegner besiegen. Sie darf zuschauen, wie Gott siegt. Drittens sollt ihr staunen und loben! Wer erlebt hat, wie gnädig Gott durchhilft, hat umso mehr Grund für den Dankchoral.

„Ich bitte dich nicht, dass du sie aus der Welt nimmst, sondern dass du sie bewahrst vor dem Bösen.“ Johannes 17,15

Achtung – Überheblichkeit!

2. Chronik 26,1-23 **Dienstag, 20.**

„Und als er mächtig geworden war, überhob sich sein Herz zu seinem Verderben.“ Was für eine Tragik! Usija – ein König auf Gottes Wegen. Ein Befreier von der Philister-Plage. Ein begabter Waffen-Techniker. Auf dem Gipfel seiner Karriere kommt er auf die Idee, als Priester an den Altar zu treten. Ein Sakrileg – Verletzung der heiligen Ordnung Gottes! Usija weiß das. Warum überschreitet er dennoch die rote Linie? Liegt es an der Macht? Am Erfolg? An Langeweile? Wir hören von glänzenden Gemeindeleitern, die Mitarbeiterinnen sexuell belästigen. Geistliche Führungskräfte ändern ihre Meinung und hinterfragen plötzlich das Opfer am Kreuz. Bewährte Mitarbeiter wollen auf einmal ganz alleine wissen, wie der Gottesdienst richtig läuft. Sind wir auf der Hut vor Überheblichkeit? Halten wir vor der roten Linie an?

„Die Sünde lauert vor der Tür ... du aber herrsche über sie.“ 1. Mose 4,7

„Gib frei, die du bedrückst!"

2. Chronik 28,1-15 **Mittwoch, 21.**

König Ahas regiert gegen Gott. Mit Götzenbildern, Kinderverbrennung und heidnischen Sitten. Das ist der sichere Weg in den Untergang. Bis heute. Der alte Gott wird durch den Tanz ums Goldene Kalb ersetzt. Im Jahr 2020 zählte man weltweit 42,6 Mio. Abtreibungen. Steckt die Welt schon tiefer im Untergang, als sie ahnt? Gottentfremdung führt zur Entfremdung zwischen Menschen, die sich bekriegen und versklaven. Mitschüler werden gedemütigt, Angestellte ausgenutzt, Familienmitglieder unterdrückt. Der Prophet Oded warnt: Versklavung – „ist das nicht Schuld bei euch gegenüber dem HERRN, eurem Gott?" Welchem Mitmenschen müssen wir unbedingt mehr Freiraum geben?

„Gib frei, die du bedrückst, reiß jedes Joch weg!" Jesaja 58,6

Abschaffung des Gottesdienstes

2. Chronik 28,16-27 **Donnerstag, 22.**

Das typische Kirchenmitglied braucht den Gottesdienst nicht. Schwäbisch: „Zu den Gottesdienst-Springern gehöre ich nicht, Herr Pfarrer, aber ich habe meinen Glauben!" König Ahas hat auch seinen Glauben. Den Gottesdienst braucht er nicht. Nachdem er den Tempel ausgeplündert hat, verhängt er den Lockdown. Die Abschaffung des Gottesdienstes hat Folgen, zeigt uns der Chronist. Wenn Gott nicht mehr dein Helfer ist, suchst du dir Helfer, die – nichts helfen. Wenn Gott nicht mehr Selbstbeherrschung schenkt („self-control"), wirst du von deinen Begierden beherrscht. Wenn Gott nicht mehr dein Freund ist, gerätst du an falsche Freunde. Wenn Gott nicht mehr dein Anker ist, reißt dich jede religiöse und ideologische Welle mit sich fort. Wenn du bei Gott nicht mehr zur Ruhe kommst, wirst du zum ruhelosen Glückssucher.

„Lasst uns nicht verlassen unsere Versammlungen, wie einige zu tun pflegen." Hebräer 10,25

Raum für Neues

2. Chronik 34,1-7 **Freitag, 23.**

Es reicht. Josia macht es vor. Manchmal ist es einfach Zeit, etwas zu ändern. Wieder einmal richtig auszumisten. Oder im übertragenen Sinne – Hausputz ist angesagt, im eigenen Leben entrümpeln, um für das wirklich wichtige Raum zu schaffen. Heute ist ein guter Tag, genau damit zu beginnen. Wie wäre es, jetzt das anzupacken, was schon länger auf der Agenda steht? Notiere am besten, was beim Lesen dieser Zeilen direkt vor deinem inneren Auge aufleuchtet. Aufräumen hilft zu fokussieren. Seit Jesus wissen wir, dass wir bei ihm die Orientierung für das Wesentliche im Leben finden. Gleichzeitig lehrt uns der Alltag, dass es viele Dinge gibt, die uns ablenken. Was ist also, wenn ich kein Aufräum-Held bzw. -Heldin bin? Dann freue dich über die kleinen Schritte und sei dir sicher: Gott hilft dabei.

„Ich will dich unterweisen und dir den Weg zeigen, den du gehen sollst, ich will dich mit meinen Augen leiten." *Psalm 32,8*

Mit Leidenschaft

2. Chronik 34,8-21 **Samstag, 24.**

Mit Musik geht vieles leichter von der Hand. Aber Musik bei der Arbeit? V. 12 lässt vermuten, dass die Arbeit am Haus Gottes von schönen Klängen begleitet wurde. Ein interessantes Detail. Es ist jedoch nicht verwunderlich, denn Josia will bei seinen Leuten etwas von Gottes Größe und Treue zum Schwingen bringen. Der Glaube will uns als ganze Menschen bewegen. Unser Engagement oder die Mitarbeit in der Gemeinde sind nicht das Entscheidende. Vielmehr kommt es auf unsere Haltung an. Wenn wir etwas für Gott tun wollen, soll es von Herzen kommen. Er will an unsere ganze Leidenschaft anknüpfen, so wie es bei Josia in V. 19 zu sehen ist. Gott schenkt die nötige Energie dafür. Verlange dabei aber nicht zu viel von dir. Auch Josia hat nicht von heute auf morgen die Welt aus den Angeln gehoben.

„Und siehe, ich bin bei euch alle Tage bis an der Welt Ende."
Matthäus 28,20

Wochenspruch
„Alle eure Sorge werft auf ihn; denn er sorgt für euch."
1. Petrus 5,7

Grund zur Zuversicht

Psalm 130 **Sonntag, 25.**

Wir kennen uns selbst wohl am besten. Und niemand anderem gelingt es so gut, uns niederzumachen, wie uns selbst. Mit unserer Geschichte im Gepäck gehen wir durchs Leben und werden häufig davon bestimmt, was wir und andere über uns sagen. Da gibt es die schönen Dinge, über die wir uns freuen. Und es gibt die Dinge, für die wir uns schämen. Der Beter des Psalms will damit nicht länger allein bleiben. Er kann seine Geschichte nicht ändern. Er kann die Vergangenheit nicht ungeschehen machen. Aber er will sie mit Gott teilen. Denn er weiß: Bei Gott wird er von der Anklage, von der Bewertung gegenüber sich selbst, befreit (vgl. 1Joh 3,19). Die Bewegung des Psalms will uns einladen, von uns selbst abzulassen, um uns auf Gott und seine Vergebung zu verlassen. Was dabei hilft? Nenne im Gebet die Dinge beim Namen, die dich von ihm wegziehen wollen.

„Daran erkennen wir, dass wir aus der Wahrheit sind, und können vor ihm unser Herz überzeugen." *1. Johannes 3,19*

Fokussiert leben

2. Chronik 34,22-33 **Montag, 26.**

Manchmal sind Veränderungen nötig. Das Richtige nur deshalb nicht zu tun, weil das Bisherige zur Gewohnheit geworden ist, ist dabei keine Lösung. Jakobus fasst diese Erkenntnis einmal so zusammen: „Wer nun weiß, Gutes zu tun, und tut's nicht, dem ist's

Sünde.“ (Jak 4,17). Gemeint ist damit, dass wir entscheiden, wie wir leben wollen. Unser Leben hat infolgedessen Auswirkungen auf uns und andere. Für Josia ist ein gutes Leben gleichbedeutend mit seiner Verbindung zu Gott. Dieses Gute will er für alle, die ihm etwas bedeuten. Dafür setzt er Zeichen und verändert die Rahmenbedingungen so, damit diese nicht von einem auf Gott fokussierten Lebensstil ablenken. Gibt es etwas, dass du heute ändern möchtest? Wenn du nicht weißt, wie das gehen kann, rede doch einmal mit einem Menschen darüber, dem du vertraust.

„Befiehl dem HERRN deine Wege und hoffe auf ihn, er wird's wohlmachen.“ *Psalm 37,5*

Mit gutem Beispiel voran

2. Chronik 35,1-19 **Dienstag, 27.**

König Josia räumt weiter auf. Nachdem der Götzendienst verbannt und der Tempel in Jerusalem renoviert ist, führt er die alten Ordnungen wieder ein: Die Bundeslade kommt zurück in den Tempel und Priester und Leviten nehmen ihren Dienst wieder auf. Auch das Passahfest zur Erinnerung an den Auszug des Volkes Israel aus Ägypten wird wieder eingeführt. Wie konnte das Gedenken an den stärksten Erweis der Größe und Macht Gottes und seiner Nähe zu diesem Volk je in Vergessenheit geraten? Josia weiß, dass er nicht nur Bestimmungen erlassen kann, sondern er geht auch mit gutem Beispiel voran. Seine großzügige Spende inspiriert die anderen Verantwortungsträger und motiviert sie zur Übernahme ihres Auftrages und zur Wiederbelebung dieses wichtigen Festes. – Was ist es mir wert, unsere Gottesbeziehung in der Gemeinde wieder neu zu beleben?

„Einen fröhlichen Geber hat Gott lieb.“ *2. Korinther 9,7*

Gott nicht im Weg stehen

2. Chronik 35,20-27 **Mittwoch, 28.**

Der letzte König, der „tat, was dem HERRN wohlgefiel", stolpert über seinen Eigensinn. Anstatt dem König von Ägypten aus dem Weg zu gehen und damit Gottes Plänen nicht im Weg zu stehen, wird auch Josia zum Sinnbild eines eigensinnigen Volkes, das sich im Lauf seiner Geschichte immer wieder über den Willen Gottes stellt. Josias Geschichte – und eine traurige Ballade über ihn – sollen uns eine Mahnung sein. Sich dem Willen Gottes unterzuordnen, fällt uns Menschen offensichtlich schwer. Wie oft stehen wir Gottes Plänen im Weg? Ein Blick in unsere Geschichte kann dabei helfen, dies zu erkennen und Lehren daraus zu ziehen. Der Blick in die Bibel hilft uns, zu dem zurückzukehren, der Herr unseres Lebens ist: In Jesus Christus bietet Gott uns Vergebung und Leben an, anstatt Tod und Verderben. Nutzen wir diese Chance!

„Jesus Christus spricht: Ich lebe, und ihr sollt auch leben."

Johannes 14,19

Die Bilanz

2. Chronik 36,1-10 **Donnerstag, 29.**

Die Bilanz über das Leben der drei Könige Joahas, Jojakim und Jojachin fällt ernüchternd aus: Sie taten „was dem HERRN missfiel" (zu Joahas vgl. 2Kön 23,32). Außer zur Frage ihrer Einsetzung und dem Ende ihrer Herrschaft erfahren wir darüber hinaus wenig über sie im Buch der Chronik. In ihrem Namen tragen sie zwar den Gottesnamen (z. B. Joahas = „Jahwe hat ergriffen"), aber anders als ihr Vater bzw. Großvater Josia wollen sie nichts von Gottes Willen wissen. Eine traurige Familiengeschichte mit schweren Folgen für das gesamte Volk. Was werden einmal Menschen rückblickend über unser Leben sagen? Welche Folgen hat unser Glaube bzw. Unglaube für Menschen, für die wir Verantwortung tragen?

Gebet: Herr, lass mich erkennen und tun, was dir gefällt und zum Segen für andere wird.

„Weise mir, HERR, deinen Weg, dass ich wandle in deiner Wahrheit; erhalte mein Herz bei dem einen, dass ich deinen Namen fürchte.“
Psalm 86,11

Zu spät

2. Chronik 36,11-21 **Freitag. 30.**

Der dritte Sohn Josias geht den verhängnisvollen Weg seiner Brüder weiter. Er macht sich auf dreifache Weise schuldig: Er ignoriert Gottes Reden durch die Propheten, bricht den vor Gott geschworenen Eid und verschließt sein Herz schließlich ganz vor Gott. Die Oberen des Volkes stehen Zedekia in nichts nach. Damit ist die Chance zur Umkehr vertan und das Volk trifft das Gericht Gottes hart (V. 17–23). Gott wirbt. Sein Mitleid setzt ihn immer wieder in Bewegung hin zu uns Menschen (V. 15). Aber es gibt ein „Zu-spät“, wenn Menschen sein Reden ignorieren und sich bewusst von ihm abwenden. Wo habe ich Gottes Reden in meinem Leben zu wenig Beachtung geschenkt?
Gebet: Herr, lass mein Herz offen bleiben für dich und das, was du in mein Leben hineinsprechen willst.

„Darum, wie der Heilige Geist spricht: ‚Heute, wenn ihr seine Stimme hört, so verstockt eure Herzen nicht …‘“ *Hebräer 3,7f.*

Monatsspruch Oktober

Groß und wunderbar
sind deine Taten, Herr und Gott,
du Herrscher über die ganze
Schöpfung. Gerecht und
zuverlässig sind deine Wege,
du König der Völker.

Offb 15,3 (E)

Neuanfang

2. Chronik 36,22-23 **Samstag, 1.**

Es sind die zwei letzten Verse der Chronikbücher, die uns Gottes Treue zu seinem Volk und seinem Bundesversprechen vor Augen malen. Er hält, was er durch den Propheten Jeremia versprochen hat, und leitet das Ende der babylonischen Gefangenschaft ein. Er ist Herr der Geschichte und gebraucht auch fremde Machthaber, um sein Vorhaben umzusetzen. Wenn Gott „den Geist" eines Menschen „erweckt" (V. 22) geschehen kleine und große Wunder. Deutschland durfte 1989 auch so etwas erleben.
Lasst uns heute gemeinsam dafür beten, dass Gott solche Wunder weiterhin schenkt. Auch heute gibt es Menschen in Gefangenschaft, die auf Gottes Eingreifen besonders angewiesen sind. Konkret können wir z. B. für eingesperrte Christen in Ländern wie Nordkorea beten.

„Denn ich weiß wohl, was ich für Gedanken über euch habe, spricht der HERR: Gedanken des Friedens und nicht des Leides, dass ich euch gebe Zukunft und Hoffnung?" *Jeremia 29,11*

Wochenspruch

„Aller Augen warten auf dich, und du gibst ihnen ihre Speise zur rechten Zeit." *Psalm 145,15*

10 000 Gründe

Psalm 65 **Erntedankfest, Sonntag, 2.**

„10 000 Gründe" heißt eines der bekanntesten Lobpreislieder unserer Zeit. Darin finden sich viele Anregungen, um Gott zu loben und anzubeten. Der Psalm 65 von David ist auch solch ein Lied. Es verarbeitet persönliche Erfahrungen und Gewissheiten über Gott zu einem inspirierenden Loblied. Wer genau liest, entdeckt zehnmal die Anrede „Du" und dazu Aussagen, wie Gott ist und was er tut. Die lohnen sich genauer anzuschauen. Welchen Aussagen kann ich fröhlich zustimmen? Mit welchen habe ich Schwierigkeiten und warum? Wie würde mein eigenes Loblied heute aussehen? Welche Aussagen über Gott würde ich für ein Lied auswählen, um sie mit anderen zu teilen? Zum Lobpreis gehört auch die Erkenntnis, auf Vergebung angewiesen zu sein (V. 4). Wer Vergebung erlebt, wird frei für die Nähe Gottes und die Segnungen, die von ihm ausgehen (V. 5-6).

„Lobe den HERRN, meine Seele, und was in mir ist, seinen heiligen Namen!“ *Psalm 103,1*

Das Buch Ester

Eine Perle der Welterzählungsliteratur, deren Verfasser unbekannt ist – ebenso wie das Datum ihrer Abfassung (Sprache, jüdische Überlieferung und die Art der Beschreibungen deuten in das 5., spätestens jedoch das 4. Jahrhundert v. Chr.). Der Name Ester leitet sich entweder vom altiranischen Wort für Stern oder von Ischtar, der babylonischen Liebesgöttin, ab. Ihr jüdischer Name war Hadassa, „Myrte“.
Das Buch Ester nimmt uns mit in das Jahr 482 v. Chr., zu einem Festmahl am Hof des Ahasveros (=Xerxes I.), und es erzählt die spannende Geschichte eines versuchten Völkermordes an den dort lebenden Juden. Bis heute wird in Israel als Erinnerung an die damalige Rettung das Purimfest gefeiert – der Feind des Volkes Gottes fällt schlussendlich in seine eigene Grube hinein. Das Thema bleibt für das jüdische Volk bis heute spannend: Wie kann man unter Bewahrung der eigenen Identität und Religion angesichts von Feindschaft und massiver Bedrohung überleben? Für Christen stellt sich die Frage: Wie soll man sich verhalten, wenn die eigene Religionsausübung in Konflikt mit dem Gesetz gerät? Obwohl im Buch Ester der Name Gottes nicht genannt wird, zeigt es doch die Bewahrung und Fürsorge Gottes seinem Volk gegenüber. Hinter allem menschlichen Handeln steht sein souveränes Wirken.

Faszinierender Einblick

Ester 1,1-22 **Montag, 3.**

Was für ein faszinierender Einblick in Gottes Werkstatt. Wir sehen die Vorbereitung auf die Rettung seines Volkes Israel. Und es fängt erst einmal ganz unscheinbar an: ein großes, 180 Tage lang dauerndes Fest für die Elite des Landes; eine Woche lang Volksfest für alle Bewohner seiner Festung mit freier Getränkewahl. Und am letzten Tag die Idee, seine Frau, die Königin Waschti, die mit den Frauen des Palastes ein eigenes Fest feiert, zu holen, um ihre Schönheit bestaunen zu lassen. Es klingt ein bisschen nach der alten Werbung von einst: „mein Haus, mein Boot, meine ..."
Was Waschtis Beweggründe sind, erfahren wir nicht. Aber Fakt ist: Sie will nicht vortanzen. Und 187 Tage Party enden mit einem Paukenschlag: Verlust der königlichen Würde.
Wie entscheiden wir uns heute, wenn ein Auftrag Gottes auf uns zukommt und wir nicht genau wissen, welches Ziel Gott damit verfolgt?

„Gott hat uns nicht gegeben den Geist der Furcht, sondern der Kraft und der Liebe und der Besonnenheit." *2. Timotheus 1,7*

Wertvolle Vorbereitung

Ester 2,1-18 **Dienstag, 4.**

Was für eine lange Vorbereitung bis zum Tag des Besuchs beim König. Man muss sich das für einen Moment vorstellen: Bewährung in einem heidnischen Umfeld, eine monatelange Schönheitskur, ein Herumhängen im Harem, eine Welt, in der man sich bewegen lernen muss. Und das alles nicht deswegen, weil sie sich freiwillig angeboten hätte. Nein. Sie wird geholt! Ester scheint das nicht negativ zu beeinflussen. Sie absolviert die lange Zeit der Vorbereitung und ihr gewinnendes Wesen erobert nebst Hegais Gunst auch das Herz des Königs. Gott wirkt hier im Hintergrund und sein langer Atem wird ein Stück sichtbar. Vertrauen wir ihm, auch wenn es nicht so schnell sichtbar wird, wozu oder wofür lang andauernde Wegstrecken gut sind? Und nehmen wir ihm ab, dass er es gut mit uns meint und letztlich auch gut macht?

„Befiehl dem HERRN Deine Wege und hoffe auf ihn, er wird's wohl machen." *Psalm 37,5*

Prinzipielle Treue

Ester 2,19–3,6 **Mittwoch, 5.**

Der Cousin Esters, Mordechai, sticht durch seine Treue heraus. Damit steht er in einer Reihe mit Josef, Daniel und Nehemia. Die Heirat Esters bedeutet offensichtlich keinen beruflichen Aufstieg für ihn. Er übt weiterhin sein Amt aus und dient am Hof. Er geht täglich zum königlichen Harem und erkundigt sich nach Ester. In der Torhalle des Palastbezirks hört er vom Komplott gegen den Weltherrscher und sorgt dafür, dass dieser über Ester davon informiert wird. Zur Treue Gott gegenüber gehört für ihn auch, standhaft zu bleiben und nicht vor dem mittlerweile zweitmächtigsten Mann im Staat auf die Knie zu fallen. Das wäre eine Übertretung des Gebotes aus 5. Mose 25,17-19.

Brauchen wir immer eine besondere Berufung, einen Brief vom Himmel? Vielleicht geht es einfach darum, unsere Gaben als Aufgaben zu begreifen und die uns anvertrauten Begabungen dort einzubringen, wo wir gerade sind; an dem Platz, an dem wir sind, als Christen zu leben und zu wirken – treu zu sein, weil ER es ist.

„Gott ist treu, durch den ihr berufen seid zur Gemeinschaft seines Sohnes Jesus Christus, unsers Herrn." *1. Korinther 1,9*

Gefährliche Macht

Ester 3,7-15 **Donnerstag, 6.**

Die Weigerung Mordechais hat den Hass Hamans zur Folge. Sein heimliches Ziel ist es, das Volk Israel zu vernichten. Er verfügt über die Macht und die Möglichkeiten, das umzusetzen. Und der

König erteilt ihm Generalvollmacht. Das Los fällt auf den 13. Tag des 12. Monats. An diesem Tag, so wird es überall als Gesetz der Meder und Perser verkündet, sollen alle Israeliten, „jung und alt, Kinder und Frauen“, getötet werden. Während in der Schaltzentrale der Macht gebechert wird, ergreift die Stadt Aufregung, Entsetzen und Angst. Auch wenn Gott es bis zu einem bestimmten Punkt zulässt, kann man nur über sein Wirken staunen. Er lässt das Los auf einen späten Termin fallen und benutzt den Aberglauben der Beteiligten, um sein Ziel zu erreichen.

„Wer will die Auserwählten Gottes beschuldigen? Gott ist hier, der gerecht macht.“ *Römer 8,33*

Das Leben ist der Güter höchstes nicht!

Ester 4,1-17 **Freitag. 7.**

In der Gefahr der aufziehenden Verfolgung könnte Ester dank ihrer Stellung am Hofe ihr eigenes Leben zu retten versuchen. Aber sie würde doch irgendwann als Glied des jüdischen Volkes erkannt. Das war damals so und ist bis in die Gegenwart so. „Wenn man als Jude angegriffen wird, kann man sich nur als Jude wehren!“, schrieb die deutsche jüdische Philosophin Hanna Arendt in den unseligen 1930er-Jahren. Ester geht mit dem Mut der Verzweifelten an die Rettung aller Juden: Komme ich um, so komme ich um – oder rette mein Volk. Mut entsteht, wo jemand in schier aussichtsloser Lage eine Chance erblickt. Ester sieht sie und geht mutig „entgegen dem Gesetz“ zum König. Eine wahrhaft königliche Tat, nicht in erster Linie für sich, sondern für alle Bedrohten zu sorgen.

„Niemand hat größere Liebe als die, dass er sein Leben lässt für seine Freunde.“ *Johannes 15,13*

Gier, Hass und Verblendung

Ester 5,1-14 **Samstag, 8.**

Drei Grundübel der Menschheit, Gier nach Macht, Streben nach Reichtum und Hass, leiten Haman in seinem Verhalten gegenüber dem stolzen Juden Mordechai, der einem anderen Gesetz folgt, das ihm die Anbetung eines Menschen – und sei es der mächtige persische König – verwehrt. Verblendet meint er, aus seiner vermeintlichen Überlegenheit das Daseinsrecht einer Minderheit, der Juden, und ihren Stolz willkürlich brechen zu können. Er verliert dabei aus dem Blick, dass auch sein Stolz gebrochen werden könnte. – Nicht nur eine politische Mahnung auch in unserer Gesellschaft: Wer anderen den Stolz des schlichten Daseins nehmen will, überhebt sich und wird blind für die Gefahr, die ihm selbst droht.

„Nicht hat euch der HERR angenommen und euch erwählt, weil ihr größer wäret als alle Völker – denn du bist das kleinste unter allen Völkern –, sondern weil er euch geliebt hat.“ *5. Mose 7,7f.*

Wochenspruch

„Unser Glaube ist der Sieg, der die Welt überwunden hat.“

1. Johannes 5,4c

Übersprudelnder Dank

Psalm 138 **Sonntag, 9.**

Ich danke, lobsinge, bete an und preise – vor der gesamten himmlischen Welt: Der Mund sprudelt mit dem Lob Gottes über. Der Grund dafür ist einmal Gottes ewige Güte und Treue. „Güte/Gnade und Treue“ machen Gottes Wesen aus (2Mo 34,6): Darauf kann sein Volk unverrückbar zählen.

Ein weiteres Kennzeichen dieses unvergleichlichen Gottes ist sein machtvolles Wort; dadurch formt er die Welt im Großen und im Kleinen und erweist so seine Herrlichkeit. Alle Herrscher rühmen sein Wort und seine Wege, wenn Gottes Zeit gekommen ist (Jes 60,3; Phil 2,11).

Auch in der persönlichen Not ist auf diese Treue Verlass: Der Höchste hat besonders den Randsiedler freundlich im Blick und steht ihm mit Hilfe, Kraft und Ermutigung bei. Gott bringt sein Werk – im Kleinen und im Großen – zum guten Ende. Darum ist das Herz voll Dank.

„Lobe den HERRN, meine Seele, und vergiss nicht, was er dir Gutes getan hat." *Psalm 103,2*

Gedächtnisspuren

Ester 6,1-14 **Montag, 10.**

Gute und böse Taten sind nicht damit erledigt, dass sie geschehen sind. Sie werden erinnert. Im persönlichen Gedächtnis der Betroffenen und im kollektiven Gedächtnis der Gesellschaften und Völker. Das Gedächtnis wirkt mit an unserer Identität. Wer und was wir sind, werden wir in der Erinnerung gewahr. Der König liest nächtens die „täglichen Meldungen" aus seinem Reich und fragt nach dem Lohn für Mordechais Warnung vor dem Anschlag. Nicht nur, dass Mordechai „aus dem Geschlecht der Juden" ist, wird erinnert, sondern dass dieser Jude die königliche Macht respektiert und geschützt hat. Nicht als Konkurrenten lebten Juden im Reich, sondern als treue Untertanen. Nicht nur das Böse, auch das Gute wird erinnert und trägt Früchte – damals wie heute.

„Es ist nichts verborgen, das nicht offenbar wird, und nichts geheim, was man nicht wissen wird." *Matthäus 10,26b*

Nicht Rache, sondern Rettung

Ester 7,1-10 **Dienstag, 11.**

Ester will für ihr Volk nur das schlichte Recht des Daseins und keine privilegierte Stellung. Haman wird zum Verhängnis, dass er das Daseinsrecht einer schwachen Minderheit aus Willkür angegriffen hat. Er hat Mordechais Stolz als Auflehnung gegen den König missverstanden und wusste nichts von seiner Loyalität. Er wird jetzt vom König missverstanden, als er vor dem Lager der Königin um sein Leben fleht; da sieht es aus, als griffe er erneut eine schwache Frau an. Im Verlauf der Weltgeschichte sind immer wieder Herrscher und Könige zu Werkzeugen des unerkannten Lenkers dieser Geschichte geworden. Gott wird nicht genannt in unserem Text, aber er wirkt als Beschützer derer, die unerschrocken dem Terror der Mächtigen widerstehen und das Gute und die Wahrheit tun.

„Das Licht der Gerechten brennt fröhlich; aber die Leuchte der Frevler wird verlöschen." *Sprüche 13,9*

Böses und Gutes

Ester 8,1-17 **Mittwoch, 12.**

Was haben wir aus der Geschichte gelernt? Ein kranker Machthaber schmiedet den teuflischen Plan, die Juden allesamt zu vernichten. Damals in Susa genauso wie im 20. Jahrhundert bei uns. Zum Glück ist dieses Vorhaben nie gelungen – auch wenn ich nicht verstehen kann, warum Gott während der Naziherrschaft nicht eingegriffen hat wie damals bei Ester. Auf dieses „Warum" werden wir wohl keine Antwort finden. Am Ende unseres Bibeltextes siegt die Freude! Und auch Deutschland hat im Rückblick seit 1945 eine unglaublich positive Zeit des Friedens, des Wohlstands und, ja, der Freude erlebt. Trotz des massiven Unrechts in den Jahren davor. Wir dürfen aus der Geschichte lernen, dass das Böse am Ende nicht siegen muss. Und wir können lernen, uns allezeit für die guten Pläne Gottes einzusetzen, hoffentlich annähernd so mutig wie Ester.

„Lass dich nicht vom Bösen überwinden, sondern überwinde das Böse mit Gutem." *Römer 12,21*

Hass! Rache! Tod! Ist das vernünftig? Ist das christlich? Ist das gut?

Ester 9,1-19 **Donnerstag, 13.**

Auf einige Details, die leicht übersehen werden, lohnt sich ein Blick:

- Der Text Mordechais ist ein „Verteidigungsgesetz". Es erlaubt den Kampf nur als Reaktion gegen die, die zuvor angreifen.
- Obwohl ihnen das gestattet ist, machen die Juden keine Beute. Sie bereichern sich ausdrücklich nicht durch ihren Sieg!
- Auch die Beamten usw. stehen auf der Seite der Juden. Hier findet kein willkürlicher Rachefeldzug statt, sondern eine – wenn auch brutale – „gesetzeskonforme" Aktion. Das zeigt auch die Tatsache, dass das Vorgehen klar zeitlich begrenzt ist.
- Welche Alternative hatten die Juden in dieser bedrohlichen Situation? Sicher ist Gewalt eigentlich keine Lösung. Handelten die Juden jedoch in Notwehr, wäre das vielleicht auch für uns legitim.

Schön wird die Geschichte dadurch nicht. Aber wir verstehen vielleicht, dass die Juden am Ende feiern, weil sie in einer ausweglosen Situation mit dem Leben davongekommen sind.

„Für die Juden aber war Licht und Freude und Wonne und Ehre gekommen." *Ester 8,16*

Freu' dich … gefälligst!

Ester 9,20-28 **Freitag, 14.**

Wann hast du das letzte Mal einen Sieg (Erfolg) wirklich gefeiert? Der Mensch vergisst sehr schnell ... vor allem die positiven Dinge. Negatives bleibt meist länger in Erinnerung. Vielleicht hat Mordechai, mittlerweile Vizekönig im riesigen Perserreich, deshalb das Purimfest festgeschrieben. „Als die Tage, an denen die Juden zur Ruhe gekommen waren" (V. 22). Die Armen sollen an diesem Fest besonders beschenkt werden (V. 22). Auch Gott selbst kommt am siebten Tag der Schöpfung zur Ruhe und schreibt diesen Wochentag als einen „Festtag" fest.

Das letzte Quartal 2022 hat mittlerweile begonnen. Vielleicht ist heute ein guter Tag, persönliche Festtage für 2023 zu überlegen und in den Kalender zu schreiben.

„Lobe den HERRN, meine Seele, und vergiss nicht, was er dir Gutes getan hat.“ *Psalm 103,2*

Leid und Freud

Ester 9,29–10,3 **Samstag, 15.**

Bis heute wird in den jüdischen Gemeinden das Purimfest gefeiert. Es ist ein fröhliches und ausgelassenes Fest! Der Tag vor dem Purimfest, also der Tag, den Haman für die Vernichtung der Juden ausgelost hatte, wird bis heute als „Esters Fasten“ (Ta'anit Ester) begangen. Das Fasten (V. 31) bezieht sich auf Est 4,16. Dort lässt Ester Mordechai ausrichten, dass er und das ganze Volk drei Tage fasten sollen, ehe sie zum König geht und um Rettung bittet. Auch Ester selbst fastet.

Wie die Geschichte ausgegangen wäre, wenn das jüdische Volk diese drei Tage lang nicht gefastet hätte, können wir natürlich unmöglich sagen. An diesen beiden jüdischen Feiertagen – am Fasten und am Feiern – wird unmittelbar klar, wie eng in der Bibel beides verknüpft ist.

„Weinen hat seine Zeit, lachen hat seine Zeit; klagen hat seine Zeit, tanzen hat seine Zeit;“ *Prediger 3,4*

Wochenspruch

„Dies Gebot haben wir von ihm, dass, wer Gott liebt, dass der auch seinen Bruder liebe.“ *1. Johannes 4,21*

Herzlichen Glückwunsch!

Psalm 1 **Sonntag, 16.**

Das Intro ins Buch der Psalmen beginnt mit einer Gratulation: Was für ein Glückspilz ist der Mensch, der den richtigen Platz in seinem Leben gefunden hat! Er ist fest verwurzelt, erfährt Halt in den Stürmen des Lebens, ist resilient gegen Schädlinge der Gedanken und trotzt dem gesellschaftlichen Klimawandel. Wie unterscheidet er sich von der haltlosen Spreu, die letztlich kein Gewicht hat? Das Geheimnis des Glücks liegt im Zugang zum Wasser, in der Lebensverbindung zu Gott. Auf Gott zu hören, seine Worte zu verinnerlichen, seinem Rat zu folgen macht stark. Tun wir nicht alle zu viel und hören zu wenig? Das möchte ich von dem Psalmisten lernen: Herr, präge du meine Gesinnung 24 Stunden, 7 Tage die Woche – und dann lass mein Tun gelingen, dass daraus Frucht entsteht.

„Lass mich am Morgen hören deine Gnade; denn ich hoffe auf dich. Tu mir kund den Weg, den ich gehen soll; denn mich verlangt nach dir.“ *Psalm 143,8*

Die Offenbarung des Johannes

Das Buch Offenbarung zielt auf die Regierungszeit Domitians (81–96 n. Chr.) oder auch den Anfang der Regierungszeit Trajans (98–117). Domitian war der erste römische Kaiser, der schon zu Lebzeiten von allen göttliche Verehrung einforderte („Ich, Domitian, HERR und GOTT“). In Kleinasien (türkische Westküste) wurde der Kaiserkult am Härtesten durchgesetzt. Hier aber liegen die sieben Gemeinden, an die die Offenbarung gerichtet ist (Kap. 2–3). Die Christen bekennen jedoch Jesus als HERRN und GOTT. Diskriminierung und Verfolgung sind die Folge (6,9-11). Der Seher Johannes, als Verfasser der Offenbarung genannt (1,4) und wohl Leitfigur der genannten Gemeinden, ist auf die Gefangeneninsel Patmos verbannt (1,9). Er erhält

in einer Vision vom erhöhten Christus (1,17-19) den Auftrag, die bedrängten Christen zu ermutigen und ihnen Gottes Heilshandeln bis hin zu „einem neuen Himmel und einer neuen Erde" (21,1-5) nahezubringen: „Schreibe, was du gesehen hast" (1,19), „was ist" (bezieht sich auf Offb 2–3) „und was geschehen soll danach" (Kap. 4–22).
Nirgends sonst im NT finden sich so viele Lobgesänge wie in diesem Buch. Das ist zum Verstehen der Offenbarung entscheidend. Die häufigen Hinweise auf den himmlischen Gottesdienst zeigen: Die Offenbarung ist von dorther, vom jetzt schon gefeierten Sieg Jesu her zu lesen (Offb 4 u. 5; 16,5 u.7; 21 u. 22). Die Offenbarung ist somit ein Trostbuch für die Gemeinde, die jetzt noch vielfältig angegriffen und verfolgt wird. Doch in allen Konflikten und Verfolgungen gilt: Jesus ist der Sieger. Er ist der Kyrios, der zur Rechten des Vaters erhöhte Herr Himmels und der Erde. Seit Ostern ist Jesus die Macht nicht mehr zu nehmen (1,18) und er, das ohnmächtig mächtige Lamm, bringt die Weltgeschichte zu einem heilvollen Ende! (5,4-14; 22,12ff.).
In der Offenbarung wechselt häufig der Blickwinkel. Im Bild gesprochen: Die Filmkamera schwenkt dauernd zwischen dem himmlischen Gottesdienst und den Geschehnissen auf der Erde hin und her. Und beim Blick auf die Erde ist die Kamera einmal auf die Weltereignisse gerichtet und dann auch wieder auf die Situation der Christen in allem bedrohlichen Weltgeschehen. Das Wichtigste: Ausgangspunkt für alles Geschehen ist der, der auf dem Thron sitzt (4,2; 5,1.7 u. ö.). Von hier aus wird regiert.
Eine Hilfe zum Verstehen sind auch häufig gebrauchte Titel oder Redewendungen, z. B. Gott bzw. Christus als der „Pantokrator/ Allherrscher" (9-mal; sonst nur 2Kor 6,18). 25-mal fällt das Wort „anbeten". Die gottfeindlichen Mächte können seit Ostern nicht mehr gewinnen, aber sie können noch zum Götzendienst, zum Kaiserkult verführen. Der Offenbarung geht es um das erste Gebot, um die Einzigkeit des Gottes, der uns durch Jesus rettet. Dieses biblische Buch hilft uns, die gottfeindlichen Mächte in ihrer äußeren Show, ihrem leeren Machgetöse zu durchschauen. Es sind Schein-Mächte, ihr Machtgehabe ist reiner Bluff. Des-

halb sind die Negativ-Mächte oft so schemen- und schattenhaft dargestellt. Diesen mit viel Aufsehen künstlich inszenierten Demonstrationen stellt die Offenbarung die Herrlichkeit des himmlischen Gottesdienstes entgegen, wo jetzt schon Menschen aus allen Völkern (5,13; 7,10 u. ö.) Gott die Ehre geben und schon heute das Lob dieses Gottes vor seinem Thron singen.
25-mal heißt es: „Es ward (wurde) gegeben" (6,2.4.8.11 u. ö.). Dieses sog. göttliche Passiv wird gebraucht, um den Gottesnamen zu vermeiden. Wir müssen also lesen: Gott hat gegeben. Das oft grauenvolle Tun der Menschen ist von Gott ermöglicht, aber zugleich befristet. Sieben ist die Zahl der Fülle, die zeitliche Begrenzung ist 3½ Jahre = 42 Monate = 1260 Tage. Die Leidenszeiten dauern nicht ewig. Um die Geduld und Ausdauer der Glaubenden zu stärken, wird an frühere Notzeiten Israels erinnert, z. B. an die 10 Plagen in Ägypten (2Mo 7–11). Oft scheint es, dass Gott und sein Volk endgültig von der Weltbühne abzutreten hätten, aber Gottes scheinbare Niederlagen sind oft seine Siege. So nämlich sollen auch die Nicht-Glaubenden die Größe und Herrlichkeit Gottes erkennen. Er hält ewig seine Gemeinde und die Welt in seinen guten Händen. „Hier ist Geduld und Glaube der Heiligen" (13,10).

Anfang und Ende

Offenbarung 1,1-8 **Montag, 17.**

Wer den Anfang bestimmt und das Ende beherrscht, hat die Macht. Jesus Christus steht am Anfang der Schöpfung, als Schöpfungsmittler Gottes (Kol 1,16), und er steht am Ende der Welt, als Lamm Gottes, das Gottes endzeitlichen Heilsplan erfüllt (Offb 5). Deshalb sagt Jesus: „Ich bin das A und das O" (V. 8). Derjenige, durch den alles ins Leben gerufen wurde und der damit der Schöpfung die ihr entsprechende Struktur und Bestimmung gegeben hat. Was geschieht, wenn man Gott verwirft, wird das Buch der Offenbarung beschreiben. Chaos, Unheil, Vernichtung. Und er ist auch derjenige, zu dem alles wieder führt und der damit der Schöpfung ihr Ziel und ihren Sinn gibt. Die Welt wird nicht zugrunde gehen, sondern zu Gott, ihrem Ursprung, zurückkehren. Dafür steht Jesus Christus, der Herr.

„Nun ist das Heil und die Kraft und das Reich unseres Gottes geworden und die Macht seines Christus." *Offenbarung 12,10*

Mächtig und menschlich

Offenbarung 1,9-20 **Dienstag, 18.**

Beeindruckend, aber auch an der Grenze des Unsagbaren. Johannes sieht eine menschlich-himmlische Gestalt (V. 12-16): „einem Menschensohn gleich" (V. 13), aber bekleidet mit himmlischen Gewändern in Weiß und Gold (V. 13). Symbole göttlicher Reinheit und Majestät. Ehrfurchtgebietende weiße Haare zeugen von der Würde des Alters. Augen, wie von Feuer blitzend, spiegeln Leidenschaft und Durchsetzungsvermögen wider (V. 14). Die Füße, „gleich Golderz, wie im Ofen durch Feuer gehärtet" (V. 15a), geben ihm einen festen Stand. Unerschütterlich. Und seine Stimme ist durchdringend „wie großes Wasserrauschen" (V. 15b) und wie ein „scharfes, zweischneidiges Schwert" (V. 16a). In seiner Hand hält er sieben Sterne, die für die sieben Gemeinden stehen, an die die Offenbarung adressiert ist (V. 16a.20). Auch wenn der Name nicht fällt: Es ist Jesus, der Herr der Gemeinde.

„Ich bin der Erste und der Letzte und der Lebendige."

Offenbarung 1,17f.

Gottes Volk – bedroht und doch geborgen

Offenbarung 12,1-6 **Mittwoch, 19.**

Das Weltgeschehen wirkt oft wie ein verwirrendes Knäuel unentwirrbarer Fäden. Doch indem Jesus hier den Vorhang einen Spalt weit zur Seite zieht, enthüllt er seiner Gemeinde die Zusammenhänge, und dabei strahlen Aussagen aus dem AT hell auf.

Aus dem Gottesvolk („Frau": Jes 54,1) wird der Sohn, der Messias, geboren. Er wird von Anfang an (Kindesmord in Bethlehem) bedroht und versucht (Mt 4). Gegenspieler ist der Drache, die alte Schlange, der Teufel und Satan (V. 9). Offenbar früher ein Engel, der eine erstaunliche Anzahl anderer Engel („Sterne“, V. 4) mit sich reißt. Doch nun erfüllt sich 1. Mose 3,15: Der Sohn zertritt der Schlange den Kopf, auch wenn sie ihn in die Ferse sticht. Er wird – an Himmelfahrt – zu Gottes Thron entrückt. Auf der Erde aber versorgt Gott sein Volk auf wunderbare Weise. Bei ihm sind wir geborgen – komme, was da wolle.

„Ich will sie weiden, wie es recht ist.“ *Hesekiel 34,16c*

Gottes Volk – angeklagt und doch freigesprochen

Offenbarung 12,7-12 **Donnerstag, 20.**

Der Böse und seine Truppen sind dem himmlischen Heer unterlegen und haben in Gottes Nähe keinen Platz. Sie werden auf die Erde geworfen und üben dort – für kurze Zeit (V. 12)! – ihr Werk der Verführung, Lüge und Zerstörung aus. Ergangen ist dieses Gericht an Karfreitag, besiegelt mit dem Ausruf von Jesus: „Es ist vollbracht!“

Im Himmel brandet schon der Lobpreis auf. Der Kampf ist bereits entschieden, auch wenn die Gemeinde noch sehr unter den Nachwirkungen seufzt. Gott hat in Jesus Christus die Rettung verwirklicht; am Ostermorgen hat er seine Kraft erwiesen und setzt sie nun in der Welt durch. Der Verkläger der Jünger ist zum Schweigen gebracht; stattdessen ist Jesus ihr Fürsprecher bei Gott (Röm 8,34).

Jesus sagt seinen Jüngern: „Ich sah den Satan vom Himmel fallen wie einen Blitz. Seht, ich habe euch Macht gegeben ... über alle Gewalt des Feindes; und nichts wird euch schaden.“ *Lukas 10,18f.*

Gottes Volk – unterlegen und doch gerettet

Offenbarung 12,13-18 **Freitag, 21.**

Der Zorn des Teufels richtet sich gegen das Volk Gottes. Doch wie schon am Anfang Gott sein Volk auf Adlersflügeln getragen hat (2Mo 19,4), und es sich im Schatten seiner Flügel bergen konnte (Ps 36,8; 57,2), so erfährt es auch in dieser tödlichen Bedrohung seine Fürsorge und Schutz. Dabei setzt er mit den in Dan 7,26 angekündigten „3½ Zeiten" dem Unheil eine eng begrenzte Frist. Und auch die ertränkende Flut, von der in den Psalmen (z. B. Ps 32,6) die Rede ist, bleibt ohne Wirkung.

Zu bedenken ist, dass der Angriff auf die Gemeinde Gottes sowohl mit äußerer Gewalt (Verfolgung) als auch mit geistlicher Verfälschung (Verführung) erfolgt. Das hatte Jesus in Mt 24 angekündigt. Trotz solcher Übermacht sind die Jesus-Zeugen zu keiner Zeit ohne seinen Schutz.

„Meine Schafe hören meine Stimme ... und sie werden nimmermehr umkommen, und niemand wird sie aus meiner Hand reißen."

Johannes 10,27f.

Zahlen und Bilder in der Offenbarung

Die Offenbarung des Johannes gehört zur Literaturgattung der Apokalypsen. Apokalypsen rechnen mit dem Ende der Welt und damit, dass dieses Ende zugleich der Anfang einer neuen Welt ist. Sie versuchen, eine Orientierung zu geben, wo man selbst im Weltlauf steht, und sie tun dies bisweilen mit genauen *Zahlenangaben*. Stunden, Tage, Wochen, Jahre. Damit verbunden sind die *Bilder*, die die Endzeit in schrecklichen Farben malen. Denn das Ende kommt nicht sanft und friedlich, sondern chaotisch, brutal, zerstörerisch. Grausame Bilder, die sich einprägen und die den Charakter der Apokalypsen bestimmen.

Zahlen wirken eher rational und ordnend, Bilder eher emotional und mitreißend. Aber für die Apokalyptiker sind auch die Zahlen

„Bilder“. 7 steht für Vollständigkeit, 144 000 = 12*12 000 für die Vollzahl der Glieder der Stämme Israels.
Besonders aber die Zeitangaben in Form von Jahren und Monaten haben immer wieder verführt, einen genauen Fahrplan des Endes zu berechnen. Und die erschreckenden Bilder der Offenbarung verleiten dazu, sie eins zu eins mit aufwühlenden Bildern der Gegenwart zu verbinden. Schnell ist man dann verleitet, das nahe Ende der Welt herbeizuschreiben. Die Geschichte der Auslegungen der Offenbarung des Johannes ist dafür ein drastisches Beispiel. Doch die Offenbarung ist weder ein Fahrplan noch ein Fantasieprodukt. Ihre Botschaft bleibt und hat Christen immer wieder gewarnt, ermahnt und ermutigt.
Die Warnung: Die Gemeinde Jesu wird unter Druck geraten. Zur Zeit der Offenbarung des Johannes geschah das durch den römischen Staat. Aber im Verlauf der Geschichte werden es immer wieder andere Mächte sein, die die Gemeinde bedrängen und ihre Existenz infrage stellen.
Die Mahnung: Wenn der äußere Druck steigt, muss die Gemeinde Jesu innerlich gefestigt sein. Sie muss Christus vor Augen haben und muss sich über ihren Glauben im Klaren sein. Nur wenn der Glaube stark ist, kann er dem äußeren Druck widerstehen.
Die Ermutigung: Was auch geschieht – Gott hat alles in seiner Hand. Und Christus wird am Ende über alle gottlosen Mächte siegen. Nicht das Böse und der Tod triumphieren, sondern Gott und das Leben.

Aufgepasst!

Offenbarung 13,1-10 **Samstag, 22.**

Kein Thema für uns? Zu weit weg, um es zu verstehen? Nur auf den ersten Blick. Der Seher Johannes hat das römische Gottkaisertum vor Augen, das die Untertanen dazu zwang, den Kaiser als Gott zu verehren. Viele Christen sind dabei umgekommen, weil sie sich zu dem eigentlichen Weltenherrscher, zu Christus, bekannten. Kein Thema für uns? Es ist gar nicht so lange her, da forderten die Nationalsozialisten den Führerkult, dem sich jeder zu unterwerfen hatte. Und die Leute haben mitgemacht, viele sogar begeistert. Kein Thema für uns? Der Antichrist – um den geht es in Offb 13 – taucht immer wieder auf. Immer wieder wollen Menschen sein wie Gott. Immer wieder bekämpfen sie die, die sich an den halten, der der eigentliche Herrscher ist, Christus. Wir Christen müssen das wissen – und wachsam sein.

„Wer aber beharrt bis an das Ende, der wird selig!“ *Markus 13,13*

Wochenspruch
„Heile du mich, HERR, so werde ich heil; hilf du mir, so ist mir geholfen.“ *Jeremia 17,14*

Das große „Aber“!

Psalm 38 **Sonntag, 23.**

Wenn wir „aber“ sagen, dann klingt das sehr nach Widerspruch, so wie: „Aber ich sehe das anders als du.“ Im Psalm für diesen Sonntag steht auch ein großes „Aber“. Wir lesen von einem Menschen, der gleich drei dicke Probleme hatte. Ihn plagte eine schwere Schuld vor Gott. Dann: Eine schlimme Krankheit hat seinen Körper ruiniert. Den Grund dafür sieht er in seiner Schuld. Das dritte Problem sind die Nachbarn und Freunde, die ihn jetzt meiden und gegen ihn reden. Eigentlich ein Grund aufzugeben. Doch da kommt das große „Aber“. Der Beter will sich mit seiner Lage nicht abfinden. „Aber ich warte auf Dich, Herr!“ (V. 16), ruft er seinem Gott entgegen. Er bekennt ihm seine Schuld. Aber Gott bleibt seine Zuversicht. Nie aufgeben, Gott ist treu! Das ist ein starkes Lebensmotto. Auch für uns.

„In der Welt habt ihr Angst; aber seid getrost, ich habe die Welt überwunden.“ *Johannes 16,33*

Die große Verführung

Offenbarung 13,11-18 **Montag, 24.**

Wer heute Bedeutung hat, hat einen Sprecher, eine Sprecherin. Das sind die Leute, die wichtige Entscheidungen einer hochgestellten Persönlichkeit veröffentlichen. Im Bibelwort heute ist auch von einem Sprecher die Rede. Nur ist das „zweite Tier", das jetzt nicht vom Meer (Richtung Rom), sondern vom Lande (Kleinasien) kommt, viel mehr als nur ein Sprachrohr. Nein, dieses Wesen setzt um, was das erste Tier, der Antichrist, verlangt. Es setzt durch, dass alle Menschen das erste Tier anbeten. Mit „Brot und Spiele" schafft es Bewunderung. Mit einem für jedermann verpflichtenden Zeichen scheidet er Ja-Sager und Gegner. Die Gegner lässt er umbringen. Die totale Diktatur ist die Folge. Es kann Angst machen, was man da liest. Gott sei Dank ist das nicht das letzte Wort über die Welt.

„Seht auf und erhebt eure Häupter, weil sich eure Erlösung naht."

Lukas 21,28

Erntebeginn

Offenbarung 14,1-5 **Dienstag, 25.**

Am Ende steht die Ernte. Diesen Vergleich wählt Offenbarung 14, um Gottes Gericht in den letzten Zeiten zu beschreiben. Und wie beginnt die Ernte? Mit einem Fest im Himmel. Unzählig viele Menschen (144 000 steht hier symbolisch für eine Unmenge an Leuten) musizieren. Gesangsgewaltig sind sie: Wasserfall, Donnerschlag und rauschende Festklänge sind zu hören! Die alte Leier verstummt, das neue Lied erklingt.

Und mittendrin: das Lamm. Ein ganz anderes Tier steht im Mittelpunkt als das Tier aus dem Abgrund (Offb 13). Das Lamm ist klein, jung, unschuldig. Und es bezahlt. Alles, was wir vor Gott und Menschen schuldig bleiben. Dafür steht es ein und gibt sein Leben. Unzählig viele stehen da, die deshalb „untadelig" (V. 5) sind. Und die deshalb Jesus folgen, wohin es auch geht. Dann im Himmel. Und heute schon hier.

„Siehe, das ist Gottes Lamm, das der Welt Sünde trägt!“ Johannes 1,29

Reiche Ernte

Offenbarung 14,6-13 **Mittwoch, 26.**

Was alles Schwieriges passiert am Ende der Zeit! Leid, Schuld, Götterdämmerung des Bösen. Aber das letzte Buch der Bibel zeichnet auch die Hoffnung auf bessere Zeiten in den schönsten Farben. Die Ernte wird am Ende reich ausfallen.

Da ist zum einen das ewige Evangelium. Es ist nicht kaputt zu kriegen. Gottes beste Nachricht gilt allen in der ganzen Welt.

Da wird zum Zweiten schon jetzt dem Bösen das Ende vorhergesagt. Babylon wird fallen. Der Inbegriff der Gottesgegnerstadt ist sogar schon gefallen. So viel über die Welt kommt, es sind schon die Nachwehen eines unbestreitbaren Sieges des Guten.

Und zum Dritten schließt alles mit einem Versprechen: Das letzte Ende ist die Ruhe. Eine Seligpreisung beschließt den Abschnitt. Wer Jesus glaubt, erntet am Ende reich. Ruhe in Frieden. Ewige Jesusnähe.

„Vor Dir freut man sich, wie man sich freut in der Ernte.“ Jesaja 9,2

Die Ernte wird eingefahren

Offenbarung 14,14-20 **Donnerstag, 27.**

Drastische, dramatische, düstere Worte. Jetzt kommt das Ende. Und doch bleibt es die Zeit der Ernte. In zweifacher Hinsicht: Getreideernte und Weinlese. Sichel und Winzermesser stehen für die harte Seite dieses Gerichts. Nichts, was gegen Gott steht, kann am Ende bestehen. Damit ist aber auf keinen Fall alles aus. Sondern auch in der Weinlese dient das Beschneiden dem Ernten der guten Früchte. Dazu sind Sichel und Winzermesser letztlich da.

Zwischendurch gibt es unerklärlich viel Leid und Schmerz zu beklagen und zu ertragen. Doch am Ende wird die Ernte eingefahren – auch im übertragenen Sinn gilt für unser Leben: Solange die Erde steht, soll nicht aufhören Saat und Ernte (1Mo 8,22).

Was der Mensch sät, erntet er – das ist längst nicht nur oder zuerst eine Drohung, sondern eine Einladung: Setz vertrauensvoll auf die neue Welt Jesu!

„Hebt Eure Augen auf und seht auf die Felder. Sie sind schon reif zur Ernte." *Johannes 4,35*

Ein Lied für die Ewigkeit

Offenbarung 15,1-4 **Freitag, 28.**

Mitten im Lärm der Endzeit erklingt ein Lied. Kurz bevor der Zorn Gottes die Gottlosigkeit der Welt endgültig vernichten wird (V. 1). Gottes Zorn ist die Reaktion des Schöpfers auf das Unheil und Unrecht, das seine Schöpfung zerstören will. Gottes Zorn setzt der Sünde eine Grenze und schafft so einen Raum für alle, die an Gott festgehalten haben (V. 2), trotz Verführung und Einschüchterung. Menschen, die sich an Gottes Wort gehalten haben, singen den Lobpreis Gottes, wie er zuvor von Mose, dem Knecht Gottes, und dann vom Lamm, dem Sohn Gottes, Jesus Christus, angestimmt wurde (V. 3a): Gott ist gerecht und der Wahrheit verpflichtet (V. 3b). Aber Lüge und Ungerechtigkeit zersetzen die Welt. Die Welt verfällt der Sünde und damit dem Tod – aber Gott ist heilig und er rettet die, die zu ihm kommen und ihn anbeten (V. 4).

„Singet dem HERRN ein neues Lied, denn er tut Wunder." *Psalm 98,1*

Eine beklemmende Prozession

Offenbarung 15,5-8 **Samstag, 29.**

Eine heilige Prozession. Eindrucksvoll, aber auch beängstigend. Die Tür des Tempels öffnet sich und sieben Engel Gottes schreiten auf den Vorplatz (V. 5f.). Eines der Wesen, die Johannes zuvor im Thronsaal Gottes gesehen hatte (4,6-8), überreicht den sieben Engeln goldene Schalen, angefüllt mit dem Zorn Gottes (V. 7). Es sind die letzten sieben Plagen, die über die Erde kommen werden. Nach den sieben Siegeln (Kap. 6–8) und den sieben Posaunen (Kap. 8–9). Der Zorn Gottes wird die Gottlosigkeit der Welt in drei Gerichtsreihen gründlich beseitigen. Nicht die Welt wird in der Endzeit zerstört, sondern die Sünde in der Welt. Die Tragik aber ist, dass in dieser Zeit der Tempel, der Ort der Gegenwart Gottes, für die Menschen verschlossen ist (V. 8). Niemand kann jetzt fürbittend vor Gott treten.

„Denn Gottes Zorn wird vom Himmel her offenbart über alles gottlose Leben und alle Ungerechtigkeit der Menschen.“ *Römer 1,18*

Wochenspruch

„Es ist dir gesagt, Mensch, was gut ist und was der HERR von dir fordert: nichts als Gottes Wort halten und Liebe üben und demütig sein vor deinem Gott.“ *Micha 6,8*

Große Beute!

Psalm 119,161-176 **Sonntag, 30.**

Was hat sich Luther wohl dabei gedacht, dass er ein hebräisches Wort mit „Beute“ übersetzt hat? Beute machen Leute bei der Jagd oder beim Diebstahl – aber in der Bibel? Ja, so geht es dem Psalmdichter mit Gottes Wort! Da macht er sogar große Beute! Wir können das auch erleben. In der Bibel lesen, das ist oft wie „große Beute machen“. Da fällt mir etwas auf, was ich noch nie so gesehen habe. Da bekomme ich plötzlich ein Licht aufgesetzt. Da kriege ich Orientierung für mein Leben. Ja, da mache ich große Beute – und freue mich unbändig! Im Psalm ist sogar von großer Liebe zu Gottes Wort die Rede (V. 167). Denn es zeigt uns, wie Gott uns haben will. Der ganze Psalm 119 mit seinen 176 Versen ist eine einzige Liebeserklärung für Gottes Wort.

„Denn alle Schrift, von Gott eingegeben, ist nütze zur Lehre, zur Zurechtweisung, zur Besserung, zur Erziehung in der Gerechtigkeit.“
2. Timotheus 3,16

Vertane Chance

Offenbarung 16,1-9 **Montag, 31.**

Eine Stimme befiehlt den Engeln, die Schalen mit Gottes Zorn über die Erde auszugießen (V. 1). Wie sich Flüssigkeit über eine Oberfläche verteilt und in alle Löcher und Ritzen fließt, so ergießt sich der Zorn Gottes über die ganze Erde. Unaufhaltsam. Restlos. Sorgfältig wird bei jeder Schale protokolliert, wie sich der Zorn Gottes auswirkt: als Krankheit mit Geschwüren (V. 2), das Wasser des Meeres wird zu Blut (V. 3), ja, auch alles Quellwasser verwandelt sich in Blut (V. 4), Menschen werden von Feuer versengt (V. 8). Doch die Menschen begreifen Gottes Zorn nicht als eine Möglichkeit zur Umkehr. Sie wenden sich ihm nicht zu, indem sie ihm die Ehre geben, die ihm als Gott und Schöpfer gebührt (V. 9). Sie verharren in ihrer Gottlosigkeit, anstatt Buße zu tun, um so den folgenden Gerichten Gottes zu entgehen.

„So, sage ich euch, ist Freude vor den Engeln Gottes über einen Sünder, der Buße tut.“ *Lukas, 15,10*

Monatsspruch November

Weh denen, die Böses gut und
Gutes böse nennen,
die aus Finsternis Licht und
aus Licht Finsternis machen,
die aus sauer süß und
aus süß sauer machen!

Jes 5,20

Mobilmachung der Gottlosen

Offenbarung 16,10-16 **Dienstag, 1.**

Die sechste Schale ist anders als die fünf Schalen zuvor. Wieder gießt ein Engel den Zorn Gottes über die Welt aus, aber es bricht keine Krankheit aus, noch wird das Wasser auf der Welt zu ungenießbarem Blut. Der Euphrat, einer der Hauptströme Babylons, trocknet aus (V. 12). Nicht so schlimm? Im Gegenteil, denn jetzt wird eine Kette von Ereignissen ausgelöst, die schließlich in der Schlacht von Harmagedon endet (19,11-21). Angestachelt vom Satan, dem Drachen, und seinen beiden irdischen Statthaltern, dem Tier und dem falschen Propheten (V. 13), versammeln sich die Könige der ganzen Welt, um gegen Gott ins Feld zu ziehen (V. 14). Der geballten Macht irdischer Herrscher steht die Allmacht Gottes gegenüber. Ein Kampf, den sie nicht gewinnen können, den sie aber führen müssen, weil sie vom Bösen verführt und der Gottlosigkeit verfallen sind.

„Ich bin der HERR, euer Gott.“ *3. Mose 25,55*

Kein Ausweg mehr

Offenbarung 16,17-21 **Mittwoch, 2.**

Die siebte und letzte Schale voll des Zornes Gottes wird nicht über die Erde ausgegossen, sondern in die Luft (V. 17). Als solle sich der Zorn Gottes noch schneller und noch gründlicher über die Erde verteilen. Die Folge sind Blitz und Donner (V. 18a), wie Stimmen vom Himmel, und „ein großes Erdbeben, wie es noch nicht gewesen ist, seit Menschen auf Erden sind“ (V. 18b). Luft und Erde – alles wird bedrohlich. Alles wird zum Gerichtswerkzeug Gottes. Die Blitze – die von oben, aus dem unzugänglichen Teil der Schöpfung in das Leben der Menschen einschlagen – und die Erde, die keinen sicheren Halt mehr bietet, weil sie sich bewegt und den Menschen den Boden unter den Füßen wegzieht. Gottes Gericht ist überall und die Menschen sind ihm hilflos ausgeliefert. Sogar die großen Städte, die sonst Schutz bieten vor irdischen Gewalten, „stürzten ein“ (V. 19a). Kein Ausweg mehr!

„Darum bestehen die Gottlosen nicht im Gericht noch die Sünder in der Gemeinde der Gerechten.“ *Psalm 1,5*

Schlimme Zeiten mit gutem Ende

Offenbarung 17,1-6 **Donnerstag, 3.**

Schon der erste Satz sagt, was Sache ist: Gott hält Gericht über alles Böse. Davor wird es schwere Zeiten für Jesusnachfolger geben (V. 6). Furchterregende Bilder beschreiben die Gegenspieler Gottes. Doch dies soll nicht Angst schüren, sondern trösten. Es ist wie bei einem spannenden Film, dessen gutes Ende schon bekannt ist. Die Hure Babylon ist der Inbegriff einer gottfeindlichen Macht. Sie wurde in der Kirchengeschichte u. a. auf die Stadt Rom, eine verweltlichte Kirche oder ein zukünftiges Reich gedeutet. Wahrscheinlich beschreiben diese Bilder etwas in der Zukunft. Zugleich spüren wir in manchem schon jetzt diese Macht des Bösen. Die Frau auf dem Tier erinnert an Darstellungen heidnischer Göttinnen. Purpur und Gold sind Zeichen römischer Herrscher. Eine böse Macht greift nach der Herrschaft. Aber am Ende hat Gott das letzte Wort.

„Der letzte Feind, der vernichtet wird, ist der Tod.“ *1. Korinther 15,26*

Dass Jesus siegt, bleibt ewig ausgemacht

Offenbarung 17,7-14 **Freitag, 4.**

Der Schlüssel für die rätselhafte Bild- und Zahlensymbolik der Offenbarung ist das AT. Ein Tier mit zehn Hörnern finden wir in Dan 7,24. Das Horn symbolisiert Stärke und die Zahl 10 steht für Macht. Sieben zeigt Vollkommenheit an. Hier steht also eine starke böse Macht gegen Gott auf. Und sie will sein wie Gott. Die Formulierung in V. 8 formuliert eine Gegenaussage zu Offb 1,4: Das Tier beansprucht wie Gott, dass es „ist, war und sein wird“. Diese Macht des Tieres fasziniert viele (V. 8), sogar der Seher Johannes staunt (V. 6). Wo sind wir in Gefahr, von etwas fasziniert zu sein, das uns von Gott wegbringt? Der Macht des Bösen steht

Jesus gegenüber – das Lamm Gottes, das uns durch seinen Tod rettet (Joh 1,36). Jesus ist der Herr der Welt (V. 14). Wir können darum darauf vertrauen, dass Jesus stärker ist als alles, was uns Angst macht!

„Unser Glaube ist der Sieg, der die Welt überwunden hat."
1. Johannes 5,4

Gottes Plan gelingt

Offenbarung 17,15-18 **Samstag, 5.**

Warum lässt Gott Böses zu? Diese Frage bewegt uns vielleicht immer wieder. Der Text gibt keine Antwort, aber er zeigt: Gott hat die Kontrolle über das Böse nicht verloren. Es ist eine erschreckende Szene: Das Tier als das Böse in Person und seine Helfer wenden sich gegen die Hure. Das Böse zerstört sich selbst. Damit erfüllt sich zugleich Gottes Plan (V. 17). Diese böse Macht mit ihrer vermeintlichen Stärke muss tun, was Gott befiehlt. Martin Luther sagt: „Der Teufel ist Gottes Affe." Der Teufel ist also nicht ein ebenbürtiger Gegenspieler, sondern muss Gott gehorchen. Warum Gott die Macht des Bösen erst ganz am Ende und nicht schon jetzt vernichtet, bleibt ein Geheimnis. Aber Gott hat versprochen, uns auch in den Tiefen und den Rätseln des Lebens nicht allein zu lassen (1,17).

„Denn ich bin gewiss, dass ... weder Engel noch Mächte noch Gewalten ... uns scheiden kann von der Liebe Gottes." *Römer 8,38f.*

Wochenspruch

„Selig sind, die Frieden stiften; denn sie werden Gottes Kinder heißen." *Matthäus 5,9*

Gott geht ins Gericht

Psalm 75 **Sonntag. 6.**

Wie stellen Sie sich das Jüngste Gericht vor? Teufelchen mit Spieß und Dreizack, ein höllischer Glutgrill, höhnischer Schwefel? Das Lied vom Gericht ist zu singen nach der Weise „Vertilge nicht" (V. 1). Wenn Gott richtet, dann nicht um hinzurichten, sondern um uns her- und aufzurichten. Das ist sein Wille, sein Wesen, seine Einladung. Und so richtet er denn auch: *zu seiner Zeit* und *recht* (V. 3), einen festen Stand schenkend (V. 4). Gott allein ist Richter. Kein Mensch darf sich diese Macht nehmen – er vergreift sich und überschätzt sich. Und am Ende bringt Gott im Gericht alles ins Lot. Er wird jeder und jedem gerecht werden. Was bleibt uns? Lobpreis und Einsatz für die Gerechtigkeit Gottes (V. 10.11). Singen im Gottesdienst – und Anpacken im Alltag –, das geht Hand in Hand.

„Darum richtet nicht vor der Zeit, bis der Herr kommt, der auch ans Licht bringen wird, was im Finstern verborgen ist." *1. Korinther 4,5*

Was bleibt?

Offenbarung 18,1-24 **Montag. 7.**

Was bleibt – selbst wenn wir sterben müssen? Der Bibeltext beschreibt den Niedergang von Babylon, der mächtigen „Gegenstadt" zu Gottes Jerusalem (Offb 21). In Bildern wird erzählt, wie Babylon nicht bleibt – mit seinen Herrschern (V. 3) und seinem Luxusleben, das Gott vergessen hat. Dietrich Bonhoeffer schreibt: „ ... Babylon, die Große ... es ist schon alles vollendet, das Gericht ist schon ergangen von Gott her ... Babylon kann nicht bestehen – weil es vor Gott nicht bestehen kann. Darum: Fürchtet euch nicht vor Babylon, es kann euch nichts anhaben ..." Das ist die Perspektive der Offenbarung: Es bleibt nicht das, was Menschen ohne Gott aufbauen. Es bleibt nicht, was wir eigenmächtig aus unserem Leben machen. Sondern es bleibt, was Gott in unser Leben hineinlegt: Seine Gegenwart bleibt und schenkt Zukunft. So können wir fröhlich und ohne Angst leben und getröstet sterben.

Halleluja-Moment

Offenbarung 19,1-10 **Dienstag, 8.**

Zum Ende des Ulmer Landesposaunentags wird von 7000 Bläsern das Lied „Gloria sei dir gesungen“ gespielt. Ein wunderbarer Halleluja-Moment. Das geläufige Wort „Halleluja“ kommt im Neuen Testament nur hier vor! Der Jubel im Himmel über ein untergegangenes Reich ist sperrig und tröstlich zugleich. Es ist die Ansage Gottes: Systeme, die Verbrechen gegen die Menschlichkeit verüben, werden nicht auf Dauer existieren. Vertrauen wir Gott und halten fest, dass sein Reich kommt! Das erste Halleluja ist rückwärtsgewandt auf das vollzogene Gericht. Ein weiteres Halleluja ist nach vorne gerichtet auf die bevorstehende Hochzeit des Lammes. Der Bräutigam, Jesus, erwartet die Braut, jene, die an Jesus glauben. Bis die Hochzeit gefeiert werden kann, gilt: Bete! Bete Gott an, trotz aller Nöte, Bedrängnisse und Ängste.

„Die Rettung und die Herrlichkeit und die Kraft sind unseres Gottes!“
Offenbarung 19,1

Sein Name: das Wort Gottes

Offenbarung 19,11-21 **Mittwoch, 9.**

Interessiert sich Gott noch für diese Welt? Hat der Stärkere einfach immer recht? Haben die Not und das Leid das letzte Wort? Johannes sieht in einer gewaltigen Schau, wie sich diese Welt um ihre Zukunft bringt, weil sie nicht Christus vertraut. Bei der Wiederkunft bringt Jesus die Schöpfung durch sein Wort wieder ins Lot. Jesus Christus, der Reiter auf dem weißen Pferd, der König aller Könige, schafft Gerechtigkeit. Uns wird dabei das Bild eines „heiligen Krieges“ zugemutet. Unsinniges, Lebensbedrohendes kommt zum bitteren Ende. Das Alte hat im Neuen nichts zu suchen. Wir sind beauftragt, in diese Welt hinein die gute Nachricht von Jesus Christus weiterzugeben: Jesus ist der Weg und die

Wahrheit, die in einer persönlichen Beziehung zu Gott zum Vorschein kommt. Mit ihm hat das Leben seine Zukunft im ewigen Leben.

„Er trägt einen Namen ...: König aller Könige und Herr aller Herren."
Offenbarung 19,16

Frieden auf Erden

Offenbarung 20,1-10 **Donnerstag, 10.**

Jesus nennt den Teufel: „Fürst dieser Welt" und „Vater der Lüge". Diesem Monster, das alle Bereiche des Lebens durchzieht, wird der Garaus gemacht. Die Entmachtung des Teufels, die mit Karfreitag und Ostern begonnen hat, wird fortgesetzt. Johannes sieht ideale Zustände und eine Herrschaft, die unüberschaubar lange dauert (2. Petr 3,8-10). Die um ihres Glaubens Willen Getöteten regieren mit Christus. Doch die Sünde ist noch da, daher hat auch diese Zeit ein Ende. Der Satan wird noch einmal losgelassen. Es ist ein letzter Versuch, an der Macht zu bleiben. Dann fällt Feuer vom Himmel. Dies ist das befreiende Ende. Da Gott nicht will, dass Menschen verloren gehen, dauert es unvorstellbar lange bis zu seiner Wiederkunft. Es ist unser Auftrag, in der Nachfolge zu leben und den Menschen zu sagen: Es gibt ein Happy End!

„Und er ergriff den Drachen, die alte Schlange, das ist der Teufel und der Satan, und fesselte ihn für tausend Jahre." *Offenbarung 20,2*

Die Zukunft beginnt heute

Offenbarung 20,11-15 **Freitag, 11.**

Wenn Jesus Christus für die Sünden der Welt sein Leben gegeben hat, kann es dann noch ein Gericht geben? Kommt es vor Gott nicht allein auf den Glauben an? Ein Gericht am Ende der Zeit, bei dem unser Tun eine Rolle spielt, ist die Grundüberzeugung von Jesus (Matthäus 25,31-46). Wir werden darüber nicht im Unklaren gelassen, dass unser Handeln und unsere Einstellung Konsequenzen haben. Im Gericht am Ende der Zeit rückt Gott die Verhältnisse zurecht. Gott ebnet nicht alle Unterschiede ein. Wer Gott ablehnt, bekommt ein Leben ohne Gott. Inmitten der vergehenden Welt gibt es eine Möglichkeit gerettet zu werden: Als Glaubende haben wir Jesus als Fürsprecher und so werden wir nicht verurteilt. Die Versöhnung in Jesus gilt es daher im eigenen Leben wirksam werden zu lassen.

„Und die Toten wurden gerichtet nach dem, was in den Büchern geschrieben steht, nach ihren Werken.“ *Offenbarung 20,12*

Bilder für die Ewigkeit

Offenbarung 21,1-8 **Samstag, 12.**

Ein Bild für die Ewigkeit. Genauer: zwei Bilder, die ineinanderfließen. 1. Die himmlische Stadt Jerusalem, die auf die Erde kommt, um Menschen Zuflucht zu bieten (V. 21). Feste Mauern schützen einen Raum zum Leben. Als große Gemeinschaft. Die Ewigkeit ist gesellig. 2. Das Fest. Die Stadt ist zugleich die Braut, die ihrem Bräutigam, Christus, entgegengeführt wird (V. 2b). Jetzt kann das Hochzeitsfest beginnen. Das Leben wird gefeiert. Ein freudiges Miteinander. Die Ewigkeit ist festlich.
Schon im Alten Testament sind das zwei Bilder für die Heilszeit: das Fest mit seinen erlesenen Speisen und Getränken (Jes 25,6-7) und die Stadt auf dem Berg, in der Menschen wie Tiere in Harmonie miteinander leben (Jes 65,17-25). Alte Verheißungen werden wieder lebendig. Tiefe menschliche Sehnsüchte werden sich erfüllen. Gottes Heil kommt!

„Freuet euch und seid fröhlich immerdar über das, was ich schaffe.“
Jesaja 65,18

Wochenspruch
„Wir müssen alle offenbar werden vor dem Richterstuhl Christi.“ *2. Korinther 5,10a*

Hab Dank von Herzen, Herr!

Psalm 50 **Sonntag, 13.**

Würde ich den Psalm 50 nur auf die „5015 – die Telefonnummer Gottes" (V. 15) reduzieren, wäre mein Handeln ebenso oberflächlich wie der damalige Opferkult. Es geht nicht nur darum, eine Notrufnummer für alle Fälle zu haben, sondern es geht um eine lebendige Beziehung zum lebendigen Gott. An einem Gottesdienst, der nur noch sinnentleertes Ritual ist, hat Gott ebenso wenig Gefallen wie an der damaligen Opferpraxis. So manches „Halleluja" quält sich im Gottesdienst eher träge und freudlos durch die Liturgie. Nicht das Drumherum macht einen Gottesdienst aus, sondern die Menschen, die sich Gott von ganzem Herzen zuwenden und ihm danken, ihn ehrlich loben und preisen. „Lasst uns noch eben kurz ein Gebet sprechen" – das zeugt nicht gerade von einer lebendigen Gottesbeziehung. Wenn wir mit unserem Herzen bei Gott sind, dann wird uns heute, am Volkstrauertag, auch nicht egal sein, wie viel Not, Tod und Trauer es immer noch in dieser Welt gibt, auch wenn die Erinnerung an all die Toten der letzten beiden Weltkriege langsam verblasst.

„Rufe mich an in der Not, so will ich dich erretten, und du sollst mich preisen." *Psalm 50,15*

Bilder, die begeistern

Offenbarung 21,9-14 **Montag, 14.**

Einer der Engel, die zuvor die sieben Schalen des Zorns Gottes über die Erde schütten mussten (15,1), nimmt Johannes bei der Hand und zeigt ihm die herrliche Zukunft Gottes: „die Braut ..., die Frau des Lammes" (9), die zugleich die „heilige Stadt Jerusalem" (V. 10b) ist, die hell und wie von Edelsteinen funkelnd auf einem „großen und hohen Berg" (V. 10a) liegt.

Es ist der gleiche Engel – mit einem völlig anderen Auftrag: Gottes Zorn ist nicht Gottes Ziel. Sein Zorn hat in der Heilsgeschichte die Aufgabe, die Sünde einzugrenzen und letztlich zu zerstören. Aber Gottes Ziel ist das Heil der Welt, wie es mit diesen beiden Bildern der wunderschönen Braut und der wunderbaren Stadt ausgemalt wird. Die Freude in der Gemeinschaft miteinander und mit Gott steht am Ende der Zeit.

„Du tust mir kund den Weg zum Leben: Vor dir ist Freude die Fülle und Wonne zu deiner Rechten ewiglich." Psalm 16,11

Von Baustoffen und Zahlen

Offenbarung 21,15-21 **Dienstag, 15.**

Gold und Edelsteine. Die Baumaterialien des Neuen Jerusalems. Der Engel, der mit Johannes die Stadt besichtigt, misst mit seinem goldenen Messstab (V. 15) genau die Maße der Stadt aus. Sie ist quadratisch. Seitenlänge 1200 Stadien. 2200 Kilometer. Die Höhe der Mauer: „hundertvierundvierzig Ellen" (V. 17), also 64,80 Meter. Eine beeindruckende Stadt, mit viel Raum für viele Menschen. Und ausreichend geschützt, sodass man sich in ihr sicher fühlen kann.
Was nach nüchternen Zahlen und einfachen Baustoffen klingt, ist doch viel mehr. Es ist ein eindrückliches Bild einer Gemeinschaft, die von Gott gewollt und gestaltet ist (das Gold, die Farbe Gottes). Sie ist wunderbar und faszinierend (wie ein Edelstein). Sie schließt niemanden aus Platzmangel aus und schließt alle, die darin wohnen, wie mit einer unüberwindlichen Mauer schützend ein.

„Der HERR ist mein Fels und meine Burg und mein Erretter."
2. Samuel 22,2

Gottes ewige Gegenwart

Offenbarung 21,22-27 **Buß- und Bettag, Mittwoch, 16.**

Etwas fehlt in dem Neuen Jerusalem, was für fast jede antike Stadt wichtig war: ein Tempel. Der Begegnungsort mit dem jeweiligen Stadtgott. Die Vergewisserung der Menschen, dass sie Zugang zu einer Macht haben, die sie schützt und segnet. Eine tiefe, menschliche Sehnsucht.

Im Neuen Jerusalem wird der Tempel nicht mehr gebraucht (V. 22a), denn die Sehnsucht der Menschen hat sich erfüllt: „Der Herr, der allmächtige Gott, ist ihr Tempel." (V. 22b). Die Hoffnung der Menschen auf eine Vereinigung mit ihrem Gott und Schöpfer, die in den vielen unterschiedlichen Tempeln Stein geworden ist, ist Wirklichkeit. Wer dem Lamm Gottes, das heißt Jesus Christus, gefolgt ist, hat Zugang zu der ewigen Gegenwart Gottes. Er ist ins „Lebensbuch des Lammes" (V. 27) eingetragen. Wer zu dem Lamm gehört, der gehört zu Gott.

„Tut auf die Tore, dass hineingehe das gerechte Volk, das den Glauben bewahrt!" Jesaja 26,2

Ein heilender Strom

Offenbarung 22,1-5 **Donnerstag, 17.**

Während des Corona-Lockdowns 2020 zeigten die sonst trüben Lagunenkanäle in Venedig auf einmal glasklares Wasser. Wie viel klarer wird das Wasser sein, das in der neuen Schöpfung Gottes fließt. Da wird sogar die erste Schöpfung Gottes noch übertroffen (vgl. 1Mo 2,10). Alle innere und äußere Umweltverschmutzung und Vergiftung hören endgültig auf. Es gibt sogar zwölf Mal im Jahr Ernte. Was für ein herrliches Bild für den Friedensstrom, der sich von Jesus als der Quelle des Lebens über die ganze Welt ergießt. Dann wird die Schöpfung – und unser Leben – zu neuer Blüte kommen. Durch diesen Friedensstrom werden alle Wunden geheilt. Diese herrliche Aussicht lädt uns heute ein, unseren Lebensdurst bei der Quelle, bei Jesus, zu stillen und seinen Frieden (Schalom) an andere weiterzugeben.

„Wer an mich glaubt, von dessen Leib werden, wie die Schrift, sagt Ströme lebendigen Wassers fließen." Johannes 7,38

Ein zuverlässiges Wort

Offenbarung 22,6-15 **Freitag, 18.**

Wer im Gebirge unterwegs ist, kann das nicht als Hans-Guck-in-die-Luft. Da kann man schnell stolpern und hinfallen. Wer mit Jesus lebt, hat manchmal auch unwegsames Gelände vor sich. Da brauchen wir ein festes Fundament und verlässliche Wegmarkierungen. Gegen allen Spott und gegen manche Erfahrungen dürfen wir an seiner Zusage, an seinem Wort, festhalten. Jesus hat seine Botschaft oft so unterstrichen: „Wahrlich, wahrlich ich sage euch". Gerade weil sein Wort zuverlässig ist, dürfen wir es hören, aufnehmen und umkehren. Wir brauchen uns mit unserer Schuld nicht weiter herumzuquälen. Wir dürfen sie bei Jesus „in die Wäsche geben". Bei ihm werden wir gereinigt und erneuert. Dann erfahren wir seine Kraft. Sein Geist lässt uns mutig und fröhlich sein Evangelium verkündigen. Sein Geist verändert unser Leben. Und unsere Gemeinden werden anziehend.

„Himmel und Erde werden vergehen; aber meine Worte werden nicht vergehen." *Matthäus 24,35*

Ein zuversichtliches Gebet

Offenbarung 22,16-21 **Samstag, 19.**

In einem älteren Lied von Manfred Siebald heißt es: „Wir beten laut: Herr komm doch wieder, und denken leise: jetzt noch nicht." Erwarten und bitten wir darum, dass Jesus wiederkommt? Oder haben wir uns als Christen so gut hier eingerichtet, dass uns dieser Gedanke fremd geworden ist? Jesus ermutigt die Gemeinde und uns, mit großer Erwartung zu beten: Komm! Diese Bitte wird bestätigt: Ja, ich komme bald. Wir gehen keiner ungewissen Zukunft entgegen, sondern unserem Herrn. Deshalb wollen wir sein Wort hören, ernst nehmen und uns danach richten. Deshalb dürfen wir einladend und wachsam sein Wort, ohne spekulative Zusätze, aber auch ohne Abstriche, weitergeben. Alles steht unter seiner Zusage: Ich bin das A und das O. Damit sind der erste und der letzte Buchstabe des griechischen Alphabets gemeint. Jesus, der das erste Wort bei der Schöpfung gehabt hat, wird bei seinem Kommen auch das letzte Wort haben. Dann weicht die Nacht und sein Licht (der helle Morgenstern) leuchtet ungebrochen

„Ich bin das A und das O, spricht Gott, der Herr, der da ist und der da war und der da kommt, der Allmächtige.“ *Offenbarung 1,8*

Wochenspruch
„Lasst eure Lenden umgürtet sein und eure Lichter brennen.“
Lukas 12,35

Ein unvergänglicher Zufluchtsort

Psalm 90 **Ewigkeitssonntag, 20.**

An diesem Sonntag wird in vielen Gottesdiensten der im vergangenen Jahr verstorbenen Gemeindeglieder gedacht. Dabei stehen wir vor zwei ernsten Fragen: Warum sind wir eigentlich mitten im Leben von Tod und Sterben umgeben? Und: Hat der Friedhof einen Ausgang? Gibt es also Hoffnung nach dem Tod? Mose, der geistliche Führer Israels, durfte das verheißene Land nicht selbst betreten. Mit seinen Fragen und seiner Angst flieht er zu Gott. Dabei findet er Antworten: Es ist die Sünde, die Trennung und Abkehr von Gott, die Tod und Vergänglichkeit verursacht. Gleichzeitig blitzt schon etwas auf von seiner Gnade und der damit verbundenen Hoffnung (V. 14). Seit Jesus für unsere Schuld am Kreuz bezahlt hat und am Ostermorgen als Erster auferstanden ist, gibt es einen Ausgang aus dem Friedhof für jeden von uns. Wer Jesus sein Leben anvertraut, der kann ermutigt und froh leben, denn er hat einen unvergänglichen Zufluchtsort.

„Denn der Sünde Sold ist der Tod; die Gabe Gottes aber ist das ewige Leben in Christus Jesus, unserem Herrn.“ *Römer 6,23*

Der Prophet Jesaja (Kap. 1–39)

Jesaja (ca. 740–701 v. Chr.) ist wohl der bedeutendste alttestamentliche Prophet. Er erlebt hautnah die Eroberungspolitik Assyriens mit, der 722 das Nordreich Israel zum Opfer fällt und die ab 705 das Südreich gefährdet. Jesaja lebt in Jerusalem, ist geprägt von priesterlicher Tradition um den Zion. Er gehört zur Oberschicht, ist hochgebildet.

Ca. 740 erfährt er im Tempel in einer Vision Gottes Heiligkeit, erschrickt über seine Unreinheit und die seines Volkes, fürchtet zu vergehen, wird gereinigt und zu seinem halsstarrigen Volk gesandt (6,1-10). Gott ist der Heilige Israels. Seine Worte kommen bei den Menschen nicht an, Israel ist verstockt. Nur im Freundeskreis findet Jesaja Gehör (8,16f.).

Jesajas Name bedeutet: „Jahwe hat gerettet". Den beiden Söhnen muss er Namen geben, die zur Botschaft werden: „Ein Rest wird sich bekehren" (7,3) und „Raubebald-Eilebeute" (8,2), ein Hinweis auf nutzlose militärische Bündnisse, die ein rascher Raub Assyriens sind.

Jesajas Botschaft konzentriert sich auf vier große Themen:

1. Er klagt soziale Ungerechtigkeit und Ausbeutung im Volk an, z. B. in Kap. 2–3 und 5.
2. Er warnt vor Bündnissen; andere Staaten können nicht helfen. Er kämpft gegen das tiefe Misstrauen, Gott könne und wolle nicht wie früher für sein Volk streiten (7,1-9). Israels Gott ist ein Gott der Geschichte. Und sein Prophet will diesen Glauben an das geschichtliche Handeln Gottes wieder ins Zentrum des Glaubens rücken.
3. Bei aller Gerichtsankündigung sieht Jesaja einen heiligen Rest überleben; aus ihm wird Gott wieder ein Ganzes machen (1,9; 11,11-13).
4. Er kündigt einen gerechten Herrscher (Messias) an, der bleibenden Frieden schafft (Kap. 9+11), und er verheißt ein neues Heilshandeln Gottes an Israel (Kap. 32–35) und den Völkern (Kap. 2).

Zum besseren Textverstehen mögen noch einige historische Informationen helfen:
Unter Tiglat-Pileser III. (745–727 v. Chr.) startet Assyrien eine alle bedrohende Expansionspolitik. Das Nordreich mit Samaria und das Südreich mit Jerusalem sind gefährdet. Wie soll man sich verhalten? Amos und Hosea im Norden sowie Jesaja und Micha im Süden sind die Mahner und Mutmacher Gottes in dieser schwierigen Zeit. Ob man sie hört? Wissen Politiker und Militärs nicht besser, was zu tun ist?
1. Phase (ca. 734–732 v. Chr.): Im Syrisch-Ephraimitischen Krieg wollen das Nordreich und Syrien das Südreich in eine antiassyrische Koalition zwingen. Ein starkes militärisches Bollwerk soll Assyriens Vormarsch stoppen. Jesaja ermutigt dagegen, auf Gottes Bündnistreue zu setzen (7,9). Doch König Ahas (ca. 740–725) bittet ausgerechnet Assyrien um Hilfe und muss dies teuer bezahlen: politische Abhängigkeit, hohe Tributzahlungen, assyrische Götzenbilder im Tempel, danach zieht sich Jesaja ca. 20 Jahre zurück (8,16ff.).
2. Phase (ca. 716–711 v. Chr.): Ein Herrscherwechsel in Assyrien lässt auf politische Befreiung hoffen. Unter König Hiskia (ca. 725–697 v. Chr.) kommt es zum Aufstand, zur Verstärkung der Stadtmauern, zum Bau einer Wasserleitung für den Notfall. Man fühlt sich jetzt sicher, Vertrauen auf Gottes Schutz ist nicht mehr nötig. Wieder steht Jesaja gegen das fehlende Gottvertrauen auf (Kap. 18+20). Ninives neuer Herrscher bestraft das Aufbegehren Judas mit erhöhten Tributzahlungen. Jetzt hofft man auf die Hilfe Ägyptens. Jesaja geht drei Jahre lang wie ein Gefangener nackt (nur mit Lendenschurz) umher (20,3) und protestiert so gegen dieses Bündnis, da Assyrien in Kürze auch Ägypten gefangen nimmt.
3. Phase (ca. 705–701 v. Chr.): Assyrien erobert das Südreich ganz, Jerusalem wird belagert, es wirkt „wie eine Nachthütte im Gurkenfeld“ (1,8). Erneut setzt man auf Ägypten. Jesaja mahnt: „Ägypten ist Mensch und nicht Gott“ (31,3). Es ist ein Wunder, dass Assyrien 701 die Belagerung abbricht und Juda so überlebt.

Die Hoffnung bleibt

Jesaja 1,1-9 **Montag, 21.**

Der Ochse und der Esel wissen, wohin sie gehören, das Volk Israel nicht (V. 3). Es ist abtrünnig geworden und hat seinen Gott ins Abseits gedrängt. Die Erziehungsmaßnahmen Gottes haben letztlich nicht gefruchtet. Das Volk ist sterbenskrank (V. 5-6). Die Krankheit drückt sich konkret darin aus, dass das Land verwüstet ist und andere das Sagen haben. Die Assyrer sind längst die Herren im Land. Jesaja vergleicht Israel mit dem gottlosen Sodom und Gomorra (V. 7). Aber trotz der katastrophalen Lage ist da noch Hoffnung: Jerusalem, die Tochter Zion, steht noch. Wie eine Schutzhütte, in der sich jeder einfinden kann.

Unsere Lebenssituation mag voller Schwierigkeiten, Nöte und Sorgen stecken. Gott bietet immer noch einen Halt. Hoffnung ist auch in den ausweglosesten Situationen da. Was es dazu braucht? Nichts anders als die Zuversicht, dass Gott in seinem Sohn Jesus Christus alles getan hat, damit wir auch in den dunkelsten Stunden Heil erfahren und nicht mutlos werden.

„Gott ist unsre Zuversicht und Stärke, eine Hilfe in den großen Nöten, die uns getroffen haben.“ *Psalm 46,2*

Nichts ist in Ordnung

Jesaja 1,10-20 **Dienstag, 22.**

„Ich bin es wirklich leid mit dir, nie hältst du dich an unsere Verabredung“, knallhart klingen diese Worte meines besten Freundes in meinen Ohren. Das war damals harte Kost für mich. Für das Volk Israel kommt es noch härter. „Ich habe es satt ...“ (V. 11); „Ich mag es nicht ...“ (V. 13); „Ich bin’s müde ...“ (V. 14); „Ich höre euch doch nicht ...“ (V. 15) schleudert Jesaja Gottes Worte dem Volk entgegen. Die Kritik des Propheten muss beim Volk wie ein Todesurteil angekommen sein. Sie denken doch, alles sei in bester Ordnung. Das religiöse Leben klappt doch. Die Feste sind prunkvoll, die Speiseopfer sind von bester Qualität und die Gebete bestens formuliert. Aber – nichts ist in Ordnung. Israel kann noch so religiös sein, letztlich lebt es am Willen Gottes vorbei. Klar und deutlich ist Gottes Kommando: „Lasst ab vom Bösen, lernt Gutes tun!“ (V. 16f.) Will ich Gott gehorchen oder nur meinen eigenen Interessen und Vorteilen folgen?

Jesus sprach: „Ich bin zum Gericht in diese Welt gekommen, auf dass die da nicht sehen, sehend werden, und die da sehen, blind werden.“
Johannes 9,39

Recht und Gerechtigkeit

Jesaja 1,21-31 **Mittwoch, 23.**

„Der Ehrliche ist der Dumme“ ist der Titel eines Buchs von Ulrich Wickert. Obwohl das Buch schon 28 Jahre alt ist, ist es immer noch hochaktuell. Viele beklagen auch in unserer Zeit den Verlust der Werte. Oftmals können wir uns nur verwundert die Augen reiben. So muss es auch Jesaja gegangen sein: Recht und Gerechtigkeit kommen in Israel nicht mehr vor. Gibt es daraus einen Ausweg? Ja, Israel soll zu seiner wahren Bestimmung zurückfinden. Dazu benutzt der Prophet das Bild des Schmelzvorgangs beim Edelmetall Silber. So wird Recht und Gerechtigkeit zur Erlösungsformel für das Volk (V. 27).
Und wir? Eines weiß ich gewiss: Jesus hat mit seinem Sterben und Auferstehen dafür gesorgt, dass mein Schmelzvorgang überraschend anders vollzogen wird: Jesus hat auf Golgatha dafür gesorgt, dass ich gerecht vor Gott bin.

„Denn darin wird offenbart die Gerechtigkeit, die vor Gott gilt, welche kommt aus Glauben in Glauben; wie geschrieben steht: ‚Der Gerechte wird aus Glauben leben.‘“ *Römer 1,17*

Wenn Gott richtet

Jesaja 2,1-5 **Donnerstag, 24.**

Kap. 2 beginnt mit den fast exakten Worten wie Kap. 1, aber anstelle der „Vision“ sieht Jesaja diesmal das „Wort“. Ein komischer

Gedanke, ein Wort zu sehen. Aber es hat etwas davon, dass zur Realität wird und sichtbar wird, was Gott sagt (1Mo 1,3). Was Jesaja sieht ist u. a., dass die Menschen (und nicht nur die Israeliten) ihre Waffen umwandeln. Von Gegenständen, die lebensfeindlich sind, zu Gegenständen, die lebensfreundlich sind. Die Bronze-Skulptur im Garten der UN in New York zu diesem Motiv ist weltbekannt. Spannend ist zu sehen, warum die Menschen dies tun: weil Gott richtet und zurechtweist (V. 4). Man sagt ja „verletzte Menschen verletzen andere Menschen". Hier sehen wir, was geschehen kann und wird, wenn verletzte Menschen von Gott (auf)gerichtet werden und Versöhnung und Heilung erleben: nämlich versöhnt und im Frieden mit anderen zu leben.

„Er wird den Erdkreis richten mit Gerechtigkeit und die Völker, wie es recht ist." *Psalm 98,9*

Mehr Licht, bitte!

Jesaja 2,6-22 **Freitag, 25.**

Das Buch Jesaja ist wie eine Achterbahnfahrt. Es geht rauf und runter. Wir lesen von Verheißungen und Zukunft, aber auch von Gericht und Zerstörung. Im heutigen Text geht es ganz schön steil bergab: Gott hat sein Volk verstoßen (V. 1). Das ist ein ungewöhnliches hartes Wort und nur schwer auszuhalten. Aber es wird bald konkret in der anstehenden Eroberung durch babylonische Truppen, der Zerstörung Jerusalems und der folgenden Kriegsgefangenschaft. Jesaja liefert uns die Begründung für Gottes strafendes Handeln: „denn ..." (V. 1). Das Volk Israel sollte doch eigentlich Licht für die anderen Völker sein. Es sollte heilig, also anders sein. Aber stattdessen war es wie alle anderen geworden. Nicht Israel prägte seine Umwelt, sondern seine Umwelt prägte Israel. Wie sieht das eigentlich in meinem Leben, bzw. unserer Gemeinde oder Kirche aus?

„Ihr sollt heilig sein, denn ich bin heilig, der HERR, euer Gott."
3. Mose 19,2

Jeder gegen jeden

Jesaja 3,1-15 **Samstag, 26.**

Raubbau. Enteignungen. Misshandlungen. Das sind konkrete Vorwürfe an die „Eliten“ Israels (V. 14+15). Und mit den zu Unrecht angehäuften Mitteln finanziert sich die Oberschicht einen pompösen Lebensstil. Als Folge dieser Ungerechtigkeiten und der wachsenden Schere zwischen Arm und Reich wird die ganze soziale Ordnung auf den Kopf gestellt. Hungersnöte deuten sich an. Das Volk ist tief gespalten. Marodierende Jugendliche treiben ihren Mutwillen und es gibt keine Obrigkeit mehr, die sie korrigieren könnte. Alles Folgen einer enthemmten Gier und des damit verbundenen Gerichtshandelns Gottes. Diese Entwicklungen damals sollten uns eine Mahnung sein vor einem wachsenden Turbokapitalismus. Und so wie Gott in diesem Text auch Ankläger ist (V. 14), sollten wir Christen wirtschaftliche und soziale Missstände offen anprangern.

„Tu deinen Mund auf und richte in Gerechtigkeit und schaffe Recht dem Elenden und Armen.“ *Sprüche 31,9*

Wochenspruch

„Siehe, dein König kommt zu dir, ein Gerechter und ein Helfer.“
Sacharja 9,9b

Nur einer ist König

Psalm 24 **1. Adventssonntag, 27.**

Obwohl David selber König ist, ist er sich dessen bewusst, dass nur einer wirklich König ist: Gott, der HERR. Ihm gehört alles. Wirklich alles. Die Welt und alles, was dazugehört. Und wie oft sage ich „mein“?! Mein Haus, mein Auto, meine Zeit, mein Geld?! David beschreibt dann einen Menschen, der eingeladen ist, diesem König zu begegnen, bzw. bei diesem König zu sein: unschuldig, rein, ohne Falsch. Ehrlich gesagt, fällt mir niemand ein, auf den das alles zutrifft. Außer dem einen: Jesus. Der Sohn des Königs. Und immer, wenn ich diesen Psalm lese, stelle ich mir vor, wie die Tore der Festung geöffnet werden und Jesus, der Prinz des Friedens, auszieht und die Heilige Stätte, den Berg des HERRN, verlässt, damit er einziehen kann in sein Eigentum. Und damit beginnt sein Advent.

„Er kam in sein Eigentum; und die Seinen nahmen ihn nicht auf. Wie viele ihn aber aufnahmen, denen gab er Macht, Gottes Kinder zu werden.“
Johannes 1,11f.

Nicht abgeschrieben!

Jesaja 4,2-6 **Montag, 28.**

„Schreib's auf, damit du es nicht vergisst!“ Aufschreiben, damit es festgehalten wird, vor Augen bleibt, nicht vergessen wird. Wer bei Gott „aufgeschrieben ist zum Leben“, ist vor seinen Augen, wird beschützt, bis zum Ziel geführt, gerettet – wie das Volk Israel von der Wolken- und der Feuersäule (2Mo 13,17ff.) durch die unwegsame Wüste ins „gelobte Land“ geführt wird, so hier in die versprochene künftige Heilszeit. Ja, es gibt in der Bibel auch ein Aufschreiben zum Gericht. Nach Offb 20,12 werden die Toten nach ihren Werken gerichtet, die „in den Büchern“ aufgeschrieben sind. Die werden vom „Buch des Lebens“ unterschieden. Und wer „auf die Erde geschrieben“ wird, ist als Schuldiger verurteilt, „abgeschrieben“ (Jer 17,13, daran erinnert Jesus bei der Ehebrecherin Joh 8). Wer sich zu Jesus hält, ist nicht abgeschrieben, sondern immer vor Gottes Augen.

„Freut euch aber, dass eure Namen im Himmel geschrieben sind.“
Lukas 10,20

Schluss mit lustig

Jesaja 5,1-7 **Dienstag, 29.**

Man sitzt in ausgelassener Runde bei einem Weinlesefest beisammen, vielleicht ist es das Laubhüttenfest. Da tritt Jesaja auf und stimmt ein Lied an, es wird wie ein Volkslied zur Unterhaltung geklungen haben. Der Weinberg ist auch eine Metapher für eine Geliebte oder Braut. Ein Liebeslied? Die Menschen lehnen sich entspannt zurück. Dann geht es auch noch um enttäuschte Liebe. Jetzt lauschen die Zuhörer, die Spannung steigt. Zumal sie einbezogen werden: Na, wie würdet ihr reagieren? Die harten Maßnahmen klingen angemessen. Ja, muss man nicht auch mal konsequent sein? Hier und da Kopfnicken. Da fährt ihnen der Schreck in die Glieder: Der Weinberg seid ihr! Wie ihr Gottes Liebe enttäuscht habt! Heute sind wir die Hörer dieses Liedes ...

„Eine jede Rebe an mir, die keine Frucht bringt, nimmt er weg; und eine jede, die Frucht bringt, reinigt er, dass sie mehr Frucht bringe.“
Johannes 15,2

Gott lässt sich nicht spotten

Jesaja 5,8-24 **Mittwoch, 30.**

Der Schreck sitzt tief. Zu naheliegend und verlockend ist die Versuchung, mit Fingern auf andere zu zeigen und die Schuld von sich zu weisen. Daher wird Jesaja ganz konkret. Sechsmal „Weh denen!“, also Gerichtsworte, über das Treiben in Jerusalem: Habgier, Hedonismus (Hauptsache Party und Vergnügen), Spott und Lüge, opportunistische Wahrheitsverdrehung, Selbstgefälligkeit, Korruption. Wie aktuell! Heute macht uns besonders die Anmaßung zu schaffen, sich die „Wahrheit“ zurechtzulegen, wie ein Puzzle aus vielen Teilen eigenmächtig zusammenzusetzen. Wer sagt, was gilt? Prophetische Rede ist oft harte Kost. Sie deckt auf, zeigt Konsequenzen auf, sie beschönigt nicht. Weil sie Gottes Autorität nicht infrage stellt, sondern ihr im Alltag Raum gibt.

„Wenn wir sagen, wir haben keine Sünde, so betrügen wir uns selbst, und die Wahrheit ist nicht in uns.“ *1. Johannes 1,8*

Monatsspruch Dezember

Der Wolf findet Schutz beim Lamm,
der Panther liegt beim Böcklein.
Kalb und Löwe weiden zusammen,
ein kleiner Junge leitet sie.

Jes 11,6 (E)

Wo Hören und Sehen vergeht

Jesaja 6,1-13 **Donnerstag, 1.**

In manchen Gottesdiensten, vielleicht in manchem Glaubensleben, ist Gott mehr und mehr zu einem Kuschelfaktor geworden. Kann er irgendeinem etwas anhaben? Was bedeutet er tatsächlich für unseren Alltag? Dabei ist die Begegnung mit dem lebendigen Gott nie harmlos. „Weh mir, ich vergehe!" Die Schuld, die mich von dem heiligen Gott trennt, kann ich nicht selbst beseitigen. Der Seraf („Feuerwesen") tut, was sein Name sagt – Jesaja brennt es auf den Lippen. Doch so wird er rein und bereit für seine Aufgabe. Am „Erfolg" ist seine Berufung ganz sicher nicht abzulesen. Und das Datum muss man nicht unbedingt wissen (obwohl es hier der Fall ist!), aber das Heilige, ja der Heilige, muss uns berühren – und wenn es auch nur sein Saum, ein Zipfel ist. Wo sind wir berührt, dass es brennt ? Was ist unsere Aufgabe heute?

„Fürchte dich nicht! Von nun an wirst du Menschen fangen."

Lukas 5,10

Wenn drei sich streiten

Jesaja 7,1-9 **Freitag, 2.**

Gleich von zwei Königen droht Ahas Krieg. Dabei geht es den beiden Gegnern nur um die Drohung – ein Streuen von Angst, um einen Staatsstreich zu ermöglichen. Einen Krieg können sie sich aber alle nicht leisten – zu mächtig drohen die übermächtigen Assyrer. In eine gemeinsame Allianz wollen Rezin und Pekach Juda hineinzwingen – und hier ist Ahas im Weg. Doch selbst dessen Entscheidung gegen den Gott seiner Väter kann ihn nicht aus der Zusage Gottes für das Haus Davids nehmen – hieraus wird der Retter kommen. Und hieran erinnert Jesaja in dem Angebot an Ahas: Nicht als Vorleistung soll Ahas glauben, sondern sich wieder in die Linie der Gnade Gottes stellen. Noch kann sogar Ahas seinen Platz in dieser verheißenen Rettung finden.

„Darin besteht die Liebe: nicht dass wir Gott geliebt haben, sondern dass er uns geliebt hat und gesandt seinen Sohn zur Versöhnung für unsre Sünden.“ *1. Johannes 4,10*

Reinen Wein einschenken

Jesaja 7,10-25 **Samstag, 3.**

Der aufgegebene Weinberg wird zum Zeichen für den König, der sich von Gott abgewandt hat. Für dessen Volk wird deutlich, dass es dort, wo Gott die schützende Hand wegzieht, die Herausforderungen nicht alleine bestehen kann. Jesaja sagt das Kommen der Assyrer voraus – niemand wird dann mehr sicher sein und der Weinberg nicht mehr bestellt werden können. Doch Jesaja spricht schon davon, dass Gott trotzdem treu bleiben wird: Ein Teil wird Rettung erfahren – auch das Haus Davids. Aus dem kommt später der Retter, Jesus, der auch vom Weinstock spricht: in vielem ganz anders, aber in einem gleich – Gott war und bleibt Herr über den Weinberg, Israel. Und das, was sich von Gott abwendet, wird weggenommen werden müssen. Hier ergänzt das Gleichnis die erschreckende Vorausschau Jesajas.

„Ich bin der Weinstock, ihr seid die Reben. Wer in mir bleibt und ich in ihm, der bringt viel Frucht; denn ohne mich könnt ihr nichts tun.“ *Johannes 15,5*

Wochenspruch

„Seht auf und erhebt eure Häupter, weil sich eure Erlösung naht.“ *Lukas 21,28b*

Vom Loben zum Klagen

Psalm 44 **2. Adventssonntag, 4.**

Mit viel Begeisterung beginnt dieser Psalm. Die Verfasser berichten enthusiastisch, was Gott alles für sie getan hat. Er ist es, der seinem Volk beistand, das gelobte Land einzunehmen. Angst vor

den Feinden kennen sie eigentlich nicht. Aber dann kommt alles anders! Das fünffache „Du" in den V. 11-15 ist eine Anklage, wie sie konkreter nicht sein kann. Sie selbst sind sich keiner Schuld bewusst (V. 18). „Wenn wir das und das getan hätten, dann könnten wir ja verstehen, dass du uns verlassen hast. Aber ..."
Ja, so hart kann das Leben sein. Alles um mich herum bricht zusammen. Am Arbeitsplatz klappt plötzlich gar nichts mehr. In der Familie herrscht eine vergiftete Atmosphäre. Und auch in der Gemeinde geht alles drunter und drüber. Schläft Gott und hat mich vergessen?
Lernen wir von den Psalmbetern und rufen laut zu Gott. Ja, in der Tat, das kann ruhig laut geschehen. Das ausrufen, was mich belastet, entlastet enorm und bringt neue Gotteserfahrung. Nicht mit den eigenen Nöten hinter dem Berg halten, sondern die Klage vor Gott bringen. Das ist erlaubt.

„Alle eure Sorge werft auf ihn; denn er sorgt für euch." *1. Petrus 5,7*

Schneller Raub, eilige Beute – ein Name als Programm

Jesaja 8,1-15 **Montag, 5.**

Jesaja betont, dass Gott selbst spricht. Er hält dies auf einer Steintafel fest: groß und unübersehbar; bezeugt durch Zeugen und den Namen des Sohnes. Angesagt wird Gnadenzeit – aber nur kurz, bevor noch der Sohn sprechen kann. Gott wendet sich an das bedrohte Juda und spricht ihnen zu, dass die aktuelle Bedrohung nicht lange andauern wird, dass Gott es wenden wird. Gott setzt ein Zeichen – und alle können es sehen, dass er zur Gnade ruft. Aber das fest stehende Zeichen bezeugt dann auch das kommende Gericht: Dicht folgt auf das Gnaden- das Gerichtswort. Juda wird nicht auf die angebotene Gnade setzen, sondern auf die Macht Assurs, die kurzfristig zur Hilfe kommt und ihnen Schutz bietet – aber der darüber stehende, redende und handelnde Gott wird übersehen.

„Verlass dich auf den HERRN von ganzem Herzen, und verlass dich nicht auf deinen Verstand, sondern gedenke an ihn in allen deinen Wegen, so wird er dich recht führen.“ *Sprüche 3,5-6*

Schreiben sie es auf, ich beschäftige mich später damit

Jesaja 8,16-23 **Dienstag, 6.**

Um Schriftrollen lange aufzubewahren, hat man sie früher in versiegelten Tonkrügen konserviert. Jesaja legt Gottes Wort zur Rettung nun – bildlich gesprochen – in eine Schar von Schülern, damit es die Zeit – und ihn – überdauert. Gerade will niemand dies Wort hören, aber es wird dadurch weiterhin Bestand haben. Wichtig ist, dass dieses Wort von der Gnade nicht weggeschlossen wird. Immer wieder soll eine Möglichkeit gefunden werden, es unter die Menschen zu bringen. Wenn diese sich hilfesuchend an die Toten wenden, soll auf den lebendigen Gott hingewiesen werden. Doch Teil der Prophezeiung durch Jesaja ist, dass dies lange nicht angenommen werden wird und es lange dauern wird, bis die Menschen sich wieder auf die Suche nach Gott machen werden. Aber dann ist sein Wort schon da, nur wartend auf die Hörer.

„Denn wenn ihr mich von ganzem Herzen suchen werdet, so will ich mich von euch finden lassen.“ *Jeremia 29,13f.*

Licht an

Jesaja 9,1-6 **Mittwoch, 7.**

Schon mal im dunklen Wald verirrt, ohne Taschenlampe und ohne Navi? – Licht wäre die einzige Hilfe! – Dieses Bild benutzt Jesaja. Das Volk Israel stolperte ohne hoffnungsvolle Perspektive durch die Dunkelheit, durch Gefangenschaften und verworrene politische Situationen.
Menschen in allen Zeiten sorgen dafür, dass es dunkel ist. Ganze Gesellschaften gehen in die Irre und finden den richtigen Weg

nicht mehr. Damals wie heute sehen wir viele Lichter – aber ein Licht sehen wir in diesen Tagen weniger.
Gott hat versprochen, dass es nicht dunkel bleiben wird. Dieses Versprechen hat er eingelöst. Der allmächtige Gott greift ein und reagiert mit einem Kind. Mit seinem Licht durchbricht er die Dunkelheit. Das Licht hat einen Namen: Jesus Christus.

„Ich bin das Licht der Welt. Wer mir nachfolgt, der wird nicht wandeln in der Finsternis, sondern wird das Licht des Lebens haben."

Johannes 8,12

Zukunftsmusik

Jesaja 11,1-10 **Donnerstag, 8.**

Solche Bilder wecken Sehnsüchte. Im Zeitalter der sozialen Netzwerke erleben wir, dass es kaum ein Statement oder ein Ereignis gibt, über das sich nicht in kürzester Zeit kritisch, erbarmungslos und oft auch hasserfüllt geäußert wird. In uns Menschen scheint etwas zu wohnen, was meint, uns das Recht zu geben, über andere richten und urteilen zu dürfen.
Gott kündet ein Friedensreich an, das nicht von Menschen geschaffen werden kann. Er kündet einen Retter an, der nicht nach Augenschein richten und nicht nach Hörensagen urteilen wird, sondern mit Gerechtigkeit handelt. Eine Gerechtigkeit, die im Einklang mit Gottes Willen steht, zugunsten der Menschen, die diese Gerechtigkeit so dringend brauchen. Ich nehme mir vor, da, wo ich heute anderen begegne, weniger kritisch und erbarmungslos zu sein. Und ein bisschen mehr wie Jesus zu sein, der diese Wesenszüge des Friedenskönigs verkörpert.

„Selig sind, die da hungert und dürstet nach der Gerechtigkeit; denn sie sollen satt werden." *Matthäus 5,6*

Wende vom Zorn zur Gnade

Jesaja 12,1-6 **Freitag, 9.**

Nach aller Kritik geht der erste große Abschnitt des Jesajabuchs mit einem „Danklied der Erlösten" zu Ende. Jesajas Lob akzeptiert Gottes Zorn, in der Hoffnung, er möge sich in Trost verwandeln. Die Wende von Gottes Zorn zur Gnade hat stattgefunden. Jesaja erkennt: Durch Gottes Zorn hindurch ist Gottes Heil stärker und wird den Menschen zum Trost werden. Das Volk wird Grund zum Jubeln haben. Nicht über die Schläge, die taten weh. Auch nicht über die Strafe, die war berechtigt. Aber sie werden jubeln über die Geduld und Freundlichkeit Gottes. Darüber, dass Gott die Dinge wieder ins Lot bringt und einen Ausweg aus der verfahrenen Lage weist.
Wie auch an vielen anderen Stellen der Bibel führt uns der Text über unsere menschlichen Empfindungen hinaus und verweist darauf, dass es die höchste Bestimmung des Menschen ist, Gott zu loben.

„Ermuntert einander mit Psalmen und Lobgesängen und geistlichen Liedern." *Epheser 5,19*

Jahreslosung 2022

Jesus Christus spricht: Wer zu mir kommt, den werde ich nicht abweisen. **Joh 6,37 (E)**

Welche Barrieren richte ich auf?

In den Kreisen, in denen ich geistlich zu Hause bin und die mich geprägt haben, steht das Thema Mission und Evangelisation außer Frage ganz oben. Aber werden nicht ganz oft Maßstäbe angelegt, wer denn zu Jesus kommen kann und wer nicht? Wer passt in mein Raster und wer nicht? Tut man sich nicht sehr häufig mit Menschen schwer, die eine andere oder gar keine

Glaubensgeschichte haben und damit auch ganz verquere Glaubensansichten – im Vergleich mit unserer Ansicht? Tut man sich nicht mit Menschen schwer, die im Blick auf ihren Lebenswandel und damit in ethischen Fragen gar nicht zum christlichen Wertekanon passen? Ich habe oft beobachtet: Mit dem, was man eigentlich und ganz aufrichtig und ganz grundsätzlich will, steht man sich letztlich in der praktischen Umsetzung mindestens in Bezug auf gewisse Personenkreise selbst im Wege. Selbstkritisch lässt mich das fragen: Ist es bei mir auch so? Stehe ich Menschen im Wege, die zu Jesus kommen wollen? Scheitern sie an meiner Vorstellung, wie „zu Jesus kommen" aussehen muss?
Außenstehende und mit kirchlichen Gruppen nicht eng verbundene Menschen haben ein feines Gespür dafür, ob sie willkommen sind oder nicht. Häufig spielt hier die nonverbale Sprache eine wichtigere Rolle als alle Bekenntnisse zum missionarischen Auftrag.
„Wer zu mir kommt", sagt Jesus. Darf wirklich jeder kommen? Darf für mich jeder kommen? Welche Barrieren richte ich auf, dass nicht jeder kommen kann? – Für mich ist Jesus Vorbild und Maßstab: „Wer zu mir kommt!" Die Ehebrecherin durfte zu Jesus kommen. Die Frau von Samaria, die schon mehrere Männer gehabt hatte, durfte zu Jesus kommen. Der Pharisäer Nikodemus durfte zu Jesus kommen. Die Eltern mit ihren kleinen Kindern durften zu Jesus kommen. Der Terrorist, der mit Jesus gekreuzigt wurde, durfte zu Jesus kommen. Und viele andere auch.

Hartmut Schmid

Gott ist Herr der Geschichte

Jesaja 14,1-23 **Samstag, 10.**

Vernichtende Worte gegen Babel. Diese Verse setzen voraus, dass Gottes Gericht über Israel und Juda bereits eingetroffen ist. Aber „Gericht" ist nicht Gottes letztes Wort. Er wird sich über sein Volk erbarmen und die feindlichen Herrscher bestrafen. Er wird sein Volk aus der Hand des machthungrigen Herrschers erretten. Gott, als Herr der Geschichte, wird das Geschick wenden.

Wie viele Menschen leben bis heute in Unrechtsstaaten und sind der stattlichen Willkür völlig ausgeliefert. Auch für sie gilt: Gott wird alle Gewaltherrscher dieser Erde einmal ihrer Macht entkleiden. Ihre Macht ist begrenzt. Gott ist und bleibt der Herr der Weltgeschichte. Eine freiheitliche Demokratie ist nicht selbstverständlich. Danken wir für unser Staatssystem und unterstützen es. Beten wir für die Regierungen dieser Erde. Für die eigenen. Für die gerechten – und die ungerechten.

„Gott ist König über die Völker, Gott sitzt auf seinem heiligen Thron."
Psalm 47,9

Wochenspruch
„Bereitet dem HERRN den Weg; denn siehe, der Herr kommt gewaltig." *Jesaja 40,3.10*

Versprochen ist Versprochen

Psalm 33 **3. Adventssonntag.** **11.**

Worte, nichts als Worte! Leeres Gerede! Wie oft geben wir unser Wort, versprechen etwas und halten es dann nicht. Aber es gibt eine gute Nachricht, über die man sich so richtig freuen kann (V. 1). Gottes Worte, seine Versprechen, haben einen anderen Charakter. Schon der hebräische Begriff für „Wort" heißt auch zugleich „Sache". Das, was Gott sagt, wird auch Wirklichkeit. Sein Wort hat schöpferischen Charakter. Er spricht und es geschieht (V. 9). Das Wort Gottes, das an die Propheten ergeht, erfüllt Gott nach und nach in der Geschichte des erwählten Gottesvolks (V. 12). Gott hält seine Zusagen, er macht seine Worte wahr. Sie werden Wirklichkeit. Ja das „Wort", das selbst Gott ist, wird in Jesus Fleisch (Joh 1,1-14), ein wirklicher Mensch. In diesem Wort hat sich Gott ein für alle Mal für uns festgelegt.

„Wir warten aber auf einen neuen Himmel und eine neue Erde nach seiner Verheißung, in denen Gerechtigkeit wohnt." *2. Petrus 3,13*

Gottesgericht

Jesaja 24,1-23 **Montag, 12.**

Wüst, verdorrt, verschmachtet, zerstört – es ist ein düsteres Bild, das uns hier gezeigt wird. Dieser Abschnitt (Kap. 24–27) wird auch die „Jesaja-Apokalypse" genannt. Nach den Ankündigungen des Gerichtes über das Assyrische und Babylonische Reich wird nun die göttliche Sicht auf die ganze Welt offenbart. Und die ist nicht rosig. Die Erde wird zerbrechen, zerbersten, zerfallen und wie ein Betrunkener taumeln. Alles gerät aus den Fugen. Alle sind davon betroffen. Es ist das Gericht Gottes über eine hochmütige und rebellische Menschheit, die sich gegen Gott erhebt. Furchtbar, trostlos, entsetzlich.

Und doch blitzt mittendrin ein anderer Blickwinkel auf. Ein Loblied über die Größe Gottes. Über den Gott, der seine wirkliche Macht und seinen herrlichen Glanz zeigen wird. Das lässt sogar Sonne und Mond vor Scham erröten.

„Ich bin der HERR, und sonst keiner mehr, kein Gott ist außer mir."

Jesaja 45,5

Festmahl

Jesaja 25,1-9 **Dienstag, 13.**

Das Wasser läuft einem im Mund zusammen. Die würzigen Speisen sind förmlich zu riechen und der gut gelagerte Wein ist ein Geschmackserlebnis. Die verlorene Fröhlichkeit ist wieder da. Die Tränen sind verwandelt in Lachen und Jubel. Der Tod ist für immer vernichtet, das Leben hat gesiegt. Was für ein Gegensatz zu der vorangegangenen Botschaft des Gerichtes und der Vernichtung.

Es ist die hoffnungsvolle Erwartung der Menschen, die sich auf die Zusagen Gottes verlassen und sich an ihm festhalten. Die dem Gott vertrauen, der sich den Menschen zuwendet. Der durch alles Gericht hindurch der gnädige, der helfende, der befreiende Gott ist. Das ist nicht nur eine Vision oder ein Zukunftstraum. Diese Zuwendung Gottes erleben Menschen damals wie heute. Grund genug, zu jubeln (V. 9) und für seine Hilfe zu danken (V. 1-5).

„Danket dem HERRN; denn er ist freundlich, denn seine Güte währet ewiglich." *Psalm 136,1*

Freudenlied

Jesaja 26,1-6 **Mittwoch, 14.**

Zwei Städte werden in diesem Lied besungen. Da ist die eine Stadt, die hoch aufragt. Ein Symbol für Menschen und Mächte, die nach Größe streben, sich selbst erhöhen und auf Kosten anderer leben. Diesem gottlosen und ungerechten Treiben wird Gott ein Ende machen. Die Stadt wird zerstört und entmachtet.
Und dann die andere Stadt, die Gott selbst aufrichten wird. Mit offenen Türen und doch gut geschützt. Ein Ort der Freiheit, des Aufatmens, der Gerechtigkeit. Ein neues Jerusalem, in dem Niedrige, Arme, Gebeugte wertgeschätzt und beachtet werden. Der Liederdichter malt den Menschen seiner Zeit dieses Hoffnungsbild vor Augen. Aber gleichzeitig schärft er ihnen ein: „Vertraut diesem Gott. Haltet unerschütterlich an ihm fest. Dann werdet ihr bleibenden Frieden erfahren. Dann werdet ihr als Gottes Volk in dieser Stadt Heimat finden."

„Bei Gott ist mein Heil und meine Ehre, der Fels meiner Stärke." *Psalm 62,8*

Hoffnungsgebet

Jesaja 26,7-19 **Donnerstag, 15.**

Eine tiefe Sehnsucht nach Gott und eine unerschütterliche Hoffnung prägen dieses Gebet. Dabei wird die Realität des Lebens nicht außer Acht gelassen. Unrecht, Unterdrückung, Gottlosigkeit, Not – all das kennt der Beter. Er weiß, was es heißt, wenn alle Anstrengung umsonst ist. Welche Schmerzen es verursacht, nicht helfen zu können.
Aber gerade damit wendet er sich an den lebendigen Gott. In Klage und Bitte. Mit Erwartung und Zuversicht. Im Gebet und in der Ausrichtung auf Gott bekommt er Kraft, auszuhalten und

durchzuhalten. Selbst da, wo menschliche Hilfe nichts mehr bewirkt. Und er bekommt neue Hoffnung. Eine Hoffnung, die über den Tod hinausgeht. Eine Auferstehungshoffnung, die bereits hier im Alten Testament dem Glaubenden Halt und Perspektive gibt.

„Nach dir, HERR, verlangt mich. Mein Gott, ich hoffe auf dich; lass mich nicht zuschanden werden.“ *Psalm 25,1-2*

Lebensbund auf festem Grund

Jesaja 28,14-22 **Freitag, 16.**

Todsicher – sagt man! Wenn eines feststeht im Leben, dann, dass wir alle sterben. Das dachten wohl auch die Menschen, denen Gott durch den Propheten diese Worte sagen lässt. Sie haben einen „Bund mit dem Tod“ geschlossen. Wie auch immer das ausgesehen hat; es ist wohl etwas anderes als die Lebensklugheit, die um die eigene Endlichkeit weiß (Ps 90,12). Gott will nicht, dass der Tod unser Leben bestimmt. Weder als unheimliche Angst vor dem Nichts noch als Gier nach Vitalität und auch nicht als Streben nach irdischer Unsterblichkeit. In Jesus Christus hat Gott dieses Lebensfundament gelegt (Eph 2,20). Durch seine „seltsame Tat“ (V. 21) hat Gott in Jesus selbst den Tod auf sich genommen – für uns. Und durch die Auferstehung Jesu hat Gott einen Lebensbund für uns geschlossen, damit wir voller Vertrauen auf ihn das Leben haben.

„Einen andern Grund kann niemand legen außer dem, der gelegt ist, welcher ist Jesus Christus.“ *1. Korinther 3,11*

Die große Wende

Jesaja 29,17-24 **Samstag, 17.**

„Alles wird gut!“ – so sagte es eine populäre Fernsehmoderatorin am Ende jeder Sendung. Das ist ein Wohlfühlsatz, eine Floskel. Vielleicht ist gerade einmal alles gut in unserem Leben und wir können es uns in unserem Fernsehsessel gemütlich machen. Aber damit alles gut wird, dafür muss sich vieles ändern. Im biblischen Denken wird das immer daran gemessen, wie es den Ärmsten unter den Armen geht, den Schwächsten unter uns. Wenn sie noch im Elend sitzen, wenn sie durch die Mächtigen unterdrückt werden oder durch uns, bei denen gerade alles gut ist, vernachlässigt werden, dann ist Gott mit seinem Werk in unserer Welt noch nicht am Ziel. Aber Gott sei Dank! In Jesus hat er einen Anfang gemacht und die große Wende eingeleitet, in die er auch uns hineinnehmen will, bis wirklich alles gut ist.

„Er hat alles wohl gemacht; die Tauben macht er hören und die Sprachlosen reden." *Markus 7,37b*

Wochenspruch
„Freuet euch in dem Herrn allewege, und abermals sage ich: Freuet euch! Der Herr ist nahe!" *Philipper 4,4.5b*

Schrei nach Gerechtigkeit

Psalm 58 **4. Adventssonntag. 18.**

Darf man so beten? Wem wird bei solchen Rachefantasien nicht unwohl? Mir schon. Doch verschwindet das monströse Rachebedürfnis von uns Menschen, wenn wir solche Gebete nicht mehr sprechen? Da bin ich mir nicht so sicher. Man kann das in vielen Hollywoodfilmen sehen: Rache ist eine zutiefst menschliche Triebfeder. Und das Ausmaß der filmisch dargestellten erlösenden Gewalt erinnert an unseren Psalm „Der Gerechte wird sich freuen, wenn er solche Vergeltung sieht, und wird seine Füße baden in des Frevlers Blut (V. 11)." Wenn wir unser ganzes Leben im Gebet zu Gott bringen sollen, dann gehören wohl dazu auch unser Schrei nach Gerechtigkeit, nach erfahrenem Unrecht und die damit verbundenen Rachegefühle. Denn wo führt uns der Psalm hin (V. 12)? – Rache wird verwandelt in Gerechtigkeit, denn Gott als Richter rettet. Erlösende Gewalt wird abgelöst durch eine gewaltige Erlösung, indem Gott allein wahre Gerechtigkeit herstellt.

„Rächt euch nicht selbst, meine Lieben, sondern gebt Raum dem Zorn Gottes; denn es steht geschrieben: ‚Die Rache ist mein; ich will vergelten, spricht der Herr.'" *Römer 12,19*

Vertrauen und Loslassen

Jesaja 30,1-17 **Montag, 19.**

Die äußere Bedrohung Judas durch die Assyrer ist Folge eines inneren Missstands: Das Volk hat sich von Gott entfernt. Gott selbst nutzt die fremde Macht als Werkzeug seines Gerichts (7,17). Doch das Volk kann und soll auf das gültige Heilsversprechen seines Bundes vertrauen und das Unvermeidliche hinnehmen. Stattdessen vertraut man ausgerechnet auf Ägypten, aus dessen Knechtschaft Gott einst errettete – ein hoffnungsloses Unterfangen. Der fortgesetzte Vertrauensbruch hat Folgen: Zwar wird Juda vor der totalen Zerstörung bewahrt werden (31,8f.), es folgt jedoch die Katastrophe des Babylonischen Exils (Jes 38f.), ehe Gott sein Volk in das verheißene Land zurückführt (Jes 40ff.). Selbstbezogenheit und Aktionismus sind menschlich. Doch manchmal führt nur vertrauensvolles Loslassen zum Segen.

„Darum werft euer Vertrauen nicht weg, welches eine große Belohnung hat." *Hebräer 10,35*

Das Reich der Gerechtigkeit

Jesaja 32,1-20 **Dienstag, 20.**

Jesaja weiß: Vertraut der Mensch nur auf sich, wird er scheitern. Er warnt vor allzu großer Selbstsicherheit und schildert deren unheilvolle Folgen. Doch Gericht und Segen liegen eng beieinander. Die verheißene Zukunft mit Gott offenbart sich im künftigen „Reich der Gerechtigkeit", das von äußeren Strukturen bis zum Innersten der Menschen alles durchdringt. Schutz und Zuflucht durch gerechte Regentschaft ohne Machtmissbrauch. Gerechtigkeit, die den gesamten Menschen verändert, all seine Sinne „klärt": Sehen, Hören, Fühlen, Sprechen. Und die alles Schlechte offenbar werden lässt und zur Rechenschaft zieht. All dies mündet in einem Leben in Frieden, Ruhe und Sicherheit. Gemessen an menschlichen Maßstäben eine Utopie, die nicht von uns gemacht werden kann, sondern von Gottes Geist geschenkt wird.

„Der wird den Segen vom HERRN empfangen und Gerechtigkeit von dem Gott seines Heiles." *Psalm 24,5*

Segen für alle?

Jesaja 33,17-24 **Mittwoch, 21.**

Die Texte heute und morgen konkretisieren die verheißene Zukunft. Dabei wird das kommende Heil wirkungsvoll mit der unheilvollen Vergangenheit kontrastiert. Vorbei die ständige Bedrohung durch fremde Völker und durch Krieg – es herrscht Frieden und Sicherheit. Vorbei die Zeiten von Vertreibung und Exil – das Volk ist zurück in der Heimat, in Palästina und Jerusalem. Es ist eine Perspektive, die zuversichtlich stimmt. Ein Aspekt jedoch macht nachdenklich: Es ist die Rede von Besiegten, Beute und Plündern, von Rache und Wegen nur für Reine und Erlöste. Eine Welt in Schwarz-Weiß. Der Segen erscheint exklusiv und ausgrenzend. Aber gibt es nicht Segen und Gerechtigkeit für (uns) alle?

„Die Schrift aber hat zuvor gesehen, dass Gott die Heiden durch den Glauben gerecht macht. Darum hat sie Abraham zuvor verkündigt (1. Mose 12,3): ‚In dir sollen alle Heiden gesegnet werden.'" *Galater 3,8*

Gerechtigkeit 2.0

Jesaja 35,1-10 **Donnerstag, 22.**

Die Verheißung von Frieden, Gerechtigkeit und Heimkehr hat dem jüdischen Volk immer wieder Kraft, Glaube und Hoffnung gespendet. Heute scheint die Verheißung nah – ein eigener Staat, in Palästina, in Jerusalem. Doch die Realität ist nicht schwarzweiß, sondern ambivalent. „Heimat" sagen auch andere. Bedroht sein wie bedrohen sind keiner Seite eindeutig zuzuordnen. Friede und Sicherheit sind ein unerfüllter Traum. Es wird deutlich, wie vielschichtig Gerechtigkeit und wie ungeheuer schwer Frieden ist. Gerechtigkeit beginnt bei mir, geht aber weiter. Es braucht Liebe und Barmherzigkeit für den anderen, Integration statt Ausgrenzung. Eine Herausforderung, an der wir immer wieder scheitern. Wir brauchen Gottes Geist mehr denn je!

„Aber ich sage euch, die ihr zuhört: Liebt eure Feinde; tut wohl denen, die euch hassen; segnet, die euch verfluchen; bittet für die, die euch beleidigen.“ *Lukas 6,27f.*

Gott plant von langer Hand

Matthäus 1,1-17 **Freitag. 23.**

Der Anfang eines Buchs muss mich packen, damit ich weiterlese. Warum aber beginnt Matthäus sein Evangelium mit einer – auch noch unvollständigen – Familientafel? Weil er zeigen will, dass Gott von langer Hand plant, verspricht und zu seinen Verheißungen steht. Matthäus versteht die Geschichte von Jesus so, dass Gott seine Versprechen erfüllt. Deshalb der Stammbaum zu Beginn. Beim Lesen ist schnell klar: Es geht nicht einfach um Namen, sondern um Biografien, die Geschichte von Frauen und Männern, sowie die Erkenntnis: Gott denkt welt- und kulturumspannend. Rut z. B. kommt aus nicht-israelischer Linie. Sie ist eine „Fremde“. Gottes Wirken gilt allen Menschen. Egal welche Nation oder welches Geschlecht, alle sind eingeladen und gleich bedeutsam und wertvoll. Wie wunderbar. Bei dem Gott, der Geschichte schreibt, ist kein Platz für Ausgrenzung.

„Hier ist nicht Jude noch Grieche, hier ist nicht Sklave noch Freier, hier ist nicht Mann noch Frau; denn ihr seid allesamt einer in Christus Jesus.“ *Galater 3,28*

„Gott hilft" – der Name von Jesus ist Programm

Matthäus 1,18-25 **Heiligabend, Samstag, 24.**

Wer schon mal einen Namen auswählen durfte, kennt die Herausforderung. Was ist passend, aussagekräftig und überlädt nicht mit zu vielen Erwartungen? Bei Jesus ist das anders. Die Eltern dürfen den Namen nicht auswählen, er wird vorgegeben. Das passt irgendwie zu dieser wundersam unfreiwilligen Schwangerschafts- und Geburtsgeschichte. „Gott hilft" wird das Kind in der Krippe heißen. Das bedeutet der Name Jesus. In ihm wird „Immanuel" erkennbar, auf Hebräisch „Gott mit uns". Was, wenn wir den Namen Jesus aussprechen? Welche Kraft, welches Bekenntnis liegt darin! Kein Kunstname, sondern Gottes Liebesprogramm für diese Welt. Gott rettet. Mit jedem Mal, wenn ich ihn ausspreche, beschreibe ich auch seinen Auftrag. Das Kind in der Krippe wird der Mann vom Kreuz. Ein kurzes, starkes Bekenntnis des Glaubens und ein einfaches Gebet: „Gott hilft!"

„Wer den Namen des Herrn anrufen wird, der soll gerettet werden."
Apostelgeschichte 2,21

Wochenspruch
„Das Wort ward Fleisch und wohnte unter uns, und wir sahen seine Herrlichkeit." *Joh 1,14a*

Auf Gottes Wegweiser achten

Matthäus 2,1-12 **1. Weihnachtstag, Sonntag, 25.**

Egal ob Straßenschild oder Navi. Ohne Wegweiser würde ich nur selten und meist nur mit Umwegen ans Ziel finden. Im Altertum war es ein vertrauter Gedanke, dass Sterne die Geburt herausragender Personen ankündigten. Herodes, der Große, einer der brutalsten Machthaber seiner Zeit, half mit – vermutlich getrieben von Angst –, den Weg nach Bethlehem zu finden. Wie faszinierend: Gottes Wunder ereignen sich nicht immer in übernatürlicher Weise. Hier nutzt er vermutlich die wiederkehrende Konjunktion der Planeten Jupiter und Saturn, um die Weisen zu navigieren. Zu Gottes Wirken tritt die menschliche Aufmerksamkeit. Was, wenn die Sterndeuter damals das Himmelsphänomen ignoriert hätten? Ich will mit offenen Augen und erwartungsvollem Herzen im Alltag mit Gottes Wundern rechnen, auf seine Wegweiser achten.

„Gott tut große Dinge, die nicht zu erforschen, und Wunder, die nicht zu zählen sind." *Hiob 9,10*

Gott handelt dennoch

Matthäus 2,13-23 **2. Weihnachtstag, Montag, 26.**

Eine irritierende Erzählung voll Not, Schmerz und Gewalt ist Teil des Weihnachtswunders – und Gott lässt das alles zu. Es bleibt bis zum letzten Tag eine der großen Anfechtungen des christlichen Glaubens, dass der Allmächtige Machtmissbrauch und Gräueltaten nicht verhindert. In all dem lohnt sich der besondere Blick auf Josef: Die gesamte Geschichte rund um die Geburt von Jesus ist eine besondere Zumutung für ihn. Er hält aus, flieht nach Ägypten – ein Land, das immer wieder als Zufluchtsort diente – zieht um und fängt neu an. Er tut das, weil er bereit ist, Gott zu vertrauen und ihm immer wieder neu eine Chance zu geben. Mag sein, dass Gott zu mir nicht so klar und eindeutig spricht, schon gar nicht durch Engel. Fragen muss ich aber, ob ich auf Empfang bin, in Hörweite lebe? An Weihnachten und im herausfordernden Alltag.

„Und ob ich schon wanderte im finsteren Tal, fürchte ich kein Unglück – denn Du bist bei mir." *Psalm 23,4*

Der Rufer in der Wüste

Matthäus 3,1-12 **Dienstag, 27.**

Wohin würden wir gehen, wenn wir möglichst viele Menschen erreichen wollten? Sicher nicht in die Wüste. Aber genau da predigt

Johannes. Und er ist weder durch seine Erscheinung noch durch seine Botschaft besonders einladend. Aber beides hat eine Bedeutung: In der Wüste beginnt, nach dem Auszug aus Ägypten, Gottes Rettungsgeschichte mit seinem Volk. Sowohl die Worte als auch die Kleidung weisen Johannes als einen der Propheten aus. Ihre Botschaft ist seine Botschaft: „Kehrt um. Gebt euer Leben wieder in Gottes Hand." Und die Menschen kommen. Sie spüren, dass die Zeit reif ist für einen Neuanfang. Nicht die Tradition rettet, sondern Gott rettet. Er fängt in Jesus neu an. Er sieht in jedes Herz hinein und weiß genau, was ihm den Weg versperrt: Hochmut, Gleichgültigkeit, Ausreden, Zweifel oder ...?

„Und ich will euch ein neues Herz und einen neuen Geist in euch geben und will das steinerne Herz aus eurem Fleisch wegnehmen und euch ein fleischernes Herz geben." *Hesekiel 36,26*

Wahrer Gott und wahrer Mensch

Matthäus 3,13-17 **Mittwoch, 28.**

Nach der Geburt und der Flucht nach Ägypten tritt Jesus hier als Erwachsener das erste Mal auf. Er will sich von Johannes taufen lassen. Aber anders als die vielen vor ihm steigt er nicht in den Jordan, um sich die Sünden abwaschen zu lassen, sondern um die Sünden der Welt auf sich zu nehmen. Gott bekennt sich zu Jesus. Er bestätigt ihn. Damit ist sicher: In Bethlehem ist Gott selbst zur Welt gekommen. Jesus stammt vom Himmel und von der Erde. Das heißt: Er ist ein Mensch wie du und ich. Er gehört zu einer Familie und hat eine ganze Reihe Vorfahren (vgl. 1,1ff.). Jesus ist der erste Mensch ohne Sünde. Wer an Jesus glaubt und ihm nachfolgt, der ist Gottes Kind.

„Siehe, das ist mein Knecht, den ich halte, und mein Auserwählter, an dem meine Seele Wohlgefallen hat. Ich habe ihm meinen Geist gegeben; er wird das Recht unter die Heiden bringen." *Jesaja 42,1*

Der Versucher versucht's!

Matthäus 4,1-11 **Donnerstag, 29.**

In der Bibel finden wir keine „Lehre vom Teufel". Denn entscheidend ist nicht, woher er kommt. Entscheidend ist, wie er versucht. Was in der Wüste geschah, steht als Prüfung vor jedem Menschen. Es geht um Fragen, die uns ganz elementar betreffen. Es geht um Nahrung, Macht und Bewahrung. Nicht immer werden diese Fragen so offen angesprochen. Aber gerade das ist die Versuchung, dass sie oft nicht erkannt wird. Alle Antworten auf diese Fragen sind oder werden teuflisch, wenn sie ohne Gott gegeben werden. Der Versucher kommt sogar mit frommen Worten (V. 6). Uns Menschen ist nur geholfen, wenn wir dem Wort des Vaters glauben. Heil und Zukunft gibt es nur durch den Sieg von Jesus. Denn Jesus ist nicht sprachlos und bleibt nicht machtlos. Er hat wehrhaft gekämpft und das Böse überwunden. Bei welcher Versuchung brauche ich seine Hilfe?

„Aber in dem allen überwinden wir weit durch den, der uns geliebt hat." *Römer 8,37*

Mitten im Leben

Matthäus 4,12-17 **Freitag, 30.**

Jesus geht aus der Wüste nach Galiläa. Nicht nach Jerusalem, wo ihn die Weisen vergeblich suchten. Jesus geht zu den ganz normalen Menschen. Mitten im Leben bringt er ihnen das Licht des Evangeliums. Galiläa galt damals als multikulturelle Gegend mit dem Einfluss falscher Götter. So eine bunte Umgebung kann den Glauben anfechten. Aber da, wo Jesus einzieht, bringt er das Licht und ruft zur Umkehr: „Tut Buße!" Buße tun – heißt das Strafe zahlen? Nein, das heißt: Dass wir uns vom Licht Jesu zur Umkehr bewegen lassen. Dass wir gegen die Finsternis und die Schatten des Todes kämpfen. Dass wir ihnen eine Absage erteilen und auf Jesus hören, „denn das Himmelreich ist nahe herbeigekommen!" (V. 17).

„Jesus spricht: Ich bin das Licht der Welt. Wer mir nachfolgt, der wird nicht wandeln in der Finsternis, sondern wird das Licht des Lebens haben.“ *Johannes 8,12*

Ich bin nicht allein

Psalm 121 **Silvester, Samstag, 31.**

Am Übergang zu einem neuen Jahr halten viele Rückblick auf das vergangene und Ausblick auf das kommende neue Jahr: Was habe ich alles erlebt? Was wird auf mich zukommen? Während die einen ganz sorglos in ein neues Jahr hinein feiern, sehen andere schon ängstlich auf den riesigen Berg neuer Herausforderungen, Sorgen und Probleme. Woher kommt mir Hilfe? Wie gut, dass der Psalm auf meine sorgenvolle Frage eine Antwort gibt: Was auch kommen mag, Gott ist bei mir, Tag und Nacht! Er behütet und beschützt mich, er lässt mich nicht allein. Über allem, was ich tue, hält Gott seine Hand! – Mit diesen Zusagen Gottes brauche ich nichts zu fürchten. Wie lautet mein Fazit nach diesem ereignisreichen Jahr: Kann ich das bestätigen? Kann ich anderen damit vielleicht auch eine Hilfe sein? Unsere Welt braucht Menschen, die sich in der Obhut Gottes geborgen wissen und das weitererzählen, damit auch andere Vertrauen gewinnen. Diese Zusage Gottes gehört in die Welt: ein prima Vorhaben für das kommende Jahr!

„Der HERR behüte deinen Ausgang und Eingang von nun an bis in Ewigkeit.“ *Psalm 121,8*

Gebete, Meditationstexte und Segenszusprüche

Luthers Morgensegen

Das walte Gott Vater, Sohn und Heiliger Geist! Amen.
Ich danke dir, mein himmlischer Vater, durch Jesus Christus, deinen lieben Sohn, dass du mich diese Nacht vor allem Schaden und Gefahr behütet hast, und bitte dich, du wollest mich diesen Tag auch behüten vor Sünden und allem Übel, dass dir all mein Tun und Leben gefalle. Denn ich befehle mich, meinen Leib und Seele und alles in deine Hände. Dein heiliger Engel sei mit mir, dass der böse Feind keine Macht an mir finde. Amen.

Bitte um Vergebung

Barmherziger Gott, vergib mir alles,
was ich an dir und den Menschen gesündigt habe.
Ich traue deiner Gnade und gebe mein Leben ganz in deine Hand.
Mach du mit mir, wie es dir gefällt
und wie es gut für mich ist.
Ob ich lebe oder sterbe, ich bin bei dir,
und du bist bei mir, mein Gott.
Herr, ich warte auf dein Heil und auf dein Reich.
(Dietrich Bonhoeffer)

Fürbittgebet

HERR, die Welt um mich herum ist voll von Kummer, Sorge, Angst, Not, Verzweiflung und Hoffnungslosigkeit. Damit komme ich nun zu Dir und bitte Dich um Dein Eingreifen. Öffne den Himmel über uns, damit Deine Verheißungen uns erreichen.

Ich bitte Dich für alle, die Ihr Leben nur als Mühe und Last sehen, denen der Mut verloren gegangen ist. Öffne den Himmel über uns, damit Deine Hoffnung uns erreicht.

Ich bitte Dich für alle, denen Lebensnotwendiges fehlt und die voll Sorge auf das Morgen sehen, die von Arbeitslosigkeit und Armut bedroht sind. Öffne den Himmel über uns, damit Dein Segen uns erreicht.

Ich bitte Dich für alle, die Streit und Unfrieden leben, die von Krieg und Unruhe bedroht sind, die innerlich oder äußerlich gefährdet sind. Öffne den Himmel über uns, damit Dein Frieden uns verändert.
(Ronald Rosenthal)

Fürbitte konkret

(In die Lücken bitte einen Namen aus dem Bekanntenkreis einsetzen)
Lieber Vater, schenke heute ______________ viele schöne Begegnungen.
Herr Jesus, bitte gib ______________ den Mut, heute unangenehme Sachen anzupacken.
Heiliger Geist, ich bitte Dich, dass Du ______________ auf ihren Wegen beschützt.

Lieber Vater, schenke heute ______________ Kraft für seinen Arbeitstag.
Herr Jesus, bitte gib ______________ heute einen fröhlichen Tag.
Heiliger Geist, ich bitte Dich, versorge ______________ mit viel Geduld für ihre Aufgaben.

Lieber Vater, mache mich aufmerksam für meinen Nächsten.
Herr Jesus, bitte schenke mir Liebe für meine Feinde.
Heiliger Geist, mache mich zum Werkzeug Deines Friedens.
Amen.
(Ronald Rosenthal)

Segen
Gottes Macht halte mich aufrecht,
Gottes Weisheit führe mich,
Gottes Auge schaue für mich,
Gottes Ohr höre für mich,
Gottes Wort spreche für mich,
Gottes Hand schütze mich,
Gottes Weg liege vor mir,
Gottes Schild schirme mich.
(aus Irland)

Segen zur Versöhnung
Mögen deine Arme nicht erlahmen,
wenn du die Hand zur Versöhnung ausstreckst.
Möge dein Fuß nie müde werden,
wenn du auf deinen Widersacher zugehst.
Mögen dir Flügel eines Engels wachsen,
wenn du von diesem Gang zurückkehrst.
(aus Irland)

Abendgebet
Herr mein Gott,
ich danke dir, dass du diesen Tag zu Ende gebracht hast.
ich danke dir, dass du Leib und Seele zur Ruhe kommen lässt.
Deine Hand war über mir und hat mich behütet und bewahrt.
Vergib allen Kleinglauben und alles Unrecht dieses Tages
und hilf, dass ich gern denen vergebe,
die mir Unrecht getan haben.
Lass mich in Frieden unter deinem Schutze schlafen
und bewahre mich vor den Anfechtungen der Finsternis.
Ich befehle dir die Meinen,
ich befehle dir dieses Haus,
ich befehle dir meinen Leib und meine Seele.
Gott, dein heiliger Name sei gelobt.
Amen.
(Dietrich Bonhoeffer)

Luthers Abendsegen

Das walte Gott Vater, Sohn und Heiliger Geist! Amen

Ich danke dir, mein himmlischer Vater, durch Jesus Christus, deinen lieben Sohn, dass du mich diesen Tag gnädiglich behütet hast, und bitte dich, du wollest mir vergeben alle meine Sünde, wo ich Unrecht getan habe, und mich diese Nacht auch gnädiglich behüten. Denn ich befehle mich, meinen Leib und Seele und alles in deine Hände. Dein heiliger Engel sei mit mir, dass der böse Feind keine Macht an mir finde. Amen.

Mitarbeiter „Termine mit Gott 2022“

Alle Autorinnen und Autoren, deren Namen mit einem * versehen ist, sind unter terminemitgott@brunnen-verlag.de erreichbar.

Paul Ulrich Lenz, *	1.–2. Januar
Laura Müller, *	3.–6. Januar
Alexandra Sczigiol, *	7.–10. Januar
Sandra Herrendörfer-Pick, S.Herrendoerfer@gmx.de	11.–15. Januar
Matthias Hennemann, hennemann@egfd.de	16.–20. Januar
Christine Adolphs, *	21.–25. Januar
Veit-Sebastian Dietrich, vs.dietrich@googlemail.com	26.–30. Januar
Jens Märker, jens.maerker@evlks.de	31. Januar–4. Februar
Manfred Heinzelmann, manfred-bernd.heinzelmann@t-online.de	5.–9. Februar
Wieland Müller, Wieland.mueller@chrischona.org	10.–14. Februar
Thomas Sczigiol, Thomas.sczigiol@brunnen-verlag.de	15.–19. Februar
Jonathan Maul , Jonathan.maul@brunnen-verlag.de	20.–24. Februar
Marion Kuhn, *	25. Februar–1. März
Hartmut Voelkner, voelkner.h@t-online.de	2.–6. März
Mareike Kießling, *	7.–11. März
Ronald Rosenthal, ronald.rosenthal@cvjm-pfalz.de	12.–16. März
Dr. Michael Stollwerk, *	17.–21. März
Gero Cochlovius, Gero.Cochlovius@evlka.de	22.–26. März
Carola Zucht, *	27.–31. März
Markus Nietzke, markus.Nietzke@web.de	1.–5. April
Michelle Rath, *	6.–10. April
Tilo Benner, *	11.–15. April
Dr. Jörg Kailus, nj.kailus@web.de	16.–20. April
Dr. Ingeborg Schüler, ingeborgschueler@arcor.de	21.–24. April
Dr. Bernd Kisse, BKisse@freenet.de	25.–29. April
Dr. Ingeborg Schüler, ingeborgschueler@arcor.de	30. April–4. Mai
Alfred Preuß, alfred.preuss@heilsarmee.de	5.–9. Mai
David Jarsetz, Jarsetz@gmx.de	10.–14. Mai
Paul Ulrich Lenz, *	15. Mai
Alena Dörr, alenadoerr@web.de	16.–19. Mai
Ruben Hauck, ruben.hauck@fishpost.de	20.–21. Mai

Paul Ulrich Lenz, *	22. Mai
Ruben Hauck, ruben.hauck@fishpost.de	23.–24. Mai
Dr. Christoph Morgner, christoph.morgner@gmx.de	25.–28. Mai
Paul Ulrich Lenz, *	29. Mai
Daniel Trick, *	30. Mai–2. Juni
Matthias Flaßkamp, matthias.flasskamp@vg-sh.de	3.–4. Juni
Paul Ulrich Lenz, *	5. Juni
Matthias Flaßkamp, matthias.flasskamp@vg-sh.de	6.–7. Juni
Sabine Schmalzhaf, sabineschmalzhaf@gmx.de	8.–11. Juni
Tobias Schröder, schroeder@cvjm-potsdam.de	12.–15. Juni
Sebastian Rink, mail@sebastianrink.de	16.–19. Juni
Wolfgang Kraska, wolfgang.kraska@feg.de	20.–23. Juni
Rita Grundmüller, *	26. Juni;
Holger Noack, holger-noack@unitybox.de	24.–25; 27.–29. Juni
Rita Grundmüller, *	3. Juli
Harald Orth, harald.orth@feg-wiesbaden.de	30. Juni–5. Juli
Doris Reichmann, d.reichmann@juwed.de	6.–9. Juli
Reiner Tesche, tesche.reiner@teleos-web.de	10. Juli
Holger Blaskowski, mail@blaskowski.de	11.–14. Juli
Joakim Noack, *	15.–16. Juli
Gaby Schrott, m.schrott@die-apis.de	17. Juli
Joakim Noack, *	18.–19. Juli
Reiner Tesche, tesche.reiner@teleos-web.de	20.–22. Juli
Dr. Ulrike Treusch, treusch@fthgiessen.de	23. Juli
Gaby Schrott, m.schrott@die-apis.de	24. Juli
Dr. Ulrike Treusch, treusch@fthgiessen.de	25.–27. Juli
Dr. Roland Werner, rw@rolandwerner.de	28.–31. Juli
Hartmut Frische, hartmutfrische@t-online.de	1.–4. August
Andreas Klei, andreasklei@gmx.de	5.–6. August
Gaby Schrott, m.schrott@die-apis.de	7. August
Andreas Klei, andreasklei@gmx.de	8.–9. August
Andreas Lötzer, andi.loetzer@kabelmail.de	10.–13. August
Albrecht Kaul, albe.kaul@web.de	14.–17. August
Michael Götz, goetz@cvjm-bayern.de	18.–21. August
Gunder Gräbner, gundergraebner@lkgsachsen.de	22.–25 August
Christoph Wolff, *	26.–27. August
Joakim Noack, *	28. August
Christoph Wolff, *	29.–30. August
Hans-Martin Stäbler, hans-martin@diestaeblers.de	31. August–2. September
Holger Noack, holger-noack@unitybox.de	3. September

Martin Schrott, m.schrott@die-apis.de	4. September
Holger Noack, holger-noack@unitybox.de	5.–6. September
Martin Schrott, m.schrott@die-apis.de	7.–9. September
Norbert Held, norbert.held@web.de	10.–13. September
Friedemann Kretzer, friedemann.kretzer@web.de	14.–17. September
Hans-Martin Stäbler, hans-martin@diestaeblers.de	18. September
Dr. Tobias Eißler, Tobias.Eissler@elkw.de	19.–22. September
Matthias Kerschbaum, matthias.kerschbaum@cvjmbaden.de	23.–26. September
Reiner Kutsche, *	27.–28. September
Matthias Kaden, *	29. September–2. Oktober
Christa Albrecht, Christa.Albrecht@elkw.de	3.–6. Oktober
Dr. Klaus Schulz, *	7.–8. Oktober
Dr. Eberhard Hahn, e.fritz.hahn@gmail.com	9. Oktober
Dr. Klaus Schulz, *	10.–11. Oktober
Georg Klein, *	12.–15. Oktober
Gaby Schrott, m.schrott@die-apis.de	16. Oktober
Holger Noack, holger-noack@unitybox.de	17.–18. Oktober
Dr. Eberhard Hahn, e.fritz.hahn@gmail.com	19.–21. Oktober
Hartmut Bärend, hfb74@aol.com	22.–24. Oktober
Ralf Albrecht, albrecht@evang-kirche-nagold.de	25.–27. Oktober
Holger Noack, holger-noack@unitybox.de	28.–29. Oktober
Hartmut Bärend, hfb74@aol.com	30. Oktober
Holger Noack, holger-noack@unitybox.de	31. Oktober–2. November
Cornelius Kuttler, cornelius.kuttler@ejwue.de	3.–5. November
Ralf Albrecht, albrecht@evang-kirche-nagold.de	6. November
Cornelius Kuttler, cornelius.kuttler@ejwue.de	7. November
Jürgen Kehrberger, juergen.kehrberger@web.de	8.–11 November
Holger Noack, holger-noack@unitybox.de	12. November
Reiner Kutsche, *	13. November
Holger Noack, holger-noack@unitybox.de	14.–16. November
Matthias Rapsch, matthias.rapsch@promission-deutschland.de	17.–20. November
Burkhard Hesse, burkhard.hesse@ewe.net	21.–23. November
Karsten Hüttmann, Huettmann@cvjm.de	24.–27. November
Dr. Friedmann Eißler, fe313@t-online.de	28.–30. November
Dr. Friedmann Eißler, fe313@t-online.de	1. Dezember
Dr. Malte Schilling, malteschilling@gmail.com	2.–3. Dezember
Burkhard Hesse, burkhard.hesse@ewe.net	4. Dezember

Dr. Malte Schilling, malteschilling@gmail.com	5.–6. Dezember
Cornelia Fastner-Boss, conny.fastner-boss@cvjm-lippe.de	7.–10. Dezember
Frank Weber, weber@cvjm-hochschule.de	11. Dezember
Matthias Büchle, m.buechle@cvjm-westbund.de	12.–15. Dezember
Frank Weber, weber@cvjm-hochschule.de	16.–18. Dezember
Tobias Hoffmann, hoffmann.tobias@gmail.com	19.–22. Dezember
Hansjörg Kopp, kopp@cvjm.de	23.–26. Dezember
Dirk Mölling, *	27.–30. Dezember
Reiner Kutsche, *	31. Dezember

Redaktionelle Texte:

HN	Holger Noack	UB	Uwe Bertelmann

Bibelstellenregister

Abkürzungen

E	Einheitsübersetzung der Heiligen Schrift, Ausgabe in neuer Rechtschreibung, © 1999 Verlag Katholisches Bibelwerk, Stuttgart.
GNB	Gute Nachricht Bibel, © 1997 Deutsche Bibelgesellschaft, Stuttgart.
HfA	Hoffnung für alle®, © 1983, 1996, 2002 by Biblica Inc.™. Alle weiteren Rechte weltweit vorbehalten. Verwendet mit freundlicher Genehmigung von 'fontis – Brunnen Verlag Basel.
Kap.	Kapitel
LUT84	Lutherbibel, revidierter Text 1984, © Deutsche Bibelgesellschaft, Stuttgart.
NGÜ	Neue Genfer Übersetzung – Neues Testament und Psalmen, © 2011 Genfer Bibelgesellschaft.
u. ö.	und öfter
V.	Vers